VIRGINIA WOOLF

DIE WELLEN

Roman

Aus dem Englischen von
Herberth E. und Marlys Herlitschka

S. FISCHER VERLAG

Die Originalausgabe erschien 1931
unter dem Titel »The Waves«
im Verlag The Hogarth Press, London

Druck und Einband: Clausen & Bosse, Leck
Printed in Germany 1986
ISBN 3-10-092519-x

DIE WELLEN

Die Sonne war noch nicht aufgegangen. Das Meer war vom Himmel nicht zu unterscheiden, es war nur ein wenig gefältelt wie ein geknittertes Tuch. Während sich der Himmel allmählich erhellte, lag am Horizont ein dunkler Streifen, der das Meer vom Himmel trennte, und das graue Tuch war von dicken Linien gestrichelt, die sich eine hinter der andern unter der Oberfläche bewegten, einander folgten, einander verfolgten, ohne Unterlaß.

Während sie sich dem Ufer näherten, hob sich eine jede, wölbte sich, brach und warf einen dünnen Schleier weißen Wassers über den Sand. Die Welle hielt inne und zog sich dann zurück, seufzend wie ein Schläfer, dessen Atem unbewußt kommt und geht. Allmählich klärte sich der dunkle Streifen am Horizont, als hätte sich in einer alten Flasche Wein ein Bodensatz gebildet und das Glas grün gelassen. Dahinter klärte sich auch der Himmel, als wäre der weiße Satz dort zu Boden gesunken oder als hätte der Arm einer unter den Himmelsrand gebetteten Frau eine Lampe hochgehoben, und flache Strahlen von Weiß, Grün und Gelb breiteten sich über den Himmel wie die Rippen eines Fächers. Dann hob sie die Lampe höher, und die Luft schien faserig zu werden und sich von der grünen Oberfläche in rot und gelb flakkernden und flammenden Fasern loszulösen gleich dem rauchigen Feuer, das von einem Scheiterhaufen emporzüngelt. Allmählich verschmolzen die Fasern des brennenden Scheiterhaufens zu einem einzigen Schwaden, einer einzigen Weißglut, welche die Last des grauwolligen Himmels über sich hochstemmte und ihn in Millionen Atome von sanftestem Blau verwandelte. Die Oberfläche des Meers wurde langsam durchsichtig und kräuselte sich und glitzerte, bis die dunkeln Striche beinahe ausradiert waren. Langsam hob der Arm, der die Lampe hielt, sie höher und dann noch höher, bis eine breite Flamme sichtbar wurde; ein Bogen von

Feuer brannte am Himmelsrand, und überall darumher lohte das Meer golden.

Das Licht fiel auf die Bäume in dem Garten und machte erst ein und dann noch ein und wieder ein Blatt durchscheinend. Hoch oben zwitscherte ein Vogel; dann kam eine Pause; ein andrer zwitscherte weiter unten. Die Sonne machte die Mauern des Hauses kantiger und legte sich wie die Spitze eines Fächers auf eine weiße Gardine und tupfte einen blauen Fingerabdruck von Schatten unter das Blatt neben dem Schlafzimmerfenster. Die Gardine bewegte sich ein wenig, aber innen war alles dämmerig und unstofflich. Außen sangen die Vögel ihre blanke Melodie.

Ich sehe einen Ring vor mir hängen, sagte Bernard. Er flimmert und hängt in einem Reifen von Licht.

Ich sehe eine Scheibe von blassem Gelb sich ausbreiten, sagte Susan, bis sie an einen Streifen von Purpur stößt.

Ich höre einen Laut, sagte Rhoda, tschiep-tschilp, tschiep-tschilp, auf und ab steigen.

Ich sehe einen Ball, sagte Neville, wie einen Tropfen, der an den ungeheuern Flanken eines Bergs herabhängt.

Ich sehe eine scharlachrote Quaste, sagte Jinny, eine von Goldfäden durchflochtene.

Ich höre etwas stampfen, sagte Louis. Der Fuß eines großen Tiers ist angekettet. Es stampft und stampft und stampft.

Seht doch das Spinnennetz dort an der Ecke des Balkons! sagte Bernard. Es sind Wasserperlen darauf, Tropfen von weißem Licht.

Die Blätter sind um das Fenster versammelt wie gespitzte Ohren, sagte Susan.

Ein Schatten fällt auf den Weg, sagte Louis; er gleicht einem gewinkelten Ellbogen.

Inseln von Licht schwimmen auf dem Gras, sagte Rhoda. Sie sind durch die Bäume gefallen.

Die Augen der Vögel funkeln aus den Stollen im Laub, sagte Neville.

Die Stengel sind mit borstigen kurzen Härchen bedeckt, sagte Jinny, und Wassertropfen sind an ihnen hängengeblieben.

Eine Raupe, zu stumpfen Füßen gekerbt, ist zu einem grünen Ring zusammengerollt, sagte Susan.

Die graubehauste Schnecke kriecht über den Weg und läßt die Grashalme hinter sich flachgedrückt, sagte Rhoda.

Und flammende Lichter von den Fensterscheiben flitzen auf den Gräsern hin und her, sagte Louis.

Steine sind kalt unter meinen Füßen, sagte Neville. Ich kann einen jeden, ob rund oder spitz, einzeln spüren.

Mein Handrücken brennt, sagte Jinny, aber meine Handfläche ist klamm und feucht von Tau.

Nun kräht der Hahn, und es ist wie ein Spritzer harten roten Wassers inmitten der weißen Flut, sagte Bernard.

Vögel singen rings um uns auf und ab und ein und aus, sagte Susan.

Das Tier stampft; der Elefant mit dem angeketteten Fuß; das große Untier stampft auf dem Ufer, sagte Louis.

Seht doch das Haus, sagte Jinny, mit allen seinen Fenstern weiß von Gardinen!

Kaltes Wasser, sagte Rhoda, beginnt aus dem Hahn in der Spülküche zu rinnen; es rinnt über die Makrelen in der Schüssel.

Die Mauern sind von goldenen Sprüngen durchzogen, sagte Bernard, und unter den Fenstern sind blaue, fingerförmige Schatten von Blättern.

Jetzt zieht Mrs. Constable ihre dicken schwarzen Strümpfe hoch, sagte Susan.

Wenn der Rauch zu steigen beginnt, kräuselt sich der Schlaf wie ein Nebel vom Dach, sagte Louis.

Die Vögel sangen zuerst im Chor, sagte Rhoda. Jetzt wird der Türriegel der Spülküche zurückgeschoben. Sie fliegen davon. Sie fliegen davon wie ein Wurf Saatkörner. Doch einer singt allein nahe dem Schlafzimmerfenster.

Blasen bilden sich auf dem Boden des Kochtopfs, sagte Jinny. Dann steigen sie schneller und schneller, in einer silbernen Kette, an die Oberfläche.

Jetzt schabt Biddy die Fischschuppen mit einem gezähnten Messer auf ein Holzbrett, sagte Neville.

Das Eßzimmerfenster ist jetzt dunkelblau, sagte Bernard, und die Luft wellt sich über den Rauchfängen.

Eine Schwalbe sitzt auf dem Blitzableiter, sagte Susan. Und Biddy hat einen Eimer auf die Fliesen der Küche hingeknallt.

Das ist der erste Ton der Kirchenglocke, sagte Louis. Nun folgen die andern; bim-bam, bim-bam, bim-bam.

Seht das Tischtuch, wie es weiß über den Tisch hinflattert! sagte Rhoda. Jetzt sind Rundungen weißen Porzellans darauf und Silberstreifen neben jedem Teller.

Plötzlich dröhnt eine Biene an meinem Ohr, sagte Neville. Sie ist hier; sie ist weg.

Ich glühe, ich fröstle, sagte Jinny, aus dem Sonnenschein da in diesen Schatten hier.

Nun sind sie alle gegangen, sagte Louis. Ich bin allein. Sie sind ins Haus gegangen, zum Frühstück, und ich bin allein hier an der Gartenmauer zwischen den Blumen stehngeblieben. Es ist noch sehr früh, vor dem Unterricht. Blume nach Blume wird ein Sprenkel auf den Tiefen von Grün. Die Blütenblätter sind Harlekine. Stengel steigen aus den schwarzen Höhlungen unten auf. Die Blumen schwimmen wie Fische aus Licht auf dem dunkelgrünen Wasser. Ich halte einen Stengel in der Hand. Ich bin der Stengel. Meine Wurzeln reichen bis in die Tiefen der Welt, durch Erde, von Ziegeln trockene, und feuchte Erde, durch Adern von Blei und von Silber. Ich bin ganz Fasern. Jedes Beben erschüttert mich, und das Gewicht der Erde drückt auf meine Rippen. Hier oben sind meine Augen grüne Blätter, die nicht sehen. Hier oben bin ich ein Junge in einem grauen Flanellanzug mit einem Gürtel, den eine Messingschlange schließt. Dort unten sind meine Augen die lidlosen Augen einer Steinfigur in einer Wüste am Nil. Ich sehe Frauen mit roten Krügen zum Fluß vorbeigehn; ich sehe schwankende

Kamele und beturbante Männer. Ich höre Getrampel, Getorkel und Getriebe rings um mich.

Hier oben schöpfen Bernard, Neville, Jinny und Susan (aber nicht Rhoda) mit ihren Netzen die Blumenbeete ab. Sie schöpfen die Schmetterlinge von den nickenden Blumenköpfen. Sie streifen die Oberfläche der Welt. Ihre Netze sind voller flatternder Flügel. »Louis! Louis! Louis!« rufen sie. Aber sie können mich nicht sehen. Ich stehe auf der andern Seite der Hecke. Es sind bloß winzige Gucklöcher im Laub. O Gott, mach, daß sie vorbeigehn! Gott, laß sie ihre Schmetterlinge in einem Taschentuch auf den Kies legen. Laß sie ihre kleinen Füchse, ihre roten Admirale und Kohlweißlinge herzählen. Aber laß mich ungesehen bleiben! Ich bin grün wie eine Eibe im Schatten der Hecke. Mein Haar ist aus Nadeln. Ich bin im Mittelpunkt der Erde verwurzelt. Mein Körper ist ein Stengel. Ich quetsche den Stengel. Ein Tropfen quillt aus dem Loch an der Mündung und wird langsam, dickflüssig größer und größer. Jetzt bewegt sich etwas Rosarotes an dem Guckloch vorbei. Nun wird der Strahl eines Auges durch den Spalt gesteckt. Der Strahl trifft mich. Ich bin ein Junge in einem grauen Flanellanzug. Sie hat mich gefunden. Etwas trifft mich in den Nacken. Sie hat mich geküßt. Alles ist zertrümmert.

Nach dem Frühstück, sagte Jinny, bin ich gelaufen. Ich habe Blätter in einer Lücke der Hecke sich bewegen gesehen. Ich dachte: Das ist ein Vogel auf seinem Nest. Ich habe die Blätter geteilt und hineingeguckt; aber es war kein Vogel da und kein Nest. Die Blätter bewegten sich noch immer. Ich hab' mich gefürchtet. Ich bin an Susan vorbeigelaufen, an Rhoda und an Neville und Bernard, die im Werkzeugschuppen miteinander redeten. Ich weinte, während ich lief und immer schneller lief. Was hat die Blätter bewegt? Was bewegt mein Herz, meine Beine? Und dann bin ich hier hereingerannt und hab' dich grün wie einen Busch gesehen, wie einen Ast, sehr still, Louis, die Augen ganz starr. Ist er tot? hab' ich gedacht und dich geküßt, während mir das Herz unter meinem rosa Kleid bebte wie die Blätter, die sich immerzu regen, wenn auch nichts da ist, um sie zu bewegen. Jetzt rieche ich Geranien; ich rieche Gartenerde. Ich tanze. Ich riesle in Wellchen. Ich bin über dich geworfen wie ein Netz von Licht. Ich liege bebend über dich hingeworfen.

Durch die Lücke in der Hecke, sagte Susan, sah ich sie ihn küssen. Ich hob den Kopf von meinem Blumentopf und blickte durch eine Lücke in der Hecke. Ich sah sie ihn küssen. Ich sah die beiden, Jinny und Louis, einander küssen. Jetzt will ich meine Seelenqual in mein Taschentuch wickeln. Sie soll ganz fest zu einem Knäuel zusammengedreht werden. Ich will allein in den Buchenwald gehn, bevor der Unterricht beginnt. Ich will nicht an einem Tisch sitzen und Rechenaufgaben machen. Ich will nicht neben Jinny sitzen und neben Louis. Ich will meine Seelenqual nehmen und auf die Wurzeln unter den Buchen legen. Ich will sie untersuchen und befingern. Die andern werden mich nicht finden. Ich werde Nüsse essen und durch das Brombeergestrüpp nach Eiern spähen, und meine Haare werden verfilzt sein, und ich werde unter Hecken schlafen und Wasser aus Gräben trinken und da sterben.

Susan ist an uns vorbeigegangen, sagte Bernard. Sie ist an der Tür des Werkzeugschuppens vorbeigegangen, ihr Taschentuch zu einem Knäuel geballt. Sie weinte nicht, aber ihre Augen, die so schön sind, waren schmal wie Katzenaugen vor dem Sprung. Ich werde ihr nachgehn, Neville. Ich werde leise hinter ihr hergehn, damit ich mit meiner Neugier zur Stelle bin, um sie zu trösten, wenn sie in Wut ausbricht und dabei denkt: »Ich bin allein.«

Jetzt schlendert sie flott über die Wiesen, scheinbar unbekümmert, um uns zu täuschen. Dann kommt sie zu der Stelle, wo's bergab geht; sie glaubt, niemand sieht sie; sie beginnt zu laufen, mit vor der Brust geballten Fäusten. Ihre Fingernägel begegnen einander in dem zusammengeknüllten Taschentuch. Sie will in den Buchenwald, weg aus dem hellen Licht. Sie breitet die Arme aus, sobald sie dort ist, und gleitet in den Schatten wie eine Schwimmerin. Aber sie ist blind nach all der Helle und stolpert und läßt sich auf die Wurzeln hinfallen, unter den Bäumen, wo das Licht ein und aus zu keuchen scheint, ein und aus. Die Äste schwingen auf und nieder. Hier ist Erregung und Verstörtheit. Hier ist Düsternis. Das Licht flackert. Und auch Angst ist hier. Die Wurzeln bilden ein Skelett auf dem Boden; dürres Laub ist in die Winkel gehäuft. Susan hat ihre Seelenqual ausgebreitet. Ihr Taschentuch liegt auf den Wurzeln der Buchen, und sie sitzt zusammengesunken, wo sie sich hat hinfallen lassen, und schluchzt.

Ich hab' gesehen, wie sie ihn küßte, sagte Susan. Ich hab' durch die Blätter geguckt und sie gesehen. Sie kam hereingetanzt, glitzernd von Diamanten, leicht wie Staub. Aber ich bin untersetzt, Bernard, ich bin klein. Ich hab' Augen, die nahe dem Erdboden sehen und die Insekten im Gras wahrnehmen. Die gelbe Wärme in meiner Seite wurde zu Stein, als ich Jinny Louis küssen sah. Ich werde Gras essen und in einem Straßengraben voll bräunlichen Wassers sterben, wo dürre Blätter verrotten.

Ich hab' dich vorbeigehn gesehen, sagte Bernard. Als du an der Tür des Werkzeugschuppens vorbeikamst, hab' ich dich schluchzen gehört: »Ich bin unglücklich.« Ich legte mein Messer weg. Ich und Neville, wir hatten aus Brennholz Schiffe geschnitzt. Und meine Haare sind zerzaust, denn als Mrs. Constable mir sagte, ich solle sie bürsten, hab' ich eine

Fliege in einem Spinnennetz gesehen und mich gefragt: »Soll ich die Fliege befreien? Soll ich zulassen, daß die Fliege aufgefressen wird?« Und so komme ich immer überall zu spät. Mein Haar ist ungebürstet, und diese Holzspäne hängen darin. Als ich dich schluchzen hörte, bin ich dir nach und hab' gesehen, wie du dein Taschentuch ausgebreitet hast, das zusammengeknüllte, in das Wut und Haß verknotet waren. Aber das wird bald vorüber sein. Unsre Körper sind nun einander nahe. Du hörst mich atmen. Du siehst auch den Käfer, der ein Blatt auf seinem Rücken wegträgt. Er läuft hierhin, dann dorthin, so daß beim Betrachten des Käfers sogar dein Verlangen, ein Einziges zu besitzen (im Augenblick ist es Louis) schwanken muß wie das Licht im Buchenlaub. Und dann werden Wörter, die sich dunkel in den Tiefen deines Gemüts rühren, diesen Knoten von Härte sprengen, den in dein Taschentuch geknüpften.

Ich liebe, sagte Susan, und ich hasse. Ich begehre nur ein Einziges. Meine Augen sind hart. Jinnys Augen sprühen in tausend Lichtern. Rhodas Augen sind wie diese blassen Blüten, zu denen abends die Nachtfalter kommen. Die deinen füllen sich bis zum Rand und sprühen nie. Ich aber bin schon auf meine Fährte gesetzt. Ich sehe Insekten im Gras. Wenngleich meine Mutter noch immer weiße Socken für mich strickt und Schulschürzen säumt und ich noch ein Kind bin, liebe ich und hasse ich.

Aber wenn wir dicht beisammen sitzen, sagte Bernard, verschmelzen wir miteinander durch Phrasen. Wir sind von Dunst umrandet. Wir bilden ein ungreifbares Gebiet.

Ich sehe den Käfer, sagte Susan, ich sehe, daß er schwarz ist; ich sehe, daß er grün ist; ich bin gefesselt von einzelnen Wörtern. Du aber schlenderst weg; du stiehlst dich davon; du steigst immer höher auf Wörtern und Phrasen aus Wörtern.

Jetzt, sagte Bernard, wollen wir auf Entdeckungsreisen gehn. Dort liegt das weiße Haus zwischen den Bäumen. Es liegt dort unten, ganz tief unter uns. Wir werden sinken wie Schwimmer, die den Grund grade nur mit den Zehenspitzen berühren. Wir werden durch die grüne Luft des Laubs hinabsinken, Susan. Wir sinken im Laufen. Die Wellen schlagen über uns zusammen, das Buchenlaub schließt sich über unsern Köpfen. Dort ist die Uhr auf dem Stallgebäude, und ihre vergoldeten Zeiger glänzen. Das sind die Flächen und Firste des Herrschaftshauses. Dort klattert der Stallbursch in Gummistiefeln über den Hof. Das ist Elvedon.

Nun sind wir durch die Baumwipfel auf die Erde gefallen. Die Luft wälzt nicht mehr ihre langen, traurigen violetten Wellen über uns hin. Wir berühren die Erde; wir treten festen Boden. Das ist die kurzgestutzte Hecke des Damengärtchens. Da wandeln sie um die Mittagszeit mit Scheren und schneiden Rosen. Nun sind wir in dem eingehegten Wald mit der Mauer ringsum. Das ist Elvedon. Ich hab' an den Straßenkreuzungen Wegweiser gesehen, die mit einem Arm »Nach Elvedon« wiesen. Niemand ist dort gewesen. Die Farnkräuter riechen sehr stark, und unter ihnen wachsen rote Pilze. Nun wecken wir die schlafenden Dohlen, die noch nie eine menschliche Gestalt gesehen haben; nun treten wir auf verfaulte Galläpfel, altersrote, glitschige. Eine Ringmauer umschließt diesen Wald; niemand kommt je hierher. Horch! Das ist das Aufklatschen einer Riesenkröte im Unterholz; das ist das Herabrasseln eines urzeitlichen Föhrenzapfens, der zwischen den Farnkräutern vermodern wird.

Stell den Fuß auf diesen Ziegelstein! Blick über die Mauer! Das ist Elvedon. Die Dame sitzt zwischen den beiden hohen Fenstern und schreibt. Die Gärtner fegen den Rasen mit riesigen Besen. Wir sind die ersten, die hierherkommen. Wir sind die Entdecker eines unbekannten Lands. Rühr dich nicht! Wenn die Gärtner uns sähen, würden sie uns totschießen. Wir würden wie Iltisse an die Stalltür genagelt werden. Schau hin! Rühr dich nicht! Halt dich an den Farnkräutern oben auf der Mauer fest!

Ich sehe die Dame schreiben. Ich sehe die Gärtner fegen, sagte Susan. Wenn wir hier stürben, würde uns niemand begraben.

Lauf! sagte Bernard. Lauf! Der Gärtner mit dem schwarzen Vollbart hat uns gesehen. Wir werden erschossen werden. Wir werden wie Häher abgeschossen und an die Wand genagelt werden! Wir sind in einem feindlichen Land. Wir müssen in den Buchenwald entfliehen. Wir müssen uns unter den Bäumen verstecken. Ich hab' auf dem Herweg hier und da einen Zweig geknickt. Es gibt einen geheimen Pfad. Bück dich so tief du kannst! Folg mir, ohne zurückzublikken! Sie werden uns für Füchse halten. Lauf!

Nun sind wir in Sicherheit. Nun können wir wieder aufrecht gehn. Nun können wir die Arme strecken unter diesem hohen Baldachin, in diesem riesigen Wald. Ich höre nichts. Das ist bloß das Murmeln der Wellen in der Luft. Das ist eine Holztaube, die aus den Buchenwipfeln auffliegt. Die Taube schlägt mit den Flügeln; die Taube schlägt die Luft mit hölzernen Flügeln.

Jetzt verziehst du dich, indes du Phrasen machst, sagte Susan. Jetzt steigst du wie die Schnur eines Luftballons höher und höher durch die Schichten von Blättern und außer Reichweite. Jetzt bleibst du zurück. Jetzt zupfst du mich am Kleid, blickst zurück, machst Phrasen. Du bist mir entwischt. Hier ist der Garten. Hier ist die Hecke. Hier sitzt Rhoda am Wegrand und schaukelt Blütenblätter in einer braunen Teigschüssel.

Alle meine Schiffe sind weiß, sagte Rhoda. Ich mag keine

roten Blütenblätter von Stockrosen oder Geranien. Ich will weiße Blütenblätter, die oben bleiben, wenn ich die Schüssel neige. Ich habe jetzt eine Flotte, die von Ufer zu Ufer fährt. Ich will ein Zweiglein hineinwerfen, als Floß für einen ertrinkenden Seemann. Ich will ein Steinchen hineinwerfen und aus der Tiefe des Meeres Blasen aufsteigen sehen. Neville ist weggegangen, und Susan ist weggegangen; Jinny ist im Küchengarten und pflückt Johannisbeeren, vielleicht mit Louis. Ich hab' eine kleine Weile für mich allein, während Miss Hudson unsre Hefte auf dem Schulzimmertisch verteilt. Ich hab' eine kurze Spanne Freiheit. Ich hab' alle die abgefallenen Blütenblätter aufgelesen und sie schwimmen lassen. In einige hab' ich Regentropfen getan. Ich will einen Leuchtturm hierhersetzen, ein Büschel süßen Alyssums. Und ich werde jetzt die braune Schüssel hin- und herschaukeln, damit meine Schiffe über die Wellen fahren. Manche werden untergehn, manche an den Klippen zerschellen. Eins fährt ganz allein. Das ist mein Schiff. Es fährt in Eishöhlen, wo der Polarfuchs bellt und Stalaktiten grüne Ketten schwingen. Die Wellen steigen; ihre Kämme kräuseln sich; sieh die Lichter an den Mastspitzen! Alle Schiffe haben sich zerstreut, sie sind untergegangen, alle außer meinem, das die Wellen durchschneidet und vor dem Sturmwind dahinsaust und die Inseln erreicht, wo die Papageien plappern und die Lianen . . .

Wo ist Bernard? sagte Neville. Er hat mein Messer. Wir waren im Werkzeugschuppen und haben Schiffe geschnitzt, und Susan kam an der Tür vorbei. Und Bernard ließ sein Schiff sein und ging ihr nach und nahm mein Messer mit, das scharfe, das den Kiel schnitzt. Er ist wie ein baumelnder Draht, ein abgerissener Klingelzug, der immerzu bimmelt. Er ist, wie der vors Fenster gehängte Seetang, bald feucht, bald trocken. Er läßt mich im Stich; er geht Susan nach;

und wenn Susan weint, wird er mein Taschenmesser hervorholen und ihr Geschichten davon erzählen. Die große Klinge sei ein Kaiser; die abgebrochene ein Neger. Ich hasse alles Baumelnde; ich hasse alles Feuchte. Ich hasse alles Umherschweifen und das Durcheinanderbringen von Dingen. Nun läutet die Glocke, und wir werden zu spät kommen. Nun müssen wir unsre Spielsachen sein lassen. Nun müssen wir alle zusammen hineingehn. Die Schulhefte sind nebeneinander auf dem mit grünem Tuch bespannten Tisch bereitgelegt.

Ich will das Zeitwort nicht abwandeln, sagte Louis, bevor Bernard es nicht hergesagt hat. Mein Vater ist Bankier in Brisbane, und ich habe eine australische Aussprache. Ich werde warten und es Bernard nachmachen. Er ist Engländer. Alle sind sie Engländer. Susans Vater ist Landwirt. Rhoda hat keinen Vater mehr. Bernard und Nevilles Familien gehören zur Gentry. Jinny lebt bei ihrer Großmutter in London. Jetzt saugen sie alle an ihren Federhaltern. Nun tändeln sie mit ihren Heften, und mit einem Seitenblick auf Miss Hudson zählen sie die purpurnen Knöpfe an ihrer Bluse. Bernard hat einen Holzspan im Haar. Susan hat gerötete Augen. Beide sehen erhitzt aus. Aber ich bin blaß; ich bin nett gekleidet, und meine Pumphosen sind von einem Gürtel mit einer Messingschlange gehalten. Ich weiß unsre Aufgabe auswendig. Ich weiß mehr, als die andern je wissen werden. Ich kann meine Fälle und Geschlechter; ich könnte alles wissen, was es nur zu wissen gibt, wenn ich wollte. Aber ich will nicht an die Oberfläche kommen und meine Lektion hersagen. Meine Wurzeln winden sich wie die Fasern in einem Blumentopf rundum und rund um die Welt. Ich will nicht hinaufkommen und im Licht dieser großen Uhr mit dem gelben Gesicht leben, die immerzu tickt. Jinny und Susan, Bernard und Neville verflechten sich zu einem

Ziemer, um mich damit zu verprügeln. Sie lachen über meine Ordnungsliebe, über meine australische Aussprache. Ich will jetzt versuchen, Bernard nachzuahmen, wie er leise Latein lispelt.

Das sind weiße Wörter, sagte Susan, weiß wie die Steine, die man am Strand aufliest.

Sie schnellen ihre Schwänze nach rechts und links, während ich sie ausspreche, sagt Bernard. Sie wedeln mit dem Schwanz; sie schlagen mit dem Schwanz; sie bewegen sich in Schwärmen durch die Luft, bald hierhin, bald dorthin, bewegen sich alle zugleich, trennen sich jetzt, finden sich jetzt wieder zusammen.

Das sind gelbe Wörter, das sind feurige Wörter, sagte Jinny. Ich hätte gern ein feuriges Kleid, ein gelbes Kleid, ein lohfarbenes Kleid, um es abends zu tragen.

Jede Zeitform eines Zeitworts, sagte Neville, meint etwas andres. Es gibt eine Ordnung in dieser Welt; es gibt Unterschiede, es gibt Verschiedenheiten in dieser Welt, auf deren Schwelle ich trete. Denn dies ist nur ein Anfang.

Nun hat Miss Hudson, sagte Rhoda, das Buch zugeklappt. Nun beginnt das Schreckliche. Nun ergreift sie die Kreide und schreibt Ziffern, eine Sechs, eine Sieben, eine Acht und dann ein Kreuz und dann einen Strich an die Tafel. Was ist die Lösung? Die andern sehen hin; sie sehen verständnisvoll hin. Louis schreibt; Susan schreibt; Neville schreibt; Jinny schreibt; sogar Bernard hat nun zu schreiben begonnen. Ich aber kann nichts hinschreiben. Ich sehe nur Ziffern. Die andern liefern ihre Lösungen ab, eins nach dem andern. Jetzt ist die Reihe an mir. Aber ich habe keine Lösung gefunden. Die andern dürfen gehn. Sie schlagen die Tür hinter sich zu. Auch Miss Hudson geht. Sie haben mich alleingelassen, damit ich die Lösung finde. Die Ziffern bedeuten jetzt gar nichts. Alle Bedeutung ist geschwunden. Die Uhr tickt. Die beiden Zeiger sind Karawanen auf dem Marsch durch die Wüste. Die schwarzen Striche auf dem Zifferblatt sind grüne Oasen. Der lange Zeiger ist voraus, um Wasser zu suchen. Der andre stolpert mühselig zwischen heißen Steinen in der Wüste dahin. Er wird in der Wüste sterben. Die Küchentür fällt zu. Wilde Hunde bellen in der Ferne. Schau, die Schlinge der Ziffer beginnt, sich mit Zeit zu füllen; sie hält die Welt darin. Ich beginne, eine Ziffer hinzumalen, und die Welt ist in sie geschlungen, und ich selbst bin außerhalb der Schlinge; die ich jetzt schließe — so! — und versiegle und ganzmache. Die Welt ist ganz, und ich stehe außerhalb ihrer und rufe: »Oh, rettet mich davor, auf immer außerhalb der Schlinge der Zeit dahingeweht zu werden!«

Dort im Schulzimmer sitzt Rhoda, sagte Louis, und schaut auf die Tafel, indes wir wegschlendern, hier ein Zweiglein Thymian pflücken, dort ein Eberrautenblättchen abzupfen, während Bernard eine Geschichte erzählt. Rhodas Schulterblätter kommen auf ihrem Rücken zusammen wie die Flügel eines kleinen Schmetterlings. Und während sie auf die Kreideziffern starrt, weilt ihr Geist in diesen weißen Kreisen; tritt durch diese weißen Kringel ins Leere, allein. Sie haben keine Bedeutung für sie. Sie findet keine Lösung für sie. Sie hat keinen Körper, wie die andern einen haben. Und ich, der mit einem australischen Akzent spricht, ich, dessen Vater Bankier in Brisbane ist, fürchte mich nicht vor ihr wie vor den andern.

Wir wollen jetzt, sagte Bernard, unter den Baldachin der Johannisbeerblätter kriechen und einander Geschichten erzählen. Wir wollen die Unterwelt bewohnen. Wir wollen unser heimliches Reich in Besitz nehmen, das wie von Kandelabern herabhängender Johannisbeerbüschel erhellt ist, die auf der einen Seite leuchtend rot, auf der andern schwarz sind. Hier, Jinny, können wir, wenn wir uns eng zusammenkuscheln, unter dem Baldachin der Johannisbeerblätter sitzen und die Weihrauchkessel schwingen sehen. Dies ist unsre Welt. Die andern gehn den Zufahrtsweg hinunter. Miss Hudsons und Miss Currys Röcke fegen vorbei wie Löschhütchen. Das sind Susans weiße Socken. Das sind Louis' nette Leinenschuhe, die sich fest auf dem Kies abdrücken. Hier kommen warme Lüftchen von verrottendem Laub, von verfaulenden Pflanzen. Wir sind jetzt in einem Sumpf; in einem Malariadschungel. Dort liegt ein von Maden weißer Elefant, den ein mitten ins Auge geschossener Pfeil getötet hat. Die funkelnden Augen hopsender Vögel — Adler, Geier — sind zu sehen. Sie halten uns für gestürzte Bäume. Sie pikken nach einem Wurm — er ist eine Brillenschlange, und sie lassen sie mit einer schwärenden braunen Wunde liegen, daß sie von Löwen zerfleischt werden wird. Dies ist unsre Welt, von leuchtenden Halbmonden und Sternen erhellt; und große, halb durchsichtige Blütenblätter verschließen die Öffnungen gleich purpurnen Fenstern. Alles ist seltsam. Die Dinge sind riesenhaft und winzig klein. Die Stiele der Blumen sind dick wie Eichenstämme. Blätter sind hoch gewölbt wie Kuppeln riesiger Dome. Wir, die wir hier lagern, sind Riesen, und wir können ganze Wälder erzittern machen.

Dies ist das Hier, sagte Jinny, dies ist das Heute. Aber bald werden wir gehn. Bald wird Miss Curry ihr Pfeifchen blasen. Wir werden einen Spaziergang machen. Wir werden uns trennen. Ihr werdet ins Internat kommen. Ihr werdet Lehrer haben, die Kreuze tragen und weiße Schlipse. Und ich werde in einem Pensionat an der Ostküste eine Lehrerin haben, die unter einem Porträt Königin Alexandras sitzt. Dorthin werde ich kommen und auch Susan und Rhoda. Dies ist nur das Hier; dies ist nur das Heute. Jetzt liegen wir unter den Johannisbeerbüschen, und so oft sich ein Lüftchen regt, sind wir über und über gesprenkelt. Meine Hand ist wie eine Schlangenhaut. Meine Knie sind rosige schwimmende Inseln. Dein Gesicht ist wie ein Apfelbaum, über den ein Netz gezogen ist.

Die Hitze weicht aus dem Dschungel, sagte Bernard. Die Blätter schlagen mit schwarzen Flügeln über uns. Miss Curry hat auf der Terrasse ihr Pfeifchen geblasen. Wir müssen unter dem Dach der Johannisbeerblätter hervorkriechen und uns aufrichten. Du hast kleine Zweiglein im Haar, Jinny. Auf deinem Nacken sitzt eine grüne Raupe. Wir müssen antreten, zwei und zwei. Miss Curry wird uns auf einen flotten Spaziergang führen, während Miss Hudson an ihrem Schreibtisch sitzt und ihre Abrechnungen erledigt.

Es ist langweilig, sagte Jinny, auf der Landstraße zu gehn, wo es keine Schaufenster gibt, wo keine Mondaugen von blauem Glas in das Pflaster eingelassen sind.

Wir müssen paarweise antreten, sagte Susan, und schön ordentlich gehn, nicht mit den Füßen scharren, nicht trödeln, und Louis wird als unser Anführer vorangehn, denn Louis ist aufgeweckt und keine Schlafmütze.

Da ich, sagte Neville, angeblich zu zart bin, um mitzugehn, da ich so schnell ermüde und mir dann immer schlecht wird, will ich diese Stunde des Alleinseins, diese Atempause zwischen Gesprächen dazu benützen, den Bereich des Hauses abzuschreiten und, indem ich mich auf dieselbe Stufe halben Wegs zum nächsten Treppenabsatz stelle, wenn möglich dessen wieder habhaft zu werden, was ich empfand, als ich gestern abend durch die Schwingtür von dem Toten reden hörte, während die Köchin die Wärmeregler für den Herd ein und aus schob. Der Mann war mit durchschnittener Kehle aufgefunden worden. Die Blätter des Apfelbaums hefteten sich an den Himmel; der Mond starrte bleich; ich war außerstande, den Fuß auf die nächste Stufe zu setzen. Er war im Rinnstein gefunden worden. Sein Blut lief gurgelnd den Rinnstein entlang. Seine Kinnbacken waren weiß wie ein toter Stockfisch. Ich werde diese Beklemmung, dieses Erstarren immer »Tod unter den Apfelbäumen« nennen. Da waren die ziehenden blaßgrauen Wolken; und der unerweichliche Baum; der unversöhnliche Baum mit seiner Silberrinde. Das Rieseln meines eigenen Lebens half nichts. Ich war nicht imstande, daran vorbeizugehn. Da war ein Hindernis. »Ich vermag dieses unverständliche Hindernis nicht zu überwinden«, dachte ich. Aber die andern gingen daran vorbei. Doch uns droht das Verhängnis, uns allen, von den Apfelbäumen, von dem unerweichlichen Baum, an dem wir nicht vorbeikönnen.

Jetzt ist diese Beklemmung, diese Starre vorbei; und ich will den Überblick über den Bereich des Hauses am späten Nachmittag fortsetzen, bei Sonnenuntergang, wenn die Sonne ölige Flecke auf das Linoleum macht und ein Lichtspalt auf der Wand kniet und die Sesselbeine wie geknickt aussehen läßt.

Ich hab' Florrie im Küchengarten gesehn, sagte Susan, als wir von unserm Spaziergang zurückkamen, und die aufgehängte Wäsche flatterte um sie herum, die Schlafanzüge, die Unterhöschen, die Nachthemden, schmal und straff geweht vom Wind. Und Ernest gab ihr einen Kuß. Er trug die grüne Tuchschürze und putzte Silber, und seine eingesaugten Wangen glichen einer runzeligen Geldbörse; er packte Florrie, und der prall geblähte Schlafanzug war zwischen ihnen. Er war blindwütig wie ein Stier, und sie wurde halb ohnmächtig vor Angst, nur kleine Äderchen färbten ihre weißen Wangen rot. Und wenngleich die beiden jetzt zur Teezeit Teller mit Butterbroten und Tassen mit heißer Milch herumreichen, sehe ich doch einen Riß in der Erde, aus dem Dampf aufzischt; und der Teekessel brüllt, wie Ernest gebrüllt hat, und ich flattere selber prall gebläht im Wind wie die Schlafanzüge, auch wenn ich jetzt in das weiche Butterbrot beiße und die süße Milch schlürfe. Ich fürchte mich weder vor Hitze noch vor dem Frost des Winters. Rhoda träumt und saugt an einer in der Milch geweichten Brotrinde; Louis betrachtet die Wand gegenüber mit schneckengrünen Augen; Bernard formt sein Brot zu Kügelchen und nennt sie »Leute«. Neville, mit seinem säuberlichen, entschiedenen Gehaben, hat fertiggegessen. Er hat seine Serviette zusammengerollt und durch den Silberring gezogen. Jinny läßt die Finger auf dem Tischtuch wirbeln, als tanzten und pirouettierten sie im Sonnenschein. Ich aber fürchte mich nicht vor Hitze noch vor dem Frost des Winters.

Und jetzt, sagte Louis, erheben wir uns alle; wir stehn alle aufrecht. Miss Curry legt das schwarze Buch weit aufgeschlagen auf das Harmonium. Es fällt einem schwer, nicht zu weinen, während wir singen, während wir beten, Gott möge uns beschützen in unserem Schlaf; während wir uns kleine Kinder nennen. Wenn wir traurig sind und bänglich zittern, tut es wohl, zu singen, uns ganz leicht anzulehnen, ich an Susan, Susan an Bernard, und einander an den Händen zu halten, wenn wir Angst haben vor vielem, ich vor meiner Aussprache, Rhoda vor Ziffern; und doch entschlossen sind, es alles zu überwinden.

Jetzt gehn wir im Rudel hinauf, sagte Bernard, wie Ponys, eins hinter dem andern stampfend und trappelnd, um dann der Reihe nach ins Badezimmer zu treten. Wir prallen gegeneinander, balgen uns, wir springen auf und ab auf den harten weißen Betten. Jetzt ist die Reihe an mir. Jetzt komme ich dran.

Mrs. Constable, mit einem Badetuch umgürtet, nimmt den zitronengelben Schwamm und taucht ihn ins Wasser;

er wird schokoladenbraun; er tropft; sie hält ihn hoch über mir; während ich erschauernd vor ihr stehe, drückt sie ihn aus. Wasser läuft die Rinne meines Rückgrats hinab. Grelle Pfeile von Sinnesempfindungen schießen nach rechts und links. Ich bin von warmem Fleisch bedeckt. Meine trockenen Ritzen werden feucht; mein kalter Körper erwärmt sich; er ist geschwemmt und glänzt. Wasser läuft an mir hinab und überzieht mich wie einen Aal. Jetzt umhüllen mich warme Frottiertücher, und während ich mir den Rükken reibe, bringt ihre Rauheit mein Blut zum Schnurren. Üppige, wuchtige Sinnesempfindungen bilden sich auf dem Dach meines Geistes; herab schauert der Tag — der Wald; und Elvedon; Susan und die Taube. An den Wänden meines Geistes läuft, zusammenfließend, der Tag hinab in all seiner Fülle, seiner Pracht. Jetzt knüpfe ich meinen Schlafanzug lose um mich und liege unter dieser leichten Decke, in dem seichten Licht schwimmend, das wie eine dünne Schicht von Wasser ist, welche von einer Welle über meine Augen gezogen wurde. Hindurch, weit weg, höre ich fern den Chor beginnen: Räderrollen; Hundegebell; Rufe von Männern; Kirchenglocken; den beginnenden Chor.

Wie ich mein Kleid und mein Hemd zusammenfalte, sagte Rhoda, so lege ich meinen hoffnungslosen Wunsch ab, wie Susan zu sein, wie Jinny zu sein. Aber ich will die Zehen strecken, so daß sie die Stange am Ende des Betts berühren; ich will mich, indem ich die Stange berühre, vergewissern, daß etwas Festes da ist. Nun kann ich nicht versinken; kann nicht völlig durch das dünne Bettuch hindurchfallen. Nun spreite ich meinen Körper auf dieser gebrechlichen Matratze und bleibe schweben. Ich befinde mich jetzt über der Erde. Ich stehe nicht mehr aufrecht, daß ein jeder Mensch an mich anstoßen und mich beschädigen kann. Alles ist weich und biegsam. Wände und Schränke werden heller und zeigen ihre gelben Vierecke, auf denen blasses Glas schimmert. Nun vermag sich mein Geist aus mir zu ergießen. Ich kann an mein Geschwader denken, wie es auf den hohen Wogen dahinsegelt. Ich bin erlöst von harten Berührungen und Zusammenstößen. Ich segle allein weiter, an weißen Klippen vorbei. Oh, aber ich sinke, ich falle! Das hier ist die Schrankecke; das dort der Kinderzimmerspiegel. Doch sie strecken sich, sie verlängern sich. Ich sinke hinab auf die schwarzen Flaumfedern des Schlafs; seine schweren Schwingen sind auf meine Augen gedrückt. Durch Dunkelheit schwebend sehe ich unter mir die Blumenbeete ausgebreitet, und Mrs. Constable kommt um das Pampasgrasbüschel herum gelaufen, um mir zu sagen, daß meine Tante in einem Wagen mich abholen gekommen ist; ich steige hoch; ich entwische; ich erhebe mich auf gefederten Schuhsohlen über die Baumwipfel. Aber jetzt bin ich in den Wagen vor der Haustür gefallen, darin sie mit wippenden gelben Fiederfedern sitzt und mit Augen, die hart sind wie Marmelsteine. Oh, von Träumen aufzuwachen! Schaut, dort steht die Kommode! Laßt mich mich aus diesen Gewässern herausziehen! Aber sie türmen sich auf mich, und sie schwemmen mich zwischen ihre breiten Schultern; ich werde gewendet; ich werde gewälzt; ich liege ausgestreckt zwischen diesen langen Linien von Licht, diesen langen Wellen, diesen endlosen Pfaden, und Leute verfolgen mich, verfolgen mich.

Die Sonne stieg höher. Blaue Wellen, grüne Wellen schnellten einen jähen Fächer über das Ufer, umflossen das Stranddistelreis und hinterließen da und dort seichte Tümpel von Licht auf dem Sand. Die Felsen, die dunstig und weich gewesen waren, verfestigten sich und waren von roten Schründen gezeichnet.

Scharfe Streifen von Schatten lagen auf dem Gras, und der Tau, der an den Spitzen der Blumen und Blätter hing, machte aus dem Garten ein Mosaik einzelner, noch nicht zu einem Ganzen gefügter Funken. Die Vögel, ihre Brust kanariengelb und rosenrot gefleckt, sangen nun miteinander ein paar Weisen ungestüm drauflos, wie Arm in Arm dahintollende Schlittschuhläufer, und sich voneinander trennend verstummten sie plötzlich.

Die Sonne legte breitere Klingen über das Haus. Das Licht berührte etwas Grünes im Fensterwinkel und machte daraus einen Smaragdklumpen, eine Höhlung reinen Grüns gleich einer kernlosen Frucht. Es schärfte die Kanten von Tischen und Stühlen und bestickte weiße Tischtücher mit feinem Golddraht. Als das Licht stärker wurde, barst da und dort eine Knospe und schüttelte eine Blüte hervor, eine grüngeäderte, die bebte, als hätte die Anstrengung des Aufbrechens sie in Schwingungen versetzt und sie ließe ein leises Läuten ertönen, als sie mit zartem Klöppel an die weiße Wandung schlug. Alles wurde formlos weich, als verflüssigte sich das Porzellan der Teller und auch der Stahl der Messer. Unterdessen traf der Anprall der sich brechenden Wellen das Ufer mit dumpfen Schlägen wie von kollernden Baumstämmen.

Nun, sagte Bernard, ist die Zeit gekommen. Der Tag ist gekommen. Der Mietwagen steht vor der Tür. Mein riesiger Koffer biegt Georges O-Beine noch krummer. Die gräßliche Zeremonie ist vorbei, die Ratschläge und das Abschiednehmen von der Dienerschaft in der Halle. Jetzt kommt diese die Kehle zuschnürende Zeremonie mit meiner Mutter, diese Zeremonie des Händedrucks mit meinem Vater; und jetzt muß ich winken und winken, bis der Wagen um die Biegung ist. Nun ist auch diese Zeremonie vorbei. Dem Himmel sei Dank, alle Zeremonien sind vorbei! Ich bin allein; ich fahre zum erstenmal in die Internatschule.

Jeder Mensch scheint alles nur für diesen Augenblick zu tun; und dann nie wieder. Nie wieder. Daß alles so drängt, ist fürchterlich. Jedermann erkennt, daß ich ins Internat fahre, zum erstenmal in die Schule fahre. »Dieser Junge fährt zum erstenmal in die Schule«, sagt ein Hausmädchen, das da die Stufen schrubbt. Ich darf nicht weinen. Ich muß sie alle mit Gleichgültigkeit betrachten. Nun gähnen die gräßlichen Portale des Bahnhofs; »es sieht die Uhr mit ihrem Mondgesicht mich an«. Ich muß Phrasen auf Phrasen erfinden und so etwas Hartes zwischen mich und das Herstarren von Hausmädchen einschieben, das Starren von Uhren, starrende Gesichter, gleichgültige Gesichter, oder ich werde weinen. Dort steht Louis, dort steht Neville, in langen Mänteln, Reisetaschen in der Hand, beim Fahrkartenschalter. Sie sind gefaßt. Aber sie sehen verändert aus.

Hier ist Bernard, sagte Louis. Er ist gefaßt; er ist unbefangen. Er läßt im Gehn seine Reisetasche pendeln. Ich werde hinter Bernard hergehn, weil er sich nicht fürchtet. Wir werden durch den Schalterraum auf den Bahnsteig hinausgesogen, wie ein Bach Zweige und Strohhalme um die Pfeiler einer Brücke zieht. Da steht die sehr kräftige flaschengrüne Lokomotive ohne Hals, ganz Rücken und Schenkel, und atmet Dampf aus. Der Schaffner bläst sein Pfeifchen; das Fähnchen wird gesenkt; mühelos, durch eigene Wucht, wie eine mit einem sanften Stoß ins Rollen gebrachte Lawine, beginnen wir uns vorwärtszubewegen. Bernard breitet eine Reisedecke aus und spielt Knöcheln. Neville liest. London bröckelt ab. London wogt und schwillt. Es starrt stachelig von Schornsteinen und Türmen. Dort ist eine weiße Kirche; da ein Mast zwischen den Giebeln. Dort ein Kanal. Und jetzt offene Flächen mit Asphaltwegen, auf denen seltsamerweise um diese Stunde Leute gehn. Dort eine von roten Häuserreihen gestreifte Anhöhe. Ein Mann überschreitet eine Brücke, einen Hund neben sich. Jetzt beginnt der rote Junge auf einen Fasan zu schießen. Der blaue Junge schiebt ihn beiseite. »Mein Onkel ist der beste Schütze in ganz England. Mein Vetter ist Fuchsjagdleiter.« Das Prahlen beginnt. Ich aber kann nicht prahlen, denn mein Vater ist Bankier in Brisbane und ich spreche mit einem australischen Akzent.

Nach diesem ganzen Tumult, sagte Neville, diesem ganzen Gebalge und Getümmel sind wir angekommen. Dies ist wahrhaftig ein Augenblick — dies ist wahrhaftig ein feierlicher Augenblick. Ich komme wie ein Fürst in sein ihm gebührendes Reich. Da steht unser Stifter; unser illustrer Stifter steht hier im Hof, den einen Fuß ein wenig vorgesetzt. Ich grüße unsern Stifter. Etwas edel Römisches webt um diese nüchtern ernsten quadratischen Höfe. Schon brennen die Lampen in den Klassenzimmern. Das dort könnten Laboratorien sein, und dies hier eine Bibliothek; hier werde ich die Genauigkeit der lateinischen Sprache erforschen und fest über die wohlgefügten Sätze schreitend die klaren, die klangvollen Hexameter des Vergil, des Lukrez aussprechen; und aus einem großen Buch, einem Quartband mit breiten Rändern, die Liebschaften des Catull mit ihrer Leidenschaftlichkeit, die nie dunkel oder formlos ist, deklamieren. Ich werde mit meinen Freunden unter den hochragenden Ulmen liegen.

Sieh da, der Schuldirektor! Wie schade, daß er mich reizt, mich über ihn lustig zu machen. Er ist zu geschniegelt, er ist im ganzen zu blank und schwarz, wie eine Statue in einem öffentlichen Garten. Und auf der linken Seite seiner Weste, seiner prallen, seiner trommelähnlichen Weste, hängt ihm ein Kruzifix von der Uhrkette.

Der alte Crane, sagte Bernard, erhebt sich nun, um eine Ansprache an uns zu halten. Der alte Kranich, der Schuldirektor, hat eine Nase, die einem Berg bei Sonnenuntergang gleicht, und einen blauen Spalt in seinem Kinn gleich einer bewaldeten Schlucht, die ein Ausflügler in Brand gesteckt hat; gleich einer aus einem Zugsfenster erblickten bewaldeten Schlucht. Er schwankt ein wenig hin und her und schmettert seine gewaltigen und klangvollen Worte hervor. Ich liebe gewaltige und klangvolle Worte. Aber die seinen sind zu herzlich, um aufrichtig zu sein. Doch er ist nun schon von ihrer Wahrheit überzeugt. Und wenn er das Klassenzimmer verläßt und dabei recht schwerfällig hin- und herschwankt und sich durch die Schwingtür hinauswälzt, dann wälzen sich auch alle andern Lehrer, recht schwerfällig hin- und herschwankend, so durch die Schwingtür. Dies ist unsre erste Nacht in der Schule, getrennt von unsern Schwestern.

Dies ist meine erste Nacht in der Schule, sagte Susan, fern von meinem Vater, fern von meinem Heim. Meine Augen schwellen; meine Augen prickeln von Tränen. Ich hasse den Geruch von Fichtenholz und Linoleum. Ich hasse die windgezausten Sträucher und die sanitären Kacheln. Ich hasse die fröhlichen Scherzworte und das glasierte Aussehen aller. Ich habe mein Eichkätzchen und meine Tauben bei dem Stallburschen gelassen, damit er für sie sorge. Die Küchentür fällt zu, und Schrot pleddert im Laub, wenn Patrick auf die Krähen schießt. Hier ist alles auf Schein hergerichtet; alles unecht. Rhoda und Jinny sitzen weit weg in ihren braunen Sergekleidern und blicken auf Miss Lambert, die unter einem Bild Königin Alexandras sitzt und aus einem Buch vorliest. Dort hängt auch eine blaue Ranke, eine Stickerei, die eine frühere Schülerin angefertigt hat. Wenn ich jetzt nicht die Lippen einziehe, wenn ich nicht mein Taschentuch zusammenknülle, werde ich weinen.

Das purpurne Licht in Miss Lamberts Ring, sagte Rhoda, wandert hin und her über den schwarzen Fleck auf der weißen Seite des Gebetbuchs. Es ist ein weinfarbenes, es ist ein verliebtes Licht. Nun, da unsre Koffer in den Schlafräumen ausgepackt sind, sitzen wir hier zusammengetrieben, umgeben von Landkarten der ganzen Welt. Da stehn Pulte mit Vertiefungen für die Tintenfässer. Wir werden unsre Aufgaben hier mit Tinte schreiben. Aber hier bin ich niemand. Ich habe kein Gesicht. Diese große Schar, alle in braune Serge gekleidet, hat mich meiner Identität beraubt. Wir sind alle fühllos, freundlos. Ich werde mir ein Gesicht aussuchen, ein monumentales Gesicht, und werde es mit Allwissenheit ausstatten und es unter meinem Kleid tragen wie einen Talisman, und dann, das nehme ich mir fest vor, werde ich mir eine Waldlichtung finden, wo ich meine Sammlung seltsamer Schätze ausbreiten kann. Das nehme ich mir fest vor. Also werde ich nicht weinen.

Diese Dunkelhaarige dort, mit den hohen Backenknochen, sagte Jinny, hat ein schimmerndes, wie eine Muschel geädertes Abendkleid. So eins ist hübsch für den Sommer, aber im Winter hätte ich lieber ein dünnes, mit roten Fäden durchschossenes, das im Feuerschein glitzern würde. Wenn dann die Lampen angezündet wären, zöge ich mein rotes Kleid an, und es wäre dünn wie ein Schleier und würde sich um meinen Körper schmiegen und sich bauschen, wenn ich pirouettierend ins Zimmer käme. Es würde die Form einer Blume annehmen, sobald ich mich, mitten im Zimmer, auf einen vergoldeten Sessel sinken ließe. Miss Lambert trägt ein undurchsichtiges Kleid, das in einer Kaskade von ihrer schneeweißen Halskrause herabfällt, wie sie so unter einem Bild Königin Alexandras sitzt und einen weißen Finger fest auf die Buchseite gedrückt hält. Und wir beten.

Jetzt marschieren wir in Zweierreihen, sagte Louis, in guter Ordnung, wie eine Prozession, in die Kapelle. Mir gefällt das Dämmerlicht, das sich herabsenkt, sobald wir das geweihte Gebäude betreten. Mir gefällt unser geordneter Einzug. Wir treten hintereinander ein; wir setzen uns. Wir legen beim Eintreten unsre Unterschiedlichkeiten ab. Mir gefällt es jetzt, wenn Dr. Crane, ein wenig, aber nur wegen seiner Wuchtigkeit, hin- und herschwankend, die Kanzel besteigt und den Abschnitt aus einer Bibel vorliest, die auf dem Rücken des Messingadlers aufgeschlagen daliegt. Ich fühle mich gehoben; in seiner mächtigen Leiblichkeit, seinem gebieterischen Gehaben weitet sich mein Herz. Er bannt die wirbelnden Staubwolken in meinem nachzitternden, schmählich erregten Gemüt — als wir den Christbaum umtanzten und man mich beim Verteilen der Päckchen vergaß und die dicke Frau sagte: »Dieser kleine Junge hat nichts bekommen«, und mir ein glänzendes englisches Fähnchen von der Spitze des Christbaums reichte, weinte ich vor Wut darüber, nur aus Mitleid bedacht zu werden. Nun ist das alles beschwichtigt durch seine Autorität, sein Kruzifix, und mich überkommt das Gefühl von der Erde unter mir und meinen Wurzeln, wie sie immer tiefer hinabdringen, bis sie sich um etwas Hartes im Mittelpunkt schlingen. Ich gewinne das Gefühl meiner Kontinuität wieder, während er vorliest. Ich werde zu einer Gestalt in dem langen Zug, zu einer Speiche in dem riesigen Rad, dessen Drehung mich endlich, hier und heute, aufrichtet. Ich war im Dunkeln; ich war verborgen; aber wenn sich das Rad dreht (während er vorliest), steige ich in dieses matte Licht auf, wo ich grade noch, aber kaum, kniende Knaben, Pfeiler und messingene Gedenktafeln wahrnehme. Hier gibt es nichts Rohes, keine plötzlichen Küsse.

Der Grobian, sagte Neville, bedroht meine Freiheit, wenn er betet. Von keiner Vorstellungsgabe erwärmt, fallen mir seine Worte kalt wie Pflastersteine auf den Kopf, während sich das vergoldete Kreuz auf seiner Weste hebt und senkt. Die machtvollen Worte werden von denen, die sie sprechen, verfälscht. Ich habe nur Spott und Hohn für diese traurige Religion, diese bebenden, gramgebeugten Gestalten, die leichenhaft und wund auf einer weißen, von Feigenbäumen beschatteten Straße dahinziehen, wo Knaben sich im Sand rekeln — nackte Knaben; und Ziegenschläuche, von Wein geschwellte, an der Tür der Schenke hängen. Ich war in Rom, als ich zu Ostern mit meinem Vater eine Reise machte; und die schwankende Figur der Muttergottes wurde wiggel-waggel durch die Gassen getragen; und auch die Leidensgestalt Christi, in einem Glaskasten, kam vorbei.

Jetzt werde ich mich seitwärts beugen, als wollte ich mich am Schenkel kratzen. So werde ich Percival sehen. Dort sitzt er, aufrecht, unter dem Kroppzeug. Er atmet ziemlich laut durch seine gerade Nase. Seine blauen und sonderbar ausdruckslosen Augen sind mit heidnischer Gleichgültigkeit auf den Pfeiler gegenüber gerichtet. Er gäbe einen trefflichen Kirchenvorsteher ab. Er sollte eine Rute haben und kleine Jungen für Missetaten bestrafen. Er ist mit den lateinischen Floskeln auf den messingenen Gedenktafeln verbündet. Er sieht nichts; er hört nichts; er ist weit weg von uns allen, in einem heidnischen Weltall. Aber schau — jetzt fährt er sich schnell mit der Hand übers Genick. Solcher Gesten wegen verliebt man sich hoffnungslos fürs ganze Leben. Dalton, Jones, Bateman, sie alle fahren sich so mit der Hand schnell übers Genick. Aber es gelingt ihnen nicht.

Endlich, sagte Bernard, hört das Gegröle auf. Die Predigt ist zu Ende. Er hat den Tanz der weißen Schmetterlinge draußen vor der Tür zu Staub zerrieben. Seine rauhe, haarige Stimme ist wie ein unrasiertes Kinn. Jetzt torkelt er wie ein betrunkener Seemann zu seinem Sitz zurück. Etwas, das alle andern Lehrer nachzuahmen versuchen werden; aber da sie spindelig sind, da sie schlapp sind und graue Hosen tragen, wird es ihnen nur gelingen, sich lächerlich zu machen. Ich verachte sie nicht. Ihre Kapriolen erscheinen mir nur als bedauernswert. Ich vermerke die Tatsache, zusammen mit vielen andern, für spätere Verwendung in meinem Notizbuch — einem dicken Buch mit vielen methodisch alphabetierten Seiten. Ich werde meine Phrasen eintragen. Unter »S« wird »Schmetterlingsstaub« kommen. Wenn ich in meinem Roman die Sonne auf dem Fensterbrett beschreibe, werde ich unter »S« nachsehen und »Schmetterlingsstaub« finden. Das wird nützlich sein. Der Baum »beschattet das Fenster mit grünen Fingern«. Das wird nützlich sein. Aber leider lasse ich mich so schnell ablenken — von Haar, das aussieht wie geflochtener Kandiszucker, von Celias Gebetbuch mit den Elfenbeindeckeln. Louis vermag, ohne mit den Lidern zu zucken, stundenlang die Natur zu betrachten. Ich versage bald, wenn nicht jemand zu mir spricht. »Der Teich meines Geistes, seine Oberfläche von keinem Ruder unterbrochen, schaukelt gemächlich und versinkt bald in eine ölige Schläfrigkeit.« Das wird nützlich sein.

Jetzt gehn wir aus diesem kühlen Tempel auf die gelben Spielplätze hinaus, sagte Louis. Und da wir heute nachmittag schulfrei haben (es ist der Geburtstag Wellingtons), werden wir uns in dem hohen Gras niederlassen, während die andern Kricket spielen. Wenn ich »die andern« sein könnte, würde ich mir das erwählen; ich würde meine Knieschützer anschnallen und an der Spitze der Schläger über den Spielplatz schreiten. Sieh nur, wie sie alle hinter Percival hergehn! Er ist plump. Er geht schwerfällig über den Platz und durch das hohe Gras dorthin, wo die großen Ulmen stehn. Seine Herrlichkeit ist die eines mittelalterlichen Heerführers. Ein Kielwasser von Licht scheint hinter ihm auf dem Gras zu liegen. Schau, wie wir hinter ihm dreinmarschieren, seine getreuen Vasallen, um wie Schafe erschossen zu werden, denn er wird ganz gewiß eine verlorene Sache unternehmen und in der Schlacht fallen. Mein Herz wird rauh; es schürft mir die Seite wie eine Feile, die zwei Kanten hat; die eine, daß ich seine Herrlichkeit anbete; die andere, daß ich seine schluderige Aussprache verachte — ich, der ich ihm so sehr überlegen bin — und eifersüchtig bin.

Und nun, sagte Neville, soll Bernard beginnen. Er soll weiterträllern, uns Geschichten erzählen, während wir auf dem Rücken liegen. Er soll beschreiben, was wir alle gesehen haben, damit etwas Zusammenhängendes daraus werde. Bernard sagt, es sei immer eine Geschichte vorhanden. Ich bin eine Geschichte. Louis ist eine Geschichte. Und da ist die Geschichte des Jungen, der die Schuhe putzt, die Geschichte des einäugigen Mannes, die Geschichte der Frau, die Uferschnecken feilhält. Er soll seine Geschichte weiterträllern, während ich zurückgelehnt liege und durch die zitternden

Gräser die steifbeinigen Gestalten der Torhüter mit ihren Knieschützern betrachte. Es sieht aus, als flösse die ganze Welt im Kreise — auf der Erde die Bäume, am Himmel die Wolken. Ich blicke durch die Bäume hinauf in den Himmel. Das Wettspiel scheint dort oben gespielt zu werden. Zwischen den weichen weißen Wolken kann ich schwach den Ruf »Lauf!« hören, ich höre den Ruf »Wie war der?« Die Wolken verlieren Flocken von Weiße, wenn die Brise sie zaust. Wenn diese Bläue auf ewig bleiben könnte; wenn diese Lücke auf ewig verweilen könnte; wenn dieser Augenblick ewig dauern könnte —

Aber Bernard spricht weiter. Heraufgesprudelt kommen sie — die Bilder. »Wie ein Kamel« ... »ein Geier«. Das Kamel ist ein Geier; der Geier ein Kamel; denn Bernard ist ein baumelnder Draht, lose aber verführerisch. Ja, denn wenn er spricht, wenn er seine närrischen Vergleiche zieht, wird einem leicht zumut. Man schwebt auch, als wäre man dieses Bläschen; man ist befreit; ich bin entkommen, fühlt man. Sogar die pausbäckigen kleinen Jungen (Dalton, Larpent und Baker) fühlen dieselbe Selbstvergessenheit. Die ist ihnen lieber als Kricket. Sie haschen nach den aufsprudelnden Phrasen. Sie lassen sich von den fiederigen Gräsern die Nase kitzeln. Und dann fühlen wir alle Percival schwer mitten unter uns liegen. Sein merkwürdig prustendes Gelächter scheint unser Lachen gutzuheißen. Aber nun hat er sich in dem hohen Gras herumgewälzt. Er kaut, glaube ich, an einem Grashalm zwischen seinen Zähnen. Er fühlt sich gelangweilt; auch ich fühle mich gelangweilt. Bernard bemerkt sogleich, daß wir gelangweilt sind. Ich entdecke eine gewisse Anstrengung, eine Übertreibung in seinen Phrasen, als sagte er: »Schau!«, Percival aber: »Nein«. Denn er ist immer der erste, Unaufrichtigkeit zu entdecken; und ist äußerst brutal. Der Satz endet schwächlich. Ja, der entsetzliche Augenblick ist gekommen, wo Bernards Kraft ihn verläßt und nichts Zusammenhängendes mehr da ist und er zusammensackt und ein Stück Bindfaden zwirbelt und verstummt, mit offenem Mund, als wollte er in Tränen ausbrechen. Also gibt es unter den Qualen und Verwüstungen, die das Leben mit sich bringt, auch diese — unsre Freunde sind nicht imstande, ihre Geschichten zu beenden.

Nun laßt mich versuchen, sagte Louis, bevor wir aufstehn, bevor wir zum Tee gehn, diesen Augenblick mit größter Anstrengung festzuhalten. Dieser soll dauern. Wir gehn voneinander; einige zum Tee; einige zu den Tennisplätzen; ich, um meinen Aufsatz Mr. Barker zu zeigen. Dieser Augenblick wird dauern. Aus Zwietracht, aus Haß (ich verachte in Bildersprache Stümpernde — ich nehme Percival seine Macht heftig übel) wird mein zerstückelter Geist durch eine jähe Wahrnehmung wieder zusammengefügt. Ich nehme die Bäume, die Wolken zu Zeugen meines völligen Ganzwerdens. Ich, Louis, der an die siebzig Jahre auf dieser Erde wandeln soll, bin aus Haß, aus Zwietracht in meiner Ganzheit wiedergeboren. Hier auf diesem Rund von Gras sind wir miteinander gesessen, verbunden durch die gewaltige Macht eines inneren Zwangs. Die Bäume schwanken, die Wolken ziehen vorüber. Die Zeit naht, wo diese Selbstgespräche etwas Gemeinsames sein werden. Wir werden nicht jedesmal einen Laut wie ein geschlagenes Gong von uns geben, sobald uns eine Empfindung befällt und dann wieder eine. Als wir noch Kinder waren, war unser Leben ein tönendes Gong; Lärm und Prahlen; Schreie der Verzweiflung; Schläge auf den Nacken in Gärten.

Nun deuten Gras und Bäume, wenn der wandernde Lufthauch leere Räume, die sie dann wieder einnehmen, ins Blau bläst und die Blätter, die dann ihre frühere Stelle wiederfinden, und auch unser Kreis hier, wie wir, die Arme um die Knie geschlungen, dasitzen, — nun deutet das alles auf eine andre und bessere Ordnung, die auf immerdar einen Sinn ergibt. Dies sehe ich für eine Sekunde und werde versuchen, es heute abend in Worten festzuhalten, es zu einem Ring von Stahl zu schmieden, auch wenn Percival es zerstört, indem er davontölpelt, die Gräser knickt, und das Kroppzeug folgsam hinter ihm dreintrottet. Und doch ist es Percival, den ich brauche; denn es ist Percival, der zu Poesie inspiriert.

Wieviele Monate, sagte Susan, wieviele Jahre bin ich diese Treppen hinaufgelaufen in den trübseligen Tagen des Winters, in den frostigen Tagen des Frühlings! Nun ist es Hochsommer. Wir gehn hinauf, um uns zum Tennisspielen in Weiß umzukleiden, — Jinny und ich mit Rhoda hinterdrein. Ich zähle jede Stufe im Hinaufgehn, zähle eine jede wie etwas Abgetanes. Ebenso reiße ich jeden Abend den vergangenen Tag von meinem Kalender ab und knülle ihn zu einem festen Ball. Ich tue das rachsüchtig, während Betty und Clara auf den Knien liegen. Ich bete nicht. Ich räche mich an dem Tag. Ich lasse meinen Groll an seinem Sinnbild aus. Du bist jetzt tot, sage ich, du Schultag, du verhaßter. Die hier haben alle diese Tage des Juni auf Glanz gebürstet und geordnet, mit Gongschlägen, mit Unterrichtsstunden, mit Befehlen zum Waschen, zum Umkleiden, zum Aufgabenlernen, zum Essen. Wir hören Missionaren aus China zu. Wir fahren in Gesellschaftswagen über das Asphaltpflaster los, um Konzerten in Sälen beizuwohnen. Wir werden in Museen und Bildergalerien umhergeführt.

Daheim wölbt sich das Heu auf den Wiesen. Mein Vater lehnt rauchend an einem Gatter. Im Haus schlägt eine Tür zu und dann noch eine, wenn ein Sommerlüftchen durch die leeren Korridore pustet. Ein altes Bild schaukelt vielleicht an der Wand. Ein Blütenblatt fällt von der Rose in der Vase. Die Leiterwagen bestreuen die Hecken mit Büscheln von Heu. Das alles sehe ich, sehe ich immer, wenn ich, Jinny vor mir und Rhoda nachzottelnd hinter mir, an dem Spiegel auf dem Treppenabsatz vorbeigehe. Jinny tänzelt. Jinny tänzelt immer in der Halle auf den häßlichen glasierten Fliesen; sie schlägt Purzelbäume auf dem Spielplatz; sie pflückt verbotenerweise eine Blume und steckt sie sich hinters Ohr, so daß Miss Perrys dunkle Augen vor Bewunderung glühen, für Jinny, nicht für mich. Miss Perry liebt Jinny; und ich hätte sie lieben können, aber liebe jetzt niemand außer meinem Vater, meinen Tauben und dem Eichhörnchen, das ich daheim in seinem Käfig zurückließ, und das der Stallbursch betreuen soll.

Ich hasse den kleinen Spiegel im Treppenhaus, sagte Jinny. Er zeigt nur unsre Köpfe; er schneidet uns die Köpfe ab. Und meine Lippen sind zu breit, und meine Augen stehn zu nahe beieinander; ich lasse zu viel von meinem Zahnfleisch sehen, wenn ich lache. Susans Kopf mit dem grimmigen Blick, mit den grasgrünen Augen, die Dichter lieben werden, hat Bernard gesagt, weil sie auf enggesteppte weiße Nähte niederblicken, sticht den meinen aus; sogar Rhodas Gesicht, das geistesabwesende, leere, ist in sich geschlossen wie jene weißen Blütenblätter, die sie so oft in ihrer Schüssel schwimmen ließ. Also hüpfe ich die Treppe hinauf an ihnen vorbei zum nächsten Treppenabsatz, wo der lange Spiegel hängt und ich mich von Kopf bis Fuß sehen kann. Ich sehe meinen Körper und meinen Kopf nun in einem; denn sogar in diesem Sergekleid sind sie beide eins, mein Kopf und mein Körper. Schau, wenn ich den Kopf bewege, läuft es wie eine Welle über meinen schmalen Körper hinab; sogar meine dünnen Beine wellen sich wie Halme im Wind. Ich flackere zwischen Susans starrer Miene und Rhodas Unbestimmtheit. Ich hüpfe wie eine dieser Flammen, die über Rissen im Erdboden dahinlaufen; ich bewege mich, ich tanze; ich höre nie auf, mich zu bewegen und zu tanzen. Ich bewege mich wie das Blatt, das sich in der Hecke regte, als ich ein Kind war, und mich erschreckte. Ich tanze über diese streifigen, diese unpersönlichen getünchten Wände mit ihrer gelben Scheuerleiste, wie der Feuerschein über eine Teekanne. Ich fange sogar an den kalten weiblichen Augen Feuer. Wenn ich lese, läuft ein dunkelroter Rand um den schwarzen Schnitt des Lehrbuchs. Aber ich vermag nicht, einem Wort durch seine Abwandlungen zu folgen. Ich vermag nicht, einem Gedanken von der Gegenwart in die Vergangenheit zu folgen. Ich stehe nicht verloren, mit Tränen in den Augen da, wie Susan, weil ich mich an daheim erinnere; oder liege wie Rhoda gekrümmt zwischen den Farnkräutern, so daß ich mir grüne Flecke in mein rosa Kattunkleid mache, und träume von Gewächsen, die auf dem Meeresgrund blühen, und von Felsen, zwischen denen langsam die Fische hindurchschwimmen. Ich träume nicht.

Nun wollen wir uns beeilen. Nun will ich die erste sein, die diese grobe Kleidung abstreift. Hier sind meine frischen weißen Socken. Hier sind meine neuen Tennisschuhe. Ich binde mir die Haare mit einem weißen Band, so daß sie, wenn ich über den Tennisplatz springe, straff hinter mir herflattern und sich dann doch um meinen Hals legen werden, ganz wo sie hingehören. Kein einziges Haar wird unordentlich sein.

Das ist mein Gesicht, sagte Rhoda, dort im Spiegel hinter Susans Schulter — dieses Gesicht ist mein Gesicht. Aber ich werde mich hinter sie ducken und es verstecken, denn ich bin nicht hier. Ich habe kein Gesicht. Andre Leute haben Gesichter; Susan und Jinny haben Gesichter; sie sind hier. Ihre Welt ist die wirkliche Welt. Die Dinge, die sie heben, haben Gewicht. Sie sagen ja, sie sagen nein; wogegen ich mich wende und wandle und in einer Sekunde durchschaut bin. Wenn die zwei einem Hausmädchen begegnen, sieht es sie ohne zu lachen an. Aber über mich lacht es. Die beiden wissen, was sie sagen sollen, wenn sie angesprochen werden. Sie lachen wirklich; sie werden wirklich zornig; wogegen ich zuerst umherblicken muß und dann tue, was andre Leute tun, wenn die's schon getan haben.

Sieh jetzt, wie außerordentlich selbstsicher Jinny sich die Strümpfe anzieht, einfach nur, um Tennis zu spielen! Das bewundere ich. Aber Susans Art gefällt mir besser, denn sie ist beherzter, aber weniger darauf erpicht, sich hervorzutun, als Jinny. Beide verachten sie mich, weil ich nachahme, was sie tun; aber Susan zeigt mir manchmal, wie man beispielsweise eine Schleife bindet, während Jinny weiß, was sie weiß, es aber für sich behält. Sie haben Freundinnen, mit denen sie zusammensitzen. Sie haben einander in Winkeln etwas zuzuflüstern. Ich aber hänge mich nur an Namen und Gesichter; und horte sie wie Amulette gegen Unheil. Den Speisesaal überblickend suche ich mir ein unbekanntes Gesicht und vermag kaum, meinen Tee herunterzuschlucken, wenn sie, deren Namen ich nicht kenne, mir dann gegenübersitzt. Ich verschlucke mich. Ich werde von der Heftigkeit meiner Gemütsbewegung geschüttelt. Ich stelle mir diese namenlosen, diese makellosen Leute vor, wie sie mich hinter Gebüsch hervor beobachten. Ich mache hohe Sprünge, um ihre Bewunderung zu erregen. Abends, im Bett, errege ich ihr grenzenloses Staunen. Oft sterbe ich von Pfeilen durchbohrt, damit sie mir ihre Tränen schenken. Wenn sie sagen würden, oder wenn ich aus einem Zettel auf ihren Koffern ersähe, daß sie die letzten Ferien in Scarborough waren, färbte sich die ganze Stadt golden, das ganze Pflaster begänne zu leuchten. Deshalb hasse ich Spiegel, die mir mein wirkliches Gesicht zeigen. Wenn ich allein bin, stürze ich oft ins Nichts hinab. Ich muß meine Füße vorsichtig setzen, damit ich nicht über den Rand der Welt ins Nichts hinabstürze. Ich muß mit der Hand gegen eine harte Tür schlagen, um mich in meinen Körper zurückzurufen.

Wir haben uns verspätet, sagte Susan. Wir müssen warten, bis wir ans Spielen kommen. Wir wollen uns hier im hohen Gras hinlegen und so tun, als sähen wir Jinny und Clara, Betty und Mavis zu. Aber wir wollen ihnen nicht zusehn. Ich hasse es, andern bei Bewegungsspielen zuzusehn. Ich will mir Abbilder von allem machen, was ich am meisten hasse, und sie in der Erde vergraben. Dieser glänzende Kiesel ist Madame Carlo, und ich werde sie ganz tief vergraben, weil sie eine so unterwürfige und einschmeichelnde Art hat; weil sie mir das Sechspencestück dafür schenkte, daß ich mein Handgelenk beim Tonleiternüben flach hielt. Ich habe ihr Sechspencestück vergraben. Ich würde am liebsten die ganze Schule vergraben: den Turnsaal; das Klassenzimmer; den Speisesaal, wo es immer nach Fleischsaft riecht; und die Kapelle. Ich würde die rotbraunen Fliesen vergraben und die öligen Porträts alter Männer — Gönner, Stifter von Schulen. Einige Bäume sind da, die ich gernhabe; den Kirschbaum mit den Klumpen von klarem Harz auf seiner Rinde; und die eine Aussicht vom Dachstock auf einige ferne Berge. Bis auf diese würde ich es alles vergraben, wie ich die häßlichen Steine vergrabe, die hier immer verstreut liegen auf diesem salzigen Strand mit seinen Landungsstegen und seinen Ausflüglern. Daheim sind die Wellen meilenlang. In Winternächten hören wir sie dröhnen. Vorige Weihnachten ertrank ein Mann, als er allein in seinem Karren saß.

Wenn Miss Lambert vorübergeht, sagte Rhoda, und mit dem Geistlichen spricht, lachen die andern und ahmen hinter ihrem Rücken ihre Buckligkeit nach; und doch verändert sich alles und beginnt zu leuchten. Auch Jinny macht höhere Sprünge, wenn Miss Lambert vorbeigeht. Sähe sie etwa dieses Gänseblümchen an, es würde sich verändern. Wo immer sie hingeht, verändert sich alles unter ihren Augen; und doch, wenn sie vorbeigegangen ist, ist dann nicht alles wieder wie früher? Miss Lambert führt den Geistlichen durch das Holzpförtchen in ihren Privatgarten; und wenn sie zu dem Teich kommt, erblickt sie einen Frosch auf einem Blatt, und der wird sich verändern. Alles ist feierlich, alles ist bleich, wo sie wie eine Statue in einem Hain steht. Sie läßt ihren befransten seidenen Umhang herabgleiten, und nur ihr purpurner Ring leuchtet, ihr weinfarbener, ihr amethystener Ring. Da geschieht dieses Wunder, wie immer mit Leuten, wenn sie sich von einem entfernen. Wenn sie weggehn, kann ich sie bis zu dem Teich begleiten und bewirken, daß sie stattlich aussehen. Wenn Miss Lambert vorbeigeht, bewirkt sie, daß das Gänseblümchen sich verändert; und alles ist wie von Feuer durchflossen, wenn sie das Roastbeef vorschneidet. Von Monat zu Monat verliert alles immer mehr seine Härte; sogar mein eigener Körper ist nun lichtdurchlässig geworden; mein Rückgrat ist weich wie Wachs neben einer Kerzenflamme. Ich träume; ich träume.

Ich habe das Spiel gewonnen, sagte Jinny. Nun seid ihr an der Reihe. Ich muß mich auf die Erde werfen und keuchen. Ich bin außer Atem vom Laufen, von Siegesfreude. Alles in meinem Körper scheint verdünnt zu sein vom Laufen und Triumphieren. Mein Blut, das aufgepeitschte, muß ganz hellrot an meine Rippen schlagen. Meine Sohlen prikkeln, als öffneten und schlössen sich Drahtringe in meinen Füßen. Ich sehe jeden Grashalm sehr deutlich. Aber der Puls trommelt so stark in meiner Stirn, hinter meinen Augen, daß alles tanzt — das Netz, das Gras; eure Gesichter tanzen auf und nieder wie Schmetterlinge; die Bäume scheinen auf und nieder zu hüpfen. Nichts beharrt, nichts steht fest in dieser Welt. Alles kräuselt sich, alles dreht sich; alles ist Geschwindigkeit und Triumph. Nur daß ich, nachdem ich allein auf dem harten Erdboden gelegen und euch beim Tennisspielen zugesehen habe, den Wunsch zu fühlen beginne, auserwählt zu werden; gerufen, weggerufen zu werden von einem Menschen, der mich suchen kommt, der sich von mir angezogen fühlt, der sich mir nicht fernhalten kann, sondern hierherkommt, wo ich auf meinem vergoldeten Sessel sitze und mein Kleid sich um mich bauscht wie eine Blume. Und uns in einen Alkoven zurückziehend oder allein auf einem Balkon sitzend, plaudern wir miteinander.

Jetzt fällt die Flut. Die Bäume kommen auf die Erde herab. Die lebhaften Wellen, die an meine Rippen schlagen, schaukeln sanfter, und mein Herz liegt vor Anker wie ein Segelboot, dessen Segel langsam auf das weiße Deck herabsinken. Das Spiel ist aus. Wir müssen jetzt zum Tee hineingehn.

Die prahlerischen Jungen, sagte Louis, eine riesige Mannschaft, sind nun weg, um Kricket zu spielen. Sie sind in dem großen Gesellschaftswagen weggefahren und haben dabei im Chor gesungen. Alle ihre Köpfe wenden sich gleichzeitig an der Biegung bei dem Lorbeergebüsch. Jetzt prahlen sie; Larpents Bruder hat einmal für Oxford Fußball gespielt; Smith' Vater hat auf Lord's Kricketplatz einen Hunderter gemacht. Archie und Hugh; Parker und Dalton; Larpent und Smith; dann abermals Archie und Hugh; Parker und Dalton; Larpent und Smith — die Namen wiederholen sich; die Namen sind immer dieselben. Sie sind die sich freiwillig Meldenden; sie sind die Kricketspieler; sie sind die Funktionäre der Naturhistorischen Gesellschaft. Sie sind's, die immerzu Viererreihen bilden und in Trupps, mit

Abzeichen auf den Mützen, marschieren; sie salutieren gleichzeitig, wenn sie an der Gestalt ihres Generals vorbeikommen. Wie majestätisch ist ihre Ordnung, wie schön ihr Gehorsam! Wenn ich ihnen folgen könnte, wenn ich mit ihnen sein könnte, gäbe ich dafür mein ganzes Wissen hin. Aber sie lassen auch zuckende Schmetterlinge mit ausgerissenen Flügeln liegen; sie werfen schmutzige, von Blut verkrustete Taschentücher zusammengeknüllt in einen Winkel. Sie bringen kleine Buben in dunkeln Korridoren zum Schluchzen. Sie haben große rote Ohren, die unter ihren Mützen hervorstehn. Wir, Neville und ich, wünschen uns dennoch, so zu sein wie sie. Ich sehe sie mit Neid vorbeigehn. Hinter einem Vorhang hervorspähend, nehme ich entzückt die Gleichzeitigkeit ihrer Bewegungen wahr. Wären meine Beine durch die ihren verstärkt, wie würden sie laufen! Wenn ich mit ihnen gewesen wäre und Wettkämpfe gewonnen und bei großen Bootrennen mitgerudert hätte und den ganzen Tag galoppiert wäre, wie würde ich dann um Mitternacht Lieder hervorschmettern! Als was für ein Gießbach mir die Worte aus der Kehle stürzen würden!

Percival ist jetzt weggefahren, sagte Neville. Er denkt an nichts andres als an das Wettspiel. Er hat kein einzigesmal zurückgewinkt, als der Gesellschaftswagen bei dem Lorbeergebüsch um die Ecke bog. Er verachtet mich, weil ich zu schwächlich bin, um Kricket zu spielen (ist aber immer gütig zu meiner Schwächlichkeit). Er verachtet mich, weil mir, abgesehen davon, daß ihm daran liegt, nichts daran liegt, wer gewinnt oder verliert. Er läßt sich meine Ergebenheit gefallen; er nimmt meine schüchterne, zweifellos unterwürfige Opfergabe an, die, wie es nun einmal ist, mit Verachtung für seinen Geist gemischte. Denn er kann nicht lesen. Doch wenn ich im hohen Gras liege und Shakespeare oder Catull vorlese, versteht er mehr als Louis. Nicht die Worte

— aber was sind Worte? Bin ich nicht schon imstande zu reimen, Pope, Dryden, sogar Shakespeare nachzuahmen? Aber ich kann nicht den ganzen Tag, die Augen auf den Ball gerichtet, in der Sonne dastehn; ich vermag nicht, den Flug des Balls mit meinem ganzen Körper zu spüren und nur an den Ball zu denken. Ich werde mich mein Leben lang an das Äußere von Wörtern klammern. Ich könnte jedoch nicht mit ihm zusammenleben und seine Stumpfsinnigkeit ertragen. Er wird sich vergröbern und schnarchen. Er wird heiraten, und es wird zärtliche Szenen geben beim Frühstück. Jetzt aber ist er jung. Kein Faden, kein Blatt Papier liegt zwischen ihm und der Sonne, zwischen ihm und dem Regen, zwischen ihm und dem Mond, wenn er sich nackt und erhitzt auf sein Bett geworfen hat. Jetzt, während sie alle in dem Kremser auf der Landstraße dahinfahren, ist sein Gesicht rot und gelb gefleckt. Er wird seine Jacke abwerfen und mit gegrätschten Beinen, mit griffbereiten Händen dastehn und das Tor im Auge behalten. Und »Herrgott, laß uns gewinnen!« wird sein Stoßgebet sein; er wird nur an eines denken: daß seine Partei gewinne.

Wie könnte ich in einem Gesellschaftswagen mit ihnen fahren, um Kricket zu spielen? Nur Bernard könnte das, aber Bernard hat sich zusehr verspätet, um mit ihnen zu fahren. Er verspätet sich immer. Er ist durch seine unverbesserliche Wankelmütigkeit verhindert, mitzufahren. Er hält beim Händewaschen inne, um sich zu sagen: »Dort hängt eine Fliege in dem Spinnennetz. Soll ich diese Fliege erretten; soll ich die Spinne sie auffressen lassen?« Er ist von unzähligen Ratlosigkeiten umschattet, sonst würde er mit den andern Kricketspielen fahren und im Gras liegen, in den Himmel starren und sich nur hochrecken, wenn der Ball getroffen wird. Aber sie würden ihm verzeihen; denn er würde ihnen eine Geschichte erzählen.

Sie sind davongerollt, sagte Bernard, und ich habe mich zu sehr verspätet, um mitzufahren. Die gräßlichen kleinen Jungen, die aber doch auch so schön sind, die du, Neville, und Louis so innig beneiden, sind, die Köpfe alle in dieselbe Richtung gewendet, weggefahren. Aber ich bin mir dieser tiefgehenden Unterschiede nicht bewußt. Meine Finger gleiten über die Tasten, ohne zu wissen, welche schwarz und welche weiß sind. Archie macht mit Leichtigkeit einen Hunderter; ich, durch einen glücklichen Zufall, mache manchmal einen Fünfzehner. Aber worin besteht der Unterschied zwischen uns? Nein, warte, Neville, laß mich reden! Die Blasen steigen auf wie die silberigen Luftbläschen vom Boden eines Kochtopfs; ein Bild nach dem andern. Ich kann mich nicht wie Louis mit wilder Beharrlichkeit zu meinem Lehrbuch setzen. Ich muß dic kleine Falltür öffnen und diese verketteten Phrasen herauslassen, die ich, was immer geschieht, aneinanderfüge, so daß statt Zusammenhanglosigkeit ein durchlaufender Faden wahrgenommen wird, der locker ein Ding mit dem andern verknüpft. Ich will dir die Geschichte des Schuldirektors erzählen.

Wenn Dr. Crane nach dem Abendgebet durch die Schwingtür hinaustorkelt, ist er, so scheint es, von seiner ungeheuern Überlegenheit überzeugt; und wahrhaftig, Neville, wir können nicht leugnen, daß sein Weggehn uns nicht nur mit einem Gefühl der Erleichterung zurückläßt, sondern auch mit einem Gefühl, als wäre etwas entfernt worden, ein Zahn etwa. Nun wollen wir ihm folgen, wie er sich durch die Schwingtür in seine Wohnung hineinhievt. Stellen wir ihn uns vor, in seinem Zimmer über dem Pferdestall, wie er sich entkleidet. Er enthakt seine Sockenhalter (seien wir ruhig ein wenig trivial, ein wenig intim). Dann nimmt er mit einer charakteristischen Gebärde (es ist schwer, diese fix-und-fertigen Phrasen zu meiden, und sie sind, in seinem Fall, irgendwie angemessen) das Silbergeld, nimmt er das Kupfergeld aus der Hosentasche und legt es hierher und hierher auf seinen Ankleidetisch. Beide Hände auf die Armlehnen seines Sessels gestreckt, überlegt er (dies ist sein privater Augenblick; hier müssen wir ihn zu ertappen versuchen): soll er die rosarote Brücke in sein Schlafzimmer überschreiten oder nicht? Die beiden Zimmer sind durch eine Brücke rosigen Lichts verbunden, das von der Lampe auf Mrs. Cranes Nachttischchen kommt, die, das Haar lose auf dem Kissen, in einem Band französischer Memoiren liest. Dabei fährt sie sich mit einer entmutigten, verzweifelten Gebärde über die Stirn und seufzt, sich mit einer französischen Herzogin vergleichend: »Ist das alles?« Also, sagt sich Dr. Crane, in zwei Jahren werde ich mich zur Ruhe setzen. In einem Garten in Westengland werde ich Taxushecken stutzen. Ich hätte ein Admiral sein können; oder ein Richter; nicht ein Schulmeister. Was für Kräfte, fragt er sich und starrt in das Gasfeuer, die Schultern noch massiger hochgezogen, als wir es an ihm kennen (Vergeßt nicht, er ist in Hemdärmeln!), was für Kräfte haben mich hierhergebracht? Was für ungeheure Kräfte? denkt er, in den Schwung seiner majestätischen Phrasen kommend, während er über die Schulter zum Fenster blickt. Es ist eine stürmische Nacht; die Äste des Kastanienbaums pflügen auf und ab. Sterne blitzen zwischen ihnen auf. Was für ungeheure Kräfte des Guten und Bösen haben mich hierhergebracht? fragt er sich und sieht bekümmert, daß sein Sessel ein kleines Loch in das Vlies des dunkelroten Teppichs gescheuert hat. So sitzt er da, hält seine Hosenträger in der Hand und läßt sie pendeln. Aber Geschichten, die Leuten in ihre Privaträume folgen, sind schwierig. Ich kann diese Geschichte nicht fortsetzen. Ich zwirble ein Bindfadenende zwischen den Fingern; ich wende vier oder fünf Geldstücke in meiner Hosentasche um.

Bernards Geschichten, sagte Neville, unterhalten mich anfangs. Aber wenn sie lächerlich versickern und er offenen Munds vor sich hinstarrt und an einem Endchen Bindfaden fummelt, spüre ich mein Einsamsein. Er sieht jeden Menschen mit verschwommenen Rändern. Darum kann ich mit ihm nicht über Percival sprechen. Ich kann meine absurde, heftige Leidenschaft seinem mitfühlenden Verständnis nicht aussetzen. Auch sie würde eine »Geschichte« ergeben. Ich brauche jemand, dessen Geist wie ein Beil auf einen Block herabsaust; für den die höchste Absurdität etwas Erhabenes ist und ein Schuhriemen anbetungswürdig. Wem kann ich das Bedrängende meiner Leidenschaft bloßlegen? Louis ist zu kalt, zu sehr aufs Allgemeine eingestellt. Es gibt hier niemand — hier unter diesen grauen Torbogen und klagenden Tauben und fröhlichen Spielen und Traditionen und diesem Wetteifer, alles so geschickt organisiert, um kein Gefühl des Alleinseins aufkommen zu lassen. Mich aber lassen im Gehn jähe Vorahnungen dessen, was kommen wird, erstarren. Gestern, als ich an dem offenen Pförtchen, das in den Privatgarten der Lehrer führt, vorbeikam, sah ich Fenwick mit erhobenem Krockethammer dastehn. Der Dampf der großen Teeurne stieg von der Mitte des Rasens auf. Ringsum waren Böschungen blauer Blumen. Da überfiel mich plötzlich das dunkle, das mystische Gefühl von Anbetung, von Vollständigkeit, die über das Chaos triumphierte. Niemand sah mich still und inbrünstig an der offenen Gartenpforte stehn. Niemand ahnte die Notwendigkeit, die ich empfand, mein Sein einem einzigen Gott darzubringen; und unterzugehn und zu verschwinden. Fenwicks Hammer schwang abwärts; die Vision zerbrach.

Soll ich mir einen Baum suchen? Soll ich diese Klassenzimmer und Bibliotheksräume verlassen und die breite vergilbte Seite, auf der ich Catull lese, und hinaus in die Wälder und Wiesen gehn? Soll ich unter Buchen wandeln oder am Flußufer dahinschlendern, wo die Bäume wie vereinte Liebesleute im Wasser zusammenkommen? Aber die Natur ist zu pflanzlich, zu eintönig. Sie kennt nur Erhabenheiten und Wüsteneien und Wasser und Blätter. Ich beginne, mir den Schein des Kaminfeuers, Ungestörtheit und die Gliedmaßen eines einzigen Menschen zu wünschen.

Ich, sagte Louis, beginne mir zu wünschen, daß die Nacht komme. Während ich hier stehe, die Hand an der gemaserten Eichenfüllung von Mr. Wickhams Zimmertür, stelle ich mir vor, ich sei ein Freund Richelieus oder der Herzog von Saint-Simon, der seine Schnupftabaksdose dem König höchstselber hinhält. Das ist mein Vorrecht. Meine geistreichen Bemerkungen »verbreiten sich wie ein Lauffeuer am Hof«. Herzoginnen brechen Smaragde aus ihren Ohrringen vor Bewunderung — aber diese Raketen steigen am besten in der Dunkelheit, des Nachts in meinem Kubikulum. Jetzt bin ich bloß ein Junge mit einem Kolonialakzent, der die Fingerknöchel an Mr. Wickhams gemaserte Eichentür hält. Der Tag war für mich, aus Furcht ausgelacht zu werden, voll verhehlter Unrühmlichkeiten und Triumphe. Ich bin der beste Schüler in der Schule. Aber sobald es dunkelt, lege ich diesen wenig beneidenswerten Leib ab — die große Nase, die dünnen Lippen, den Kolonialakzent — und bewohne den Weltraum. Dann bin ich der Gefährte Vergils und Platos. Dann bin ich der letzte Sproß eines der großen Häuser Frankreichs. Aber ich bin auch einer, der sich dazu zwingen wird, diese stürmischen, mondbeschienenen Gegenden zu verlassen, diese mitternächtigen Wanderungen aufzugeben und gemaserten Eichentüren gegenüberzutreten. Ich werde in meinem Leben — der Himmel gebe, daß es nicht lange dauere! — eine gigantische Vermengung dieser beiden Unstimmigkeiten erreichen, die mir so abscheulich offenbar sind. Aus Leid will ich es tun. Ich will anklopfen. Ich will eintreten.

Ich habe den ganzen Mai und Juni abgerissen, sagte Susan, und zwanzig Tage des Juli. Ich habe sie abgerissen und zusammengeknüllt, so daß sie nicht mehr vorhanden sind, nur noch als ein Druck in meiner Seite. Es waren verstümmelte Tage wie Schmetterlinge mit verschrumpelten Flügeln, die nicht mehr fliegen können. Es sind nur noch acht Tage. In acht Tagen werde ich aus dem Zug steigen und um sechs Uhr fünfundzwanzig auf dem Bahnsteig stehn. Dann wird sich meine Freiheit entfalten, und alle diese Beschränkungen, diese verrunzelnden und verschrumpelnden — Unterrichtsstunden und Ordnung und Disziplin und genau zur Zeit da oder dort sein zu müssen — werden zerplatzen. Und hervorspringen wird der Tag, sobald ich die Waggontür öffnen und meinen Vater erblicken werde mit seinem alten Hut und seinen Ledergamaschen. Ich werde zittern. Ich werde in Tränen ausbrechen. Am nächsten Morgen werde ich dann bei Tagesanbruch aufstehn. Ich werde mich zur Küchentür hinauslassen. Ich werde über die Hochwiesen wandern. Ich werde die Schwalbe über das Gras hinstreichen sehen. Ich werde mich am Flußufer lagern und zusehen, wie die Fische im Schilf ein- und ausschlüpfen. In meine Handflächen werden sich Tannennadeln abdrücken. Dort werde ich mich entfalten und hervorholen, was immer es sein mag, was sich hier in mir gebildet hat; etwas Hartes. Denn es ist etwas in mir gewachsen, alle diese Winter und Sommer hindurch, auf Treppen, in Schlafräumen. Ich will nicht, wie Jinny das will, bewundert werden. Ich will nicht, daß die Leute, wenn ich ins Zimmer komme, bewundernd aufblicken. Ich will schenken und beschenkt werden, und ich will Einsamkeit, in der ich meine Besitztümer entfalten kann.

Dann werde ich durch die flimmernden Hohlwege unter dem Gewölbe der Nußbäume zurückkommen. Ich werde an einer alten Frau vorbeikommen, die einen Kinderwagen voll dürren Holzes schiebt; und an dem Schäfer. Aber wir werden nicht miteinander sprechen. Ich werde durch den Gemüsegarten zurückkommen und werde die gewölbten Kohlblätter mit Tau bekieselt und das Haus im Garten blind von Vorhängen sehen. Ich werde in mein Zimmer hinaufgehn und die Sachen, die mir gehören, betrachten, die sorgsam in den Schrank weggeschlossenen: meine Muscheln; meine Vogeleier; meine seltsamen Gräser. Ich werde meine Tauben und mein Eichhörnchen füttern. Ich werde in den Hundezwinger gehn und meinen Spaniel kämmen. So werde ich nach und nach dieses Harte, das in mir gewachsen ist, wegwälzen. Hier aber bimmeln Glocken; Füße schlurren unaufhörlich.

Ich hasse Dunkelheit und Schlaf und Nacht, sagte Jinny, und während ich hier liege, wünsche ich den Tag herbei. Ich wünsche mir, die Woche wäre ein einziger ungeteilter Tag. Wenn ich früh aufwache — denn die Vögel wecken mich — liege ich und beobachte, wie die Messinggriffe an der Schranktür deutlicher werden; dann die Waschschüssel; dann der Handtuchständer. Während jede Einzelheit im Schlafzimmer deutlicher wird, beginnt mein Herz schneller zu schlagen. Ich fühle meinen Körper sich verfestigen und rosa und gelb und braun werden. Meine Hände streichen über meine Beine, meinen Körper. Ich spüre seine Einbuchtungen, spüre, wie mager er ist. Ich liebe es zu hören, wie das Gong durch das Haus dröhnt und sich's zu regen beginnt — hier ein dumpfes Aufplumpsen, dort ein Getrappel. Türen schlagen zu; Wasser rauscht. Ein neuer Tag ist hier, ein neuer Tag! rufe ich, indes meine Füße den Boden berühren. Vielleicht wird's ein wunder Tag sein, ein unvollkommener

Tag. Ich werde oft gescholten. Ich bin oft in Ungnade, weil ich müßig bin, weil ich gelacht habe; aber sogar während Miss Matthews über meine törichte Achtlosigkeit brummt, erblicke ich etwas, das sich bewegt — etwa ein Fleckchen Sonne auf einem Bild oder den Esel, der die Mähmaschine über den Rasen zieht, oder ein Segel, das zwischen den Lorbeerblättern vorbeigleitet, so daß ich nie bedrückt bin. Nichts kann mich davon abhalten, hinter Miss Matthews her pirouettierend zum Morgengebet zu kommen.

Nun naht auch die Zeit, wo wir die Schule verlassen und lange Röcke tragen werden. Ich werde am Abend Halsketten anlegen und ein weißes, ärmelloses Kleid. Es wird Abendgesellschaften in hellerleuchteten Räumen geben; und einer wird mich auserwählen und mir sagen, was er keiner andern gesagt hat. Ich werde ihm besser gefallen als Susan oder Rhoda. Er wird irgend etwas an mir finden, etwas Eigenartiges. Aber ich werde nicht bloß einem einzigen anhänglich sein. Ich will mich nicht festlegen, nicht gefesselt sein. Ich bete, ich zittere gleich dem Blatt an der Hecke, wie ich hier auf dem Rand meines Bettes sitze und die Füße baumeln lasse, während ein neuer Tag anbricht. Ich habe fünfzig Jahre, sechzig Jahre zum Ausgeben. Ich habe meinen Vorrat noch nicht angegriffen. Dies ist der Beginn.

Es sind noch Stunden und Stunden, sagte Rhoda, bevor ich das Licht ausschalten und auf mein Bett gestreckt über der Welt schweben kann, bevor ich den Tag fallen lassen, bevor ich meinen Baum wachsen lassen kann, daß er als grüne Laube über meinem Kopf flimmert. Hier kann ich ihn nicht wachsen lassen. Irgend jemand schlägt ein Loch hinein. Die andern stellen mir Fragen, sie unterbrechen, sie werfen ihn um.

Jetzt werde ich ins Badezimmer gehn und meine Schuhe abstreifen und mich waschen; aber während ich mich wasche, während ich den Kopf über das Becken beuge, will ich den Schleier der russischen Kaiserin um meine Schultern wallen lassen. Die Diamanten der kaiserlichen Krone funkeln auf meiner Stirn. Ich höre das Gebrüll der feindseligen Volksmenge, während ich auf den Balkon hinaustrete. Nun trockne ich mir energisch die Hände, so daß Miss, deren Namen ich mir nicht zu merken vermag, mich nicht im Verdacht haben kann, einem wütenden Mob mit der Faust zu drohen. »Ich bin eure Kaiserin, ihr Leute.« Meine Haltung ist herausfordernd. Ich fürchte mich nicht. Ich siege.

Aber das ist ein fadenscheiniger Traum. Das ist ein Baum aus Papier. Miss Lambert bläst ihn um. Ihr bloßer Anblick, wie sie den Korridor entlang verschwindet, bläst ihn zu Atomen. Er ist nichts Festes; er befriedigt mich nicht — dieser Traum, Kaiserin zu sein. Er läßt mich, nun, da er zerstoben ist, hier im Korridor ein wenig fröstelnd zurück. Alles scheint blasser zu sein. Ich werde jetzt ins Bibliothekszimmer gehn und mir ein Buch holen und lesen und schauen; und wiederum lesen und schauen. Hier ist ein Gedicht über eine Hecke. Ich will sie entlanggehn und Blumen pflücken, grünen Kuhfuß und die mondscheinfarbene Weißdornblüte, Heckenrosen und Schlangenefeu. Ich will sie mit meinen Händen umfassen und sie auf den glänzenden Pultdeckel legen. Ich werde am bebenden Rand des Flusses sitzen und die Seerosen betrachten, die breiten, leuchtenden, die mit den Mondstrahlen ihres wässerigen Lichts die über die Hecke ragende Eiche erhellen. Ich will Blumen pflücken; ich will Blumen zu einer Girlande winden und binden und sie — oh, wem nur? — darbieten. Da ist irgendein Widerstand in dem Fluß meines Wesens; eine tiefe Strömung drückt gegen ein Hindernis; sie zerrt; sie zieht; ein Knoten im Mittelpunkt leistet Widerstand. Oh, dies ist Schmerz, dies ist Qual! Ich vergehe, ich versage. Jetzt taut mein Körper auf; ich werde entsiegelt, ich erglühe. Nun ergießt sich der Strom in einer tiefen, befruchtenden Flut, erschließt, was verschlossen, entfaltet gewaltsam, was eng zusammengefaltet war, und fließt ungehemmt. Wem soll ich das alles schenken, was mich nun durchströmt, aus meinem warmen, meinem durchlässigen Körper hervorströmt? Ich will meine Blumen pflücken und sie — oh, wem nur? — darbieten.

Matrosen lungern auf der Strandpromenade umher, und Liebespaare; die Omnibusse rattern die Küste entlang der Stadt zu. Ich will schenken; ich will bereichern; ich will der Welt diese Schönheit zurückgeben. Ich will aus meinen Blumen eine Girlande winden und mit ausgestreckter Hand vortretend sie — oh, wem nur? — darbieten.

Nun haben wir also, sagte Louis, denn dies ist der letzte Tag des letzten Trimesters — Nevilles und Bernards und mein letzter Tag — empfangen, was immer unsre Lehrer uns zu geben hatten. Wir sind eingeführt worden; die Welt ist uns vorgestellt worden. Sie bleiben da; wir reisen ab. Der große Mann, den ich von allen Menschen am meisten verehre, hat, zwischen den Pulten und den Büchern in Prachtband ein wenig schwankend hin- und hergehend, Horaz, Tennyson, die »Sämtlichen Werke« von Keats und von Matthew Arnold mit den entsprechenden Widmungen verteilt. Ich achte die Hand, die sie schenkte. Er spricht mit völliger Überzeugung. Für ihn, wenn auch nicht für uns, sind seine Worte wahr. Mit der rauhen Stimme tiefer Gemütsbewegung, zornig, zärtlich hat er uns gesagt, daß wir nun die Schule verlassen würden. Er hat uns geheißen, »uns gleich Männern zu betragen«. (Von seinen Lippen klingen Zitate aus der Bibel wie aus den *Times* gleichermaßen großartig.) Einige werden dies tun, andre das. Einige werden einander nicht mehr begegnen. Neville, Bernard und ich werden hier nicht mehr zusammenkommen. Das Leben wird uns auseinanderbringen. Doch wir haben gewisse Verbindungen geknüpft. Unsre Knabenjahre, unsre verantwortungslosen, sind vorbei. Doch wir haben gewisse Bande geschmiedet. Vor allem haben wir Traditionen ererbt. Diese Steinfliesen sind sechshundert Jahre lang ausgetreten worden. Auf diesen Wänden stehn die Namen von Kriegshelden, von Staatsmännern, von einigen unglücklichen Dichtern (der meine wird unter ihnen sein). Gesegnet seien alle Traditionen, alle Sicherungen und Eingrenzungen! Ich bin euch Männern im schwarzen Talar und euch, ihr Toten, äußerst dankbar für eure Führung, für eure Vormundschaft; dennoch bleibt das Problem bestehn. Die Unterschiede sind noch nicht ausgeglichen. Blumen schütteln ihre Köpfe draußen vor dem Fenster. Ich sehe wilde Vögel, und Impulse, wildere als die wildesten Vögel, schwingen sich aus meinem wilden Herzen. Meine Augen blicken wild; meine Lippen sind fest zusammengepreßt. Der Vogel fliegt; die Blume wiegt sich; ich aber höre immerzu das dumpfe Aufschlagen der Wellen; und das angekettete Tier stampft auf dem Ufer. Es stampft und stampft.

Dies ist die Schlußzeremonie, sagte Bernard. Dies ist die letzte aller Zeremonien. Seltsame Gefühle überkommen uns. Der Schaffner mit seiner Fahne wird gleich sein Pfeifchen blasen; der Zug, der Dampf ausatmende, wird im nächsten Augenblick abfahren. Man möchte etwas sagen, etwas empfinden, was diesem Anlaß völlig angepaßt wäre. Unser Geist ist gespannt; unsre Lippen sind gespitzt. Und dann kommt eine Biene hereingeflogen und summt um den Blumenstrauß, an dem Lady Hampton, die Frau eines Generals, ab und zu riecht, um zu zeigen, daß sie die artige Gabe zu schätzen weiß. Wenn die Biene sie in die Nase stäche? Wir sind alle tief bewegt; und doch unehrerbietig; und doch reumütig; und doch hoffen wir, daß es bald vorüber sein wird; und doch trennen wir uns ungern. Die Biene lenkt uns ab; ihr unbekümmerter Flug scheint unserer Gespanntheit zu spotten. Umhersummend, uns weit umkreisend läßt sie sich jetzt auf die Nelke nieder. Viele von uns werden einander nicht wieder begegnen. Wir werden gewisse Freuden nicht wieder genießen, wenn es uns freistehn wird, zu Bett zu gehn oder aufzubleiben, wenn ich keine Kerzenstümpfchen und keine unmoralische Lektüre mehr einzuschmuggeln brauche. Die Biene umsummt jetzt den Kopf des großen Dr. Crane. Larpent, John, Archie, Percival, Baker und Smith — ich habe sie alle riesig gern gehabt. Ich bin nur einem einzigen bösen Jungen begegnet. Ich habe nur einen einzigen gemeinen Jungen gehaßt. Ich genieße zurückblickend die gräßlich peinlichen Frühstücke mit Röstbrot und Orangenmarmelade am Tisch des Schuldirektors. Er ist der einzige, der die Biene nicht bemerkt. Wenn sie sich auf seine Nase niederließe, würde er sie mit einer einzigen großartigen Geste wegschnellen. Jetzt hat er seinen Witz angebracht; jetzt hat ihm die Stimme beinahe, aber nicht ganz, versagt. Nun sind wir — Louis, Neville und ich — auf immer entlassen. Wir ergreifen unsre schön geglätteten Bücher, die mit gelehrten Widmungen in kleiner krauser Handschrift versehen sind. Wir erheben uns, wir zerstreuen uns; der Druck ist geschwunden. Die Biene ist zu einem unbedeutenden, einem unbeachteten Insekt geworden, ist durchs offene Fenster in Vergessenheit davongeflogen. Morgen reisen wir ab.

Wir sind daran, voneinanderzugehn, sagte Neville. Da sind die Koffer; da sind die Mietwagen. Hier ist Percival in seinem Melonenhut. Er wird mich vergessen. Er wird meine Briefe unbeantwortet zwischen Flinten und Jagdhunden umherliegen lassen. Ich werde ihm Gedichte schicken, und er wird sie mir vielleicht mit einer Ansichtskarte beantworten. Aber darum eben liebe ich ihn. Ich werde ihm vorschlagen, daß wir einander treffen — unter irgendeiner Uhr; bei irgendeinem Kreuz; und werde warten, und er wird nicht kommen. Darum eben liebe ich ihn. Ohne es zu merken, fast ganz ohne es zu wissen, wird er aus meinem Leben hinweggehn. Und ich, so unglaubhaft es auch erscheinen mag, werde in andrer Leute Leben eingehn; dies ist vielleicht nur ein erster Streich, nur ein Vorspiel. Ich fühle bereits, wenngleich ich den wichtigtuerischen Mummenschanz Dr. Cranes und seine geheuchelte Ergriffenheit nicht ausstehn kann, daß Dinge, die wir bloß undeutlich geahnt haben, näherkommen. Niemand wird mich hindern, den Garten zu betreten, wo Fenwick seinen Krockethammer schwingt. Diejenigen, die mich verachtet haben, werden meine Unübertrefflichkeit anerkennen. Aber eines unerforschlichen Gesetzes meines Seins wegen werden Überlegenheit und Machtbesitz mir nicht genügen; ich werde mich immer durch Vorhänge schieben, um ungestört zu sein, und ein paar geflüsterte Worte allein mit jemand wechseln wollen. So gehe ich denn, zwar zweifelnd, aber hochgemut; in der Vorahnung unerträglichen Schmerzes; werde aber, glaube ich, bei meinen Abenteuern nach ungeheuerm Leiden dennoch Sieger bleiben, werde dennoch am Ende sicherlich entdecken, wonach mich verlangt. Hier sehe ich zum letztenmal die Statue unsres frommen Stifters, um dessen Kopf die Tauben kreisen. Sie werden immer und ewig um seinen Kopf kreisen, ihn weißen, während die Orgel in der Kapelle stöhnt. So will ich mich also auf meinen Platz setzen; und wenn ich in unserm reservierten Abteil meinen Platz gefunden habe, werde ich meine Augen mit einem Buch beschatten, um eine Träne zu verbergen; ich werde meine Augen beschatten, um zu beobachten; um nach einem einzigen Gesicht Ausschau zu halten. Es ist der erste Tag der Sommerferien.

Es ist der erste Tag der Sommerferien, sagte Susan. Aber der Tag ist noch zusammengerollt. Ich will ihn nicht näher betrachten, bis ich am Abend auf den Bahnsteig hinaustrete. Ich will mir nicht einmal gestatten, ihn zu riechen, bis ich nicht die kühle grüne Luft von den Wiesen her riechen kann. Aber dies hier sind schon keine Schulwiesen mehr; dies sind keine Schulhecken; die Männer auf den Wiesen hier tun etwas Wirkliches; sie beladen Karren mit wirklichem Heu; und diese dort sind wirkliche Kühe, keine Schulkühe. Aber den Karbolgeruch von Korridoren und den Kreidegeruch von Schulzimmern habe ich noch immer in der Nase. Ich habe noch immer das glasierte, glänzende Aussehen von Bretterwänden vor Augen. Ich muß warten, daß Wiesen und Hecken und Wälder und Felder und Böschungen steiler Bahneinschnitte, von Ginsterbüschen gesprenkelte, und auf Nebengeleise geschobene Waggons und Tunnels und Vorstadtgärten, wo Frauen Wäsche aufhängen, und dann wieder Wiesen und Kinder, die sich auf Gartentoren schaukeln, — sie zudecken, sie ganz tief begraben, diese Schule, die ich gehaßt habe.

Ich werde meine Kinder nicht ins Internat schicken und will mein Leben lang keine einzige Nacht in London verbringen. Hier, auf diesem riesigen Bahnhof, widerhallt alles, dröhnt alles hohl. Das Licht ist wie das gelbliche Licht unter einer Sonnenblache. Jinny lebt hier. Jinny führt ihren Hund auf diesen Gehsteigen spazieren. Die Leute hier eilen lautlos durch die Straßen. Sie sehen nichts andres als Schaufenster an. Ihre Köpfe wippen alle in ungefähr derselben Höhe auf und nieder. Die Straßen sind von Telephondrähten zusammengeschnürt. Die Häuser sind ganz Glas, ganz Girlanden und Glitzern; hier wieder ganz Haustüren und Spitzenvorhänge, ganz Säulen und weiße Stufen. Aber jetzt fahre ich weiter; fahre aus London hinaus; hier beginnen wieder die Wiesen; und die Häuser; und Frauen, die Wäsche aufhängen, und Bäume und Felder. London liegt nun verschleiert, nun verschwunden, nun geborsten, nun gestürzt. Das Karbol und das Fichtenholz beginnen ihren Geruch zu verlieren. Ich rieche Korn und Rüben. Ich öffne ein mit einem weißen Baumwollfaden umschnürtes Päckchen. Die Eierschalen gleiten in die Kluft zwischen meinen Knien. Jetzt halten wir in einer Station nach der andern, und Milchkannen werden herausgerollt. Frauen küssen sich und helfen einander Einkaufskörbe tragen. Nun werde ich es mir vergönnen, mich aus dem Fenster zu beugen. Die Luft strömt mir durch Nase und Kehle — die kalte Luft, die salzige Luft mit dem Geruch von Rübenfeldern darin. Und dort steht mein Vater, mit dem Rücken zu mir, im Gespräch mit einem Landwirt. Ich zittere. Ich weine. Dort steht mein Vater in Ledergamaschen. Dort steht mein Vater.

Ich sitze hier bequem in meiner Ecke auf der Fahrt nach dem Norden, sagte Jinny, in diesem dröhnenden Expreßzug, der doch so glatt fährt, daß er Hecken flachbügelt, Hügel verlängert. Wir flitzen an Stellwerken vorbei; wir machen die Erde ein wenig schwanken. Die Ferne schließt sich immerzu in einem einzigen Punkt; und immerzu öffnen wir sie weit. Die Telegraphenstangen schießen ununterbrochen auf; eine wird gefällt, eine andre erhebt sich. Nun dröhnt der Zug und fährt schwungvoll in einen Tunnel. Der Herr schiebt das Fenster hoch. Ich sehe Spiegelungen in dem schimmernden Glas, das den Tunnel auskleidet. Ich sehe, wie er die Zeitung senkt. Er lächelt meinem Spiegelbild im Tunnel zu. Mein Körper läßt wie von selbst eine Krause hervorsprießen. Mein Körper hat sein eigenes Leben.

Nun ist die schwarze Fensterscheibe wieder grün. Wir sind aus dem Tunnel. Er liest seine Zeitung. Doch wir haben eins des andern Körper gutgeheißen. Es gibt also eine große Gemeinschaft von Körpern, und der meine ist in sie eingeführt; der meine ist in das Zimmer eingetreten, wo die vergoldeten Stühle stehn. Schau — alle die Fenster der Villen und ihre weißen Vorhangzelte tanzen! Und die Männer, die mit ihren geknoteten blauen Schnupftüchern im Schatten der Hecken in den Kornfeldern sitzen, empfinden ebenso wie ich Wärme und Wohlbehagen. Einer winkt, als wir an ihm vorbeifahren. Da sind Lauben und Holzhäuschen in diesen Villengärten, und junge Männer in Hemdärmeln, auf Leitern, stutzen Rosen. Ein Mann auf einem Pferd galoppiert über die Wiese. Das Pferd schlägt aus, als wir vorbeifahren. Und der Reiter wendet sich nach uns um. Wir brausen wieder durch Schwärze. Und ich lehne mich zurück; ich gebe mich der wohligen Wonne hin; ich denke mir, daß ich am Ausgang des Tunnels ein lampenhelles Zimmer betrete, wo Stühle umherstehn und wo ich mich, sehr bewundert, auf einen davon sinken lasse, während mein Kleid sich rings um mich bauscht. Aber siehe da, aufblickend begegne ich den Augen einer sauertöpfischen Frau, die mich im Verdacht hat, Wonne zu empfinden. Mein Körper verschließt sich ihr vor der Nase, unverschämt, wie ein Sonnenschirm. Ich erschließe meinen Körper, ich verschließe meinen Körper ganz wie ich will. Das Leben beginnt. Ich breche nun mein gehortetes Leben an.

Es ist der erste Tag der Sommerferien, sagte Rhoda. Und nun, während der Zug an diesen roten Felsen, an diesem blauen Meer vorbeifährt, formt sich hinter mir das Trimester, das überstandene, zu einer Gestalt. Ich sehe seine Farbe. Der Juni war weiß. Ich sehe die Wiesen weiß von Gänseblümchen und weiß von Sommerkleidern; und Tennisplätze mit weißen Linien. Dann gab es Wind und heftigen Donner. Ein Stern segelte eines Nachts durch die Wolken, und ich sagte zu dem Stern: »Verzehre mich!« Das war in der Mittsommernacht, nach dem Gartenfest und meiner Demütigung dort. Stürmische Winde und Gewitter färbten den ganzen Juli. Und dann war da auch, leichenhaft, schrecklich, diese graue Wasserlache mitten im Hof, als ich, einen Briefumschlag in der Hand, eine Mitteilung überbringen sollte. Ich kam zu der Lache. Ich konnte nicht hinüber. Jedes Gefühl, ich selbst zu sein, hatte mich verlassen. Wir sind nichts, dachte ich, und stürzte. Ich wurde wie eine Feder weggeweht. Ich wurde Tunnelstollen entlanggetragen. Dann setzte ich, sehr behutsam, den Fuß vor, um hinüberzusteigen. Ich legte die Hand an eine Ziegelmauer. Ich kehrte sehr schmerzhaft in meinen Körper zurück, zog mich über den grauen, leichenhaften Fleck dieser Wasserlache wieder in ihn hinein. Dies ist also das Leben, dem ich mich verschrieben habe.

So hänge ich das Sommertrimester ab. Mit stoßweisen Erschütterungen, jäh wie die Sprünge eines Tigers, taucht das Leben auf, hebt seinen dunkeln Kamm aus dem Meer. Daran hängen wir; daran sind wir gefesselt, wie Körper auf wilde Pferde. Und doch haben wir Mittel gefunden, diese Spalten auszufüllen und diese Risse zu verkleiden. Da kommt der Schaffner. Hier sitzen zwei Männer; drei Frauen; eine Katze in einem Korb; ich selbst, den Ellbogen auf dem Fenstersims, — dies ist das Hier und das Heute. Wir halten, wir fahren weiter, durch flüsternde Felder goldenen Korns. Frauen auf den Feldern sind erstaunt, beim Hacken überholt zu werden. Der Zug stampft jetzt schwer, er atmet schnarchend, während er höher und höher steigt. Endlich sind wir auf dem Hochmoor oben. Nur einige wilde Schafe leben hier; einige zottige Ponys; wir jedoch sind mit jedem Komfort versorgt; mit Tischchen, unsre Zeitungen zu stützen, mit Wandringen, unsre Trinkgläser zu halten. Wir kommen, diese Vorrichtungen mit uns führend, über die Höhe des Hochmoors. Nun sind wir oben. Stille wird sich hinter uns schließen. Wenn ich über diese kahle Kuppe zurückblicke, kann ich sehen, wie die Stille sich schon schließt und die Wolkenschatten einander über das öde Moor jagen; Stille schließt sich hinter unsrer flüchtigen Durchfahrt. Dies, sage ich mir, ist der gegenwärtige Augenblick; dies ist der erste Tag der Sommerferien. Dies ist ein Teil des auftauchenden Ungeheuers, an das wir gebunden sind.

Nun fahren wir schon, sagte Louis. Nun schwebe ich, ohne an etwas zu hängen. Wir sind nirgendwo. Wir fahren durch England in einem Eisenbahnzug. England gleitet am Fenster vorbei, im steten Wechsel von Hügeln zu Wäldern, von Flüssen und Weiden wieder zu Städten. Und ich habe keinen festen Boden, auf den ich mich begeben kann. Bernard und Neville, Percival, Archie, Larpent und Baker gehn nach Oxford oder Cambridge, nach Edinburgh, Rom, Paris, Berlin oder auf eine amerikanische Universität. Ich gehe irgendwohin, um irgendwie Geld zu verdienen. Darum fällt ein scharfer Schatten, ein bitterer Nachdruck auf diese goldenen Stoppeln, diese mohnroten Felder, dieses wogende Korn, das niemals seine Grenzen überschwemmt; sondern wellig bis zum Rand läuft. Dies ist der erste Tag eines neuen Lebens, eine neue Speiche des sich heraufdrehenden Rads. Doch mein Leib wandert flüchtig wie der Schatten eines Vogels vorbei. Ich wäre vergänglich wie der Schatten auf der Wiese, der bald verschwindende, bald dunkler werdende und dort, wo er dem Wald begegnet, vergehende, zwänge ich nicht mein Hirn zu Formen in meiner Stirne; ich zwinge mich, diesen Augenblick, wenn auch nur in einem einzigen Vers eines ungeschriebenen Gedichts, auszusagen; dieses winzige Stückchen der langen, langen Geschichte zu bezeichnen, die in Ägypten begann, zur Zeit der Pharaonen, als die Frauen rote Krüge zum Nil hinabtrugen. Ich scheine bereits viele tausend Jahre gelebt zu haben. Doch wenn ich jetzt die Augen schließe und es mir nicht gelingt, diesen Berührungspunkt von Vergangenheit und Gegenwart zu erkennen, daß ich in einem Dritteklasse-Abteil voller Jungen sitze, die auf Sommerferien heimfahren, wird die Menschheitsgeschichte um die Schau eines Augenblicks betrogen sein. Ihr Auge, das mit dem meinen sieht, wird sich schließen — wenn ich jetzt einschlummere, mich aus Faulheit, aus Feigheit in die Vergangenheit vergrabe, in die Dunkelheit; oder nachgebe, wie Bernard nachgibt, und Geschichten erzähle; oder prahle, wie Percival, Archie, John, Walter, Lathom, Larpent, Roper und Smith prahlen — es sind immer dieselben Namen, die Namen der prahlerischen Jungen. Sie alle prahlen, sie alle reden, bis auf Neville, der dann und wann einen Blick über den Rand seines französischen Romans schlüpfen läßt und so immer in vom Kaminfeuer erhellte Zimmer mit vielen Kissen entschlüpfen wird, mit vielen Büchern und nur einem Freund, während ich kippend auf einem Kontorstuhl hinter einem Schalter sitzen werde. Dann werde ich verbittert sein und sie verhöhnen. Ich werde sie um ihre Kontinuität auf sicheren traditionellen Wegen im Schatten alter Eiben beneiden, während ich mich Urlondonern und Kontoristen zugesellen und die Gehsteige der City entlangtappen werde.

Doch entkörperlicht wie jetzt und ohne Bleibe über Wiesen und Felder dahingleitend (da ist ein Fluß; ein Mann fischt; dort ragt ein Kirchturm auf; da ist die Dorfstraße mit ihrem runderkerigen Wirtshaus), erscheint mir alles traumhaft und verschwommen. Diese harten Gedanken, dieses Neidgefühl, diese Bitterkeit setzen sich nicht in mir fest. Ich bin Louis'

Geist, ein flüchtig Vorübergehender, in dessen Gemüt Träume Macht haben und Gartenlaute, wenn am frühen Morgen Blütenblätter über bodenlosen Tiefen schweben und die Vögel singen. Ich bespritze und besprenge mich mit den hellen Wassern der Kindheit. Ihr dünner Schleier schillert. Doch das angekettete Tier stampft und stampft am Ufer.

Louis und Neville, sagte Bernard, sitzen beide stumm da. Beide sind sie in Gedanken versunken. Beide empfinden sie die Gegenwart andrer als eine Scheidewand. Doch wenn ich selbst mich in Gesellschaft andrer befinde, bilden Wörter sogleich Rauchringe — schau, wie Phrasen sich sogleich von meinen Lippen zu kräuseln beginnen! Es ist, als würde ein Streichholz an vorbereitetes Reisig gehalten; schon brennt es. Ein ältlicher und anscheinend wohlhabender Mann, ein Handlungsreisender, steigt nun ein. Und sogleich habe ich den Wunsch, mich an ihn zu wenden; instinktiv ist mir das Gefühl seiner Anwesenheit zuwider, seiner kalten, unassimilierten Anwesenheit unter uns. Ich bin nicht fürs Gesondertsein. Wir sind keine Einzelwesen. Auch will ich meine Sammlung wertvoller Beobachtungen über die wahre Natur des menschlichen Lebens mehren. Mein Werk wird gewiß viele Bände haben und jede bekannte Spielart von Männern und Frauen umfassen. Ich fülle meinen Geist mit allem, was immer jeweils der Inhalt eines Zimmers oder eines Eisenbahnabteils ist, wie man eine Füllfeder aus einem Tintenfaß füllt. Ich habe einen stetigen, unstillbaren Durst. Jetzt spüre ich an kaum merklichen Anzeichen, die ich noch nicht deuten kann, aber später auslegen werde, daß die Abwehr dieses Mannes aufzutauen beginnt. Seine Vereinsamung zeigt schon Risse. Er hat eine Bemerkung über ein Landhaus gemacht. Ein Rauchring (über Ernteaussichten) löst sich von meinen Lippen und umschließt ihn, bringt ihn in Berührung. Die menschliche Stimme hat etwas Entwaffnendes (wir sind keine Einzelwesen, wir sind alle eins). Während wir diese wenigen aber liebenswürdigen Bemerkungen über Landhäuser wechseln, putze ich ihn heraus und mache ihn konkret. Er ist ein nachsichtiger aber kein treuer Ehemann; ein kleiner Baumeister, der nur wenige Leute beschäftigt. In der Gesellschaft seines Heimatorts ist er von Bedeutung, ist bereits Gemeinderat und wird mit der Zeit vielleicht Bürgermeister sein. An seiner Uhrkette hängt eine große, wie ein mit den Wurzeln ausgerissener Doppelzahn geformte Koralle. Walter J. Trumble ist die Art von Name, die auf ihn passen würde. Er ist in Amerika gewesen, auf einer Geschäftsreise mit seiner Frau, und ein Zweibettzimmer in einem kleineren Hotel kostete den ganzen Monatslohn eines seiner Angestellten. Einer seiner Vorderzähne hat eine Goldplombe.

Tatsächlich eigne ich mich wenig zum Nachdenken. Ich brauche bei allem das Konkrete. Nur so vermag ich die Welt zu erfassen. Eine gute Phrase aber scheint mir ein unabhängiges Dasein zu besitzen. Doch glaube ich, daß die besten wahrscheinlich in Einsamkeit zustandekommen. Sie benötigen zuerst eine Vereisung, die ich, der ich immer in warmen, löslichen Wörtern plätschere, nicht zu bewirken vermag. Meine Methode hat dennoch der ihren gegenüber gewisse Vorteile. Neville ist abgestoßen von Trumbles Derbheit. Louis, Seitenblicke werfend, einherstelzend wie ein verachtungsvoller Kranich, pickt Wörter wie mit einer Zuckerzange auf. Es ist wahr, daß die Augen dieses Mannes — unbändige, lachende und doch verzweifelte Augen — etwas ausdrücken, das wir nicht ermessen haben. An beiden, an Neville und an Louis, ist etwas Präzises, Exaktes, das ich bewundere und selber nie besitzen werde. Jetzt beginne ich, mir bewußt zu werden, daß gehandelt werden muß. Wir nähern uns einem Knotenpunkt; an einem Knotenpunkt muß ich umsteigen. Ich muß einen Zug nach Edinburgh nehmen. Ich vermag diese Tatsache nicht genau zu fassen — sie sitzt lose in meinen Gedanken wie ein Knopf, wie eine kleine Münze. Hier kommt der lustige alte Bursche, der die Fahrkarten einsammelt. Ich hatte eine — ich hatte ganz gewiß eine. Aber es macht nichts. Entweder werde ich sie finden oder ich werde sie nicht finden. Ich sehe in meiner Brieftasche nach. Ich durchsuche alle meine Taschen. Dies sind die Dinge, die immerzu das Verfahren unterbrechen, mit dem ich ewig beschäftigt bin: eine vollkommene Phrase zu finden, die genau auf diesen bestimmten Augenblick paßt.

Bernard ist ohne seine Fahrkarte ausgestiegen, sagte Neville. Er ist uns entwischt, mit einer Phrase, mit einem Winken seiner Hand. Er unterhielt sich ebenso ungezwungen mit dem Pferdezüchter oder dem Installateur wie mit uns. Der Installateur hat ihn mit Ehrerbietung gelten lassen. »Wenn ich einen solchen Sohn hätte«, hat er sich gedacht, »würde ich es ermöglichen, ihn nach Oxford zu schicken.« Doch was hat Bernard dem Installateur gegenüber empfunden? Wollte er nicht bloß die Abfolge seiner Geschichte fortspinnen, die sich selbst zu erzählen er niemals aufhört? Er hat sie begonnen, als er als Kind sein Stück Brot zu Kügelchen rollte. Das eine Kügelchen war ein Mann, das andre eine Frau. Wir alle sind Kügelchen. Wir alle sind Phrasen in Bernards Geschichte, Dinge, die er unter A oder unter B in sein Notizbuch einträgt. Er erzählte unsre Geschichte außerordentlich verständnisvoll, bis auf das, was wir zutiefst empfinden. Denn er braucht uns nicht. Er ist uns niemals ausgeliefert. Dort steht er auf dem Bahnsteig und winkt. Der Zug ist ohne ihn weggefahren. Er hat den Anschluß versäumt. Er hat seine Fahrkarte verloren. Aber das macht nichts. Er wird sich mit dem Barmädchen über das Wesen des Menschenschicksals unterhalten. Wir fahren ab; er hat uns schon vergessen; wir verschwinden aus seinem Blickfeld; wir fahren weiter, erfüllt von nachhaltigen Empfindungen, halb bitteren, halb süßen, denn irgendwie ist er zu bedauern, der der Welt mit halbfertigen Phrasen entgegentritt, der seine Fahrkarte verloren hat; und er ist auch liebenswert.

Nun tue ich wieder so, als läse ich. Ich hebe das Buch, bis es meine Augen fast verdeckt. Aber ich kann nicht lesen in Anwesenheit von Pferdehändlern und Installateuren. Ich besitze nicht die Fähigkeit, mich angenehm zu machen. Ich bewundere diesen Mann nicht; er bewundert mich nicht. Laßt mich zumindest ehrlich sein! Laßt mich diese nichtige, flüchtige, selbstzufriedene Welt anklagen; diese roßhaargepolsterten Sitze; diese kolorierten Photos von Molen und Promenaden. Ich könnte laut herausschreien über die eitle Selbstzufriedenheit, über die Mittelmäßigkeit dieser Welt, die Pferdehändler züchtet, denen korallene Berlocken von der Uhrkette baumeln. Es ist ein Etwas in mir, das sie alle völlig verzehren wird. Sie werden sich unter meinem Gelächter auf ihren Sitzen winden; es wird sie heulend vor mir herjagen. Nein; sie sind unsterblich. Sie sind die Sieger. Sie werden es mir immer unmöglich machen, in einem Dritteklasse-Abteil Catull zu lesen. Sie werden mich dazu treiben, im Oktober an einer der Universitäten Zuflucht zu suchen, wo ich einmal Professor sein werde; und dann mit Schullehrern nach Griechenland fahren werde. Es wäre besser, Pferde zu züchten und in einer dieser Backsteinvillen zu wohnen, als in den Köpfen von Sophokles und Euripides wie eine Made ein und aus zu krabbeln; verheiratet mit einer hochgesinnten Frau, einer von diesen Studierten. Das jedoch wird mein Los sein. Ich werde leiden. Bereits mit achtzehn Jahren bin ich solcher Verachtung fähig, daß Pferdezüchter mich hassen. Das ist mein Triumph; ich schließe kein Kompromiß. Ich bin nicht schüchtern; ich habe keinen Akzent. Ich faxe nicht so wie Louis mit der Furcht, was die Leute von »meinem Vater, einem Bankier in Brisbane« denken werden.

Nun nähern wir uns dem Mittelpunkt der zivilisierten Welt. Da sind die wohlvertrauten Gasometer. Da sind die öffentlichen, von Asphaltwegen durchschnittenen Gartenanlagen. Da sind die Liebespaare, die schamlos, Mund an Mund, auf dem verdorrten Gras liegen. Percival ist nun schon fast in Schottland; sein Zug fährt durch die rötlichen Hochmoore; er sieht die lange Linie des Grenzgebirges und den Römerwall. Er liest eine Detektivgeschichte und versteht doch alles.

Der Zug verlangsamt und verlängert sich, während wir uns London, dem Mittelpunkt, nähern, und auch mein Herz streckt sich hin in Furcht, in jauchzender Vorfreude. Ich stehe vor der Begegnung — womit? Welches außerordentliche Abenteuer erwartet mich zwischen diesen Postwagen, diesen Trägern, diesen Schwärmen von Leuten, die nach Taxis rufen? Ich fühle mich unbedeutend, verloren, aber voll Jubels. Mit einem sanften Stoß hält der Zug. Ich will die andern vor mir aussteigen lassen. Ich will einen Augenblick stillsitzen, bevor ich mich in dieses Chaos, dieses Getümmel hinausbegebe. Ich will nichts vorwegnehmen, was kommen wird. Das ungeheure Getöse klingt mir in die Ohren. Es hallt und widerhallt unter diesem Glasdach wie Meeresschwall. Wir werden mit unsern Handkoffern auf den Bahnsteig abgeworfen. Wir werden auseinandergewirbelt. Das Gefühl, ich selbst zu sein, erlischt beinahe; auch meine Selbstverachtung. Ich werde eingesogen, hinabgeschleudert, himmelhoch emporgeworfen. Ich steige auf den Bahnsteig hinunter, alles umklammernd, was ich besitze — einen Handkoffer.

Die Sonne ging auf. Breite Strahlen von Gelb und Grün fielen auf das Ufer, vergoldeten die Rippen des ausgenagten Boots und ließen die Stranddistel und ihre gepanzerten Blätter stahlblau schimmern. Das Licht drang fast durch die dünnen, hurtigen Wellen hindurch, wenn sie sich fächerförmig über den Strand ergossen. Das Mädchen, das den Kopf geschüttelt hatte, daß alle die Juwelen, die Topase, die Aquamarine, alle die wasserfarbenen Juwelen samt den Feuerfunken in ihnen tanzten, strich sich nun das Haar aus der Stirn und trieb mit weitgeöffneten Augen einen Pfad über die Wellen vor. Deren zuckendes Makrelengeglitzer wurde dunkler; sie türmten sich auf; ihre grünen Höhlungen vertieften und verdunkelten sich und wurden vielleicht von Schwärmen ziehender Fische durchquert. Wie die Wellen so hinplanschten und sich zurückzogen, hinterließen sie einen schwarzen Rand von Zweiglein und Korken und Strohhalmen und Holzstückchen, als wäre eine leichte Schaluppe hier gestrandet und ihr Bauch geborsten und der Schiffer wäre an Land geschwommen und die Klippen hinaufgesprungen und hätte es seiner zerbrechlichen Fracht überlassen, ans Ufer geschwemmt zu werden.

Im Garten sangen die Vögel, die bis dahin nur vereinzelt und mit Unterbrechungen in der Morgendämmerung auf diesem Baum, auf jenem Busch gesungen hatten, jetzt alle zusammen laut und schrill im Chor; bald alle miteinander, als wären sie sich einer Gefährtenschaft bewußt, bald jeder allein, gleichsam für den blaßblauen Himmel. Sie flogen alle in einem Schwarm auf, wenn die schwarze Katze durch die Büsche schlich, wenn die Köchin Schlacke auf den Aschenhaufen schüttete und sie aufschreckte. Angst war in ihrem Gesang und Vorahnung von Schmerz und auch Freude, die schnell, in diesem Augenblick, erhascht werden mußte. Auch wetteifernd sangen sie in der klaren Morgenluft, schwangen sich hoch empor über die Ulme, sangen alle zusammen, während sie einander jagten, einander entwischend, verfolgend, neckend, während sie hoch oben in der Luft um einander kreisten. Und dann des Verfolgens und Fliehens müde, kamen sie anmutig tiefer herab, behutsam sinkend, ließen sich fallen und saßen dann still auf einem Baum, auf einer Mauer, mit glänzenden Augen umherspähend, den Kopf hierhin und dorthin wendend; aufmerksam, wachsam; gespannt eines einzigen Dings, eines einzigen Gegenstands sich bewußt.

Es mochte ein Schneckengehäuse sein, ein wie ein grauer Dom im Gras aufragendes, ein sich wölbendes Gebäude mit eingebrannten dunkeln Ringen und grün beschattet von Gras. Oder vielleicht sahen sie die Pracht der Blumen ein purpurnes Licht über die Beete gießen, durch das zwischen den Stengeln dunkle Stollen purpurnen Schattens getrieben waren. Oder sie hefteten den Blick auf die kleinen hellen Blätter des Apfelbaums, die tanzenden jedoch festgehaltenen, steif zwischen den rosaroten Blütenspitzen glitzernden. Oder sie sahen den Regentropfen an der Hecke hängen, aber nicht fallen, und ein ganzes Haus und hochragende Ulmen sich darin wölben; oder ihre Augen wurden, wenn sie gradenwegs in die Sonne schauten, zu Goldperlen.

Jetzt hierhin, jetzt dorthin spähend blickten sie tiefer, unter die Blumen, die dunkeln Alleen entlang in die unbeleuchtete Welt, wo das Blatt verrottet und die Blüte verfault. Dann flitzte einer von ihnen wunderschön hinab, haargenau auftreffend, und spießte den weichen, ungeheuerlichen Körper eines wehrlosen Wurms, pickte und pickte drauflos und ließ ihn liegen und schwären. Dort unten, zwischen den Wurzeln, wo die Blüten faulten, zogen Dünste von Verwestem; Tropfen bildeten sich an den geblähten Wänden von Aufgequollenem. Die Haut überreifer Früchte platzte, und Flüssiges, zu dick um zu rinnen, sickerte hervor. Gelbes wurde von Nacktschnecken ausgeschieden; und dann und wann schwankte ein formloser Körper mit einem Kopf an seinen beiden

Enden langsam hin und her. Die goldäugigen Vögel, die zwischen den Blättern ein- und ausflitzten, beobachteten spöttisch fragend dieses Eitern, dieses Feuchteln. Dann und wann stießen sie die Spitze ihres Schnabels wild in die klebrige Masse.

Jetzt kam die aufsteigende Sonne zum Fenster herein, berührte den rotbesäumten Vorhang und begann, Kreise und Linien hervorzubringen. Nun setzte sich in dem zunehmenden Licht ihre Helle im Eßbesteck fest; die Klinge verdichtete ihr Blinken. Stühle und Geschirrschränke ragten dahinter auf, so daß sie, wenn auch jedes Stück ganz für sich, doch unentwirrbar miteinander verwoben zu sein schienen. Der Spiegel hellte seinen Teich an der Wand immer mehr auf. Die wirkliche Blume auf dem Fensterbrett hatte eine Phantomblume zur Gefährtin. Doch das Phantom war ein Teil der Blume, denn wenn sich eine Knospe öffnete, erschloß sich eine auch an der blasseren Blume in dem Spiegel.

Der Wind erhob sich. Die Wellen trommelten ans Ufer gleich beturbanten Kriegern, gleich beturbanten Männern mit vergifteten Assegais, die, die Arme hoch in der Luft wirbelnd, auf die weidende Herde, die weißen Schafe, losstürmten.

Alles verschlingt sich immer enger, sagte Bernard, hier im College, wo das Getriebe und der Druck des Lebens so groß sind, wo schon das Aufregende, bloß zu leben, täglich fühlbar wird. Zu jeder Stunde wird irgend etwas Neues aus dem großen Glückshafen gefischt. Was bin ich? frage ich. Dies? Nein, ich bin das. Besonders jetzt, da ich ein Zimmer und Leute im Gespräch verlassen habe und die Steinfliesen von meinen einsamen Schritten widerhallen und ich den Mond erhaben, unbekümmert dort über der uralten Kapelle aufgehn sehe — da wird es klar, daß ich nicht ein einziger und einfacher Mensch bin, sondern ein vielfältiger und vielfacher. Bernard in der Öffentlichkeit sprudelt über; im kleinen Kreis ist er verschlossen. Das ist's, was sie nicht verstehn, denn zweifellos sprechen sie jetzt über mich, sagen, ich entwische ihnen, suche ihnen auszuweichen. Sie begreifen nicht, daß ich verschiedene Übergänge bewerkstelligen muß; das Auftreten und Abgehn mehrerer verschiedener Menschen verdecken muß, die abwechselnd ihre Rolle als Bernard spielen. Ich bin mir auf eine ungewöhnliche Weise meiner Umgebung bewußt. Ich kann nie ein Buch in einem Eisenbahnabteil lesen, ohne mich zu fragen: Ist er ein Baumeister? Ist sie unglücklich? Ich war mir heute sehr deutlich bewußt, wie bitter der arme Simes mit seiner Pustel es empfand, daß er nur sehr geringe Aussicht hatte, einen guten Eindruck auf Billy Jackson zu machen. Weil ich schmerzhaft mitfühlte, lud ich ihn mit Wärme zum Abendessen ein. Das wird er einer Bewunderung zuschreiben, die ich gar nicht hege. Das ist wahr. Aber »verbunden mit einer gradezu weiblichen Feinfühligkeit« (ich zitiere hier meinen künftigen Biographen), »besaß Bernard die nüchterne Logik eines Mannes«. Nun sind aber Leute, die einen einheitlichen — und, im allgemeinen, guten — Eindruck machen (denn in der Einfachheit scheint eine Tugend zu liegen), diejenigen, die sich in der Mitte der Strömung im Gleichgewicht halten. (Sogleich sehe ich Fische vor mir, die Nase in der einen Richtung, während die Strömung in der entgegengesetzten an ihnen vorübereilt.) Canon, Lycett, Peters, Hawkins, Larpent, Neville — alle sind sie Fische in der Mitte der Strömung. Aber *du* verstehst doch, *du*, mein Ich, das, wenn es gerufen wird, immer erscheint (es wäre ein gruseliges Erlebnis, wenn man riefe und niemand erschiene; das würde die Mitternacht hohl tönen machen und erklärt die Miene alter Herren in ihren Klubs — sie haben es aufgegeben, nach einem Ich zu rufen, das nicht erscheint), du verstehst doch, daß ich nur oberflächlich vertreten bin durch das, was ich heute abend gesagt habe? Darunter und in dem Augenblick, wo ich am zersplittertsten zu sein scheine, bin ich auch ganz. Ich nehme überschwenglich Anteil; aber ich sitze auch da wie eine Kröte in einem Loch und nehme völlig kalt hin, was immer kommen mag. Sehr wenige von euch, die ihr jetzt über mich sprecht, besitzen die zwiefache Fähigkeit zu fühlen und zu überlegen. Lycett, seht ihr, läuft gern Hasen nach; Hawkins hat einen überaus fleißigen Nachmittag in der Bibliothek verbracht. Peters hat seine kleine Freundin in der Leihbücherei. Ihr seid alle mit etwas beschäftigt, in etwas verwickelt, einbezogen und durchaus bis in die Fingerspitzen damit geladen — alle bis auf Neville, dessen Geist viel zu vielfältig ist, um von nur einer einzigen Tätigkeit angeregt zu werden. Auch ich bin zu vielfältig. Immer bleibt etwas von mir, das lose umherschwimmt.

Nun, hier ist der Beweis meiner Beeinflußbarkeit durch eine Atmosphäre: Sobald ich jetzt in mein Zimmer komme, das Licht anknipse und den Briefbogen erblicke, den Tisch, meinen nachlässig über die Lehne eines Stuhls geworfenen Talar, fühle ich, daß ich dieser verwegene und dabei besinnliche Mensch bin, diese kühne und verderbliche Gestalt des Mannes, der lässig seinen Mantel ablegt, nach der Feder greift und sogleich einen Brief an das Mädchen hinwirft, in das er leidenschaftlich verliebt ist.

Ja, alles ist günstig. Ich bin jetzt in Stimmung. Ich vermag in einem Zug den Brief herunterzuschreiben, den ich so viele Male begonnen habe. Ich bin soeben nach Hause gekommen; habe Hut und Stock hingeworfen; schreibe das Erstbeste, das mir einfällt, ohne mir die Mühe zu nehmen, das Briefblatt gerade zu rücken. Es wird eine brillante Skizze werden, die, so wird sie glauben müssen, hingeschrieben wurde, ohne innezuhalten, ohne etwas auszustreichen. Schau, wie ungeformt die Buchstaben sind — und da ist ein fahrlässiger Klecks! Alles muß der Geschwindigkeit und Sorglosigkeit geopfert werden. Ich will mit einer flinken, fließenden, zierlichen Handschrift schreiben, den langen Strich des »y« übertreiben und das »t« so — mit einem flotten Querstrich — hinschreiben. Als Datum soll bloß »Dienstag, den 17.« stehn und dann ein Fragezeichen. Ich muß aber auch den Eindruck bei ihr erwecken, daß er — denn das bin nicht ich selbst — zwar auf eine so unbekümmerte, nachlässige Weise schreibt, aber doch eine leise Andeutung von Vertraulichkeit und Achtung darin ist. Ich muß auf Gespräche anspielen, die wir miteinander führten — ihr irgendeine Szene ins Gedächtnis zurückrufen. Aber es muß ihr so vorkommen (und das ist sehr wichtig), als ginge ich mit der denkbar größten Leichtigkeit von einem Ding aufs andre über. Ich werde von dem Gedächtnisgottesdienst für den Mann, der ertrunken ist (ich habe schon eine Phrase dafür), auf Mrs. Moffat und ihre Aussprüche (ich habe sie mir notiert) und so auf einige anscheinend beiläufige und doch sehr tiefsinnige Gedanken (tiefsinnige Kritik wird oft beiläufig hingeschrieben) über irgendein Buch übergehn, das ich gelesen habe, irgendein ausgefallenes Buch. Ich möchte, sie soll, wenn sie sich die Haare bürstet oder die Kerze ausbläst, sagen: »Wo hab' ich das nur gelesen? Oh, in Bernards Brief.« Die Geschwindigkeit, das heiß geschmolzen Wirkende, der Lavafluß eines Satzes in den andern, das ist's, was ich brauche. An wen denke ich dabei? An Byron natürlich. Ich bin, in gewisser Hinsicht, wie Byron. Vielleicht wird mir ein Schluck Byron helfen, mich in die richtige Stimmung zu versetzen. Ich will eine Seite von ihm lesen. Nein; das da ist fade; und das da ist schluderig; und dies hier ist etwas zu formell. Nun aber gelingt es mir, den Fluß des Ganzen herauszubekommen. Nun gelingt es mir, seinen Rhythmus in mein Hirn zu bekommen (der Rhythmus ist das Wichtigste beim Schreiben). Nun will ich ohne Pause beginnen, noch mit dem Ausschwingen des Ruderschlags ...

Und doch sackt es zusammen. Es verpufft. Ich vermag nicht, genügend Dampf aufzumachen, daß er mich über den Übergang hinübertrage. Mein wahres Ich bricht von meinem angenommenen ab. Und wenn ich den Brief von neuem zu schreiben begänne, würde sie das Gefühl haben: »Bernard posiert als ein Literat; Bernard denkt an seinen Biographen« (was wahr ist). Nein, ich werde ihr morgen schreiben, unmittelbar nach dem Frühstück.

Nun will ich meinen Geist mit Phantasiebildern füllen. Angenommen, ich bin als Logiergast auf »Restover« eingeladen, in King's Laughton, fünf Kilometer vom Bahnhof Langley. Ich komme bei Abenddämmerung an. Im Hof dieses ein wenig verwahrlosten aber vornehmen Hauses schleichen zwei oder drei Hunde langbeinig umher. In der Halle liegen verblichene Teppiche. Ein militärisch aussehender

Herr raucht eine Pfeife, während er auf der Terrasse hin- und hergeht. Der Ton liegt hier auf distinguierter Armut und militärischen Konnexionen. Der Huf eines Jagdpferds auf dem Schreibtisch — eines Lieblingspferds. »Sie reiten?« »Ja, Sir, ich liebe das Reiten.« »Meine Tochter erwartet uns im Salon.« Das Herz schlägt mir bis zum Halse. Sie steht neben einem niedrigen Tischchen; sie kam soeben von einem Jagdritt; sie pampft belegte Brötchen wie eine Range. Ich mache einen recht guten Eindruck auf den Obersten. Ich sei nicht allzu gescheit, denkt er; ich sei nicht allzu ungeschliffen. Auch spiele ich Billard. Dann kommt das nette Dienstmädchen herein, das schon dreißig Jahre im Haus ist. Die Teller haben ein Dekor von orientalischen langschwänzigen Vögeln. Das Porträt der Mutter in einem Musselinkleid hängt über dem Kamin. Ich vermag das Milieu bis zu einem gewissen Grad mit außerordentlicher Leichtigkeit zu skizzieren. Aber kann ich das Ganze auch in Gang setzen? Kann ich ihre Stimme hören — genau den Ton, in dem sie, wenn wir allein sind, »Bernard« sagt? Und was weiter?

Die Wahrheit ist, daß ich Anregung durch andre Menschen brauche. Wenn ich allein an meinem ausgebrannten Kaminfeuer sitze, neige ich dazu, die fadenscheinigen Stellen in meinen Geschichten zu sehen. Der wirkliche Romanschriftsteller, der völlig einfache Mensch, könnte endlos weiter erfinden. Er würde es nicht alles vervollständigen, wie ich das tue. Er hätte nicht dieses verheerende Gefühl von grauer Asche in einem ausgebrannten Kamin. Irgendeine Gardine klatscht mir auf die Augen. Alles wird undurchdringlich. Ich höre auf zu erfinden.

Laßt mich meine Erinnerungen zusammenfassen! Es ist im ganzen ein guter Tag gewesen. Der Tropfen, der sich abends am Dachrand der Seele bildet, ist rund, vielfarbig. Da war der Vormittag: schönes Wetter; da war der Nachmittag: spazierengegangen. Ich liebe den Anblick von Kirchtürmen über graue Felder hinweg. Ich liebe kurze Durchblicke zwischen den Schultern von Leuten. Alles mögliche fiel mir ein. Ich war phantasievoll, ich war subtil. Nach dem Abendessen wurde ich dramatisch. Ich gab vielem, was wir an unsern gemeinsamen Freunden undeutlich beobachtet hatten, konkrete Gestalt. Meine Übergänge gelangen mir unschwer. Doch jetzt, während ich an diesem grauen Feuer mit seinen kahlen Vorgebirgen schwarzer Kohlen sitze, will ich mir diese letzte Frage stellen: Welcher von diesen bin ich? Das hängt sehr stark von dem Zimmer ab. Wenn ich zu mir »Bernard« sage, wer kommt da? Ein getreuer, schmerzlich lächelnder Mann unbestimmten Alters, unbestimmten Berufs. Einfach nur ich selbst. Er ist es, der nun den Schürhaken ergreift und die Schlacken rüttelt, so daß sie in Schauern durch den Rost fallen. »Herrgott«, sagt er sich, während er zusieht, wie sie hindurchfallen, »was für ein Wirrwarr!« Und dann fügt er, traurig und doch irgendwie getröstet, hinzu: »Mrs. Moffat wird schon kommen und es alles wegfegen —« Ich stelle mir vor, ich werde mir diese Phrase oft vorsagen, während ich durchs Leben gerüttelt und geschüttelt werde, zuerst an die eine Wand des Abteils anstoße, dann an die andre. »O ja, Mrs. Moffat wird schon kommen und es alles wegfegen.« Und dann gehe ich zu Bett.

Warum in einer Welt, die den gegenwärtigen Augenblick enthält, sagte Neville, Unterscheidungen machen? Nichts sollte mit Namen genannt werden, damit wir es dadurch nicht verändern. Laßt es alles, wie es ist: dieses Ufer, diese Schönheit und mich, der für einen Augenblick in Wonne gebadet ist. Die Sonne scheint heiß. Ich sehe den Fluß. Ich sehe gefleckte und versengte Bäume im Herbstsonnenschein. Boote gleiten vorbei durch das Rot, durch das Grün. In der Ferne läutet eine Glocke, aber nicht zum Sterben. Es gibt

Glocken, die läuten zum Leben. Ein Blatt fällt — aus Freude. Oh, ich bin verliebt in das Leben! Schau, wie die Weide ihre zarten Fiedern sprießen läßt! Schau, wie durch sie hindurch ein Boot fährt, ein Boot voller müßiger, ihrer selbst unbewußter, kraftvoller junger Männer. Sie hören einem Grammophon zu; sie essen Obst aus Papiertüten. Sie werfen Bananenschalen weg, die dann aalgleich im Fluß versinken. Alles, was sie tun, ist schön. Ihren Hintergrund bilden Essig- und Ölkännchen und Nippsachen; ihre Zimmer sind voller Ruder und Öldrucke, aber sie haben alles in Schönheit verwandelt. Das Boot fährt unter der Brücke durch. Ein andres kommt. Dann noch eins. Da ist Percival, lässig in die Kissen zurückgelehnt, monolithisch, in riesenhafter Ruhehaltung. Nein, es ist nur einer seiner Satelliten, der Percivals monolithische, seine riesenhafte Ruhehaltung nachahmt. Er allein ist sich ihrer äffischen Stückchen nicht bewußt, und wenn er sie bei diesen erwischt, versetzt er ihnen mit der Pranke einen gutmütigen Puff. Auch sie sind unter der Brücke und durch »die Fontänen hängender Äste«, durch die zarte Strichelung von Gelb und Pflaumenblau hindurchgefahren. Ein Luftzug regt sich; der Vorhang zittert; hinter den Blättern sehe ich die ernsten und doch ewig freudevollen Gebäude, die porös, ohne Schwere zu sein scheinen; leicht, auch wenn sie seit unvordenklichen Zeiten auf den uralten Rasen hingesetzt sind. Nun beginnt der vertraute Rhythmus in mir aufzusteigen; Wörter, die im Schlummer lagen, erheben sich, schütteln die Kämme und fallen und steigen und fallen und steigen abermals. Ich bin ein Dichter, ja, ganz gewiß bin ich ein großer Dichter. Boote und Jünglinge, vorübergleitende, und ferne Bäume, »die fallenden Fontänen hängender Bäume«. Ich sehe es alles. Ich empfinde es alles. Ich bin inspiriert. Meine Augen füllen sich mit Tränen. Doch sogar während ich das alles empfinde, peitsche ich meine Raserei immer höher auf. Sie schäumt. Sie wird künstlich, unaufrichtig. Wörter und Wörter und Wörter, wie sie galoppieren — wie sie ihre langen Mähnen und Schweife schütteln. Aber irgendeines Fehlers in mir selbst wegen kann ich mich nicht an ihre Rücken hingeben; ich kann nicht mit ihnen dahinsausen, daß Frauen mit Einkaufsnetzen auseinanderstieben. Es ist irgendein Makel in mir — etwas fatal Unentschlossenes, das, wenn ich es mir durchgehn lasse, zu Schaum und Trug wird. Und doch erscheint es mir unglaublich, daß ich kein großer Dichter sein sollte. Was schrieb ich gestern abend, wenn nicht Dichtung? Schreibe ich zu schnell, zu mühelos? Ich weiß es nicht. Ich kenne manchmal mich selbst nicht und weiß auch nicht, wie ich sie bemessen und benennen und hinzählen soll, die Körnchen, die mich zu dem machen, was ich bin.

Irgend etwas verläßt mich jetzt; irgend etwas löst sich von mir, um der Gestalt entgegenzugehn, die auf mich zukommt und mir, bevor ich noch sehen kann, wer es ist, versichert, daß ich sie kenne. Wie merkwürdig man, sogar aus einiger Entfernung, durch das Hinzukommen eines Freundes verändert wird. Was für einen nützlichen Dienst unsre Freunde uns erweisen, wenn sie sich uns ins Gedächtnis rufen. Doch wie schmerzvoll ist es, so gerufen zu werden, das eigene Ich verfälscht, vermengt, Teil eines andern werden zu sehen! Während er näherkommt, bin ich nicht mehr ich selbst, sondern werde zu Neville, mit jemand anders vermengt — aber mit wem? — mit Bernard? Ja, es ist Bernard, und Bernard werde ich die Frage stellen: Wer bin ich?

Wie seltsam, sagte Bernard, der Weidenbaum aussieht, wenn wir zwei ihn betrachten. Ich war Byron, und der Baum war Byrons Baum, tränenvoll, herabschauernd, wehklagend. Nun, da wir ihn miteinander betrachten, sieht er gekämmt aus, jeder Zweig deutlich für sich, und unter dem Zwang deiner Klarheit werde ich dir sagen, was ich spüre.

Ich spüre deine Mißbilligung, ich spüre deine Stärke. Beim Zusammensein mit dir werde ich zu einem unordentlichen, einem impulsiven Menschen, dessen buntbedrucktes Taschentuch immer Fettflecke von Teekuchen hat. Ja, ich halte Grays *Elegie* in der einen Hand; mit der andern hole ich mir den untersten Teekuchen hervor, denjenigen, der die ganze zergangene Butter eingesogen hat und am Boden der Schüssel klebt. Das ärgert dich; ich spüre dein Unbehagen heftig. Davon angespornt und begierig, deine gute Meinung wiederzuerlangen, beginne ich dir zu erzählen, wie ich soeben Percival aus dem Bett gezerrt habe; ich beschreibe seine Pantoffel, seinen Tisch, seine herabgebrannte Kerze; seinen mürrischen, anklägerischen Ton, als ich ihm die Decke von den Füßen zog; während er sich wie in einen riesigen Kokon einzukrabbeln suchte. Ich beschreibe das alles auf eine solche Art, daß du, obwohl ganz auf einen heimlichen Kummer eingestellt (denn eine verhüllte Gestalt führt den Vorsitz bei unserem Beisammensein), nachgibst, lachst und entzückt bist über mich. Mein Charme und mein Redefluß, in ihrer Unerwartetheit und Ursprünglichkeit, entzücken auch mich. Ich bin, während ich mit Worten den Schleier von den Dingen ziehe, erstaunt, wieviel, wie unendlich viel mehr, als ich sagen kann, ich beobachtet habe. Mehr und immer mehr sprudelt, während ich spreche, in meinem Geist auf; Bilder über Bilder. Das ist, so sage ich mir, was ich brauche; warum, frage ich mich, kann ich dann nicht den Brief, den ich zu schreiben begonnen habe, beendigen? Denn in meinem Zimmer liegen immer unbeendigte Briefe umher. Ich beginne zu glauben, daß ich, wenn ich mit dir beisammen bin, zu den begabtesten Menschen gehöre. Ich bin vom Entzücken der Jugend erfüllt, von Tatkraft, vom Vorgefühl des Kommenden. Taumelig aber eifrig sehe ich mich um Blumen surren, in scharlachrote Blütenkelche hineinbrummen, blaue Trichter von meinem gewaltigen Gesumm erschallen machen. Wie sehr ich meine Jugend genießen werde! (Dieses Gefühl gibst du mir.) Und London! Und Freiheit! Doch halt, du hörst mir nicht zu. Du verwahrst dich gegen etwas, während du dir mit einer unaussprechlich vertrauten Gebärde mit der Hand übers Knie fährst. Aus solchen Zeichen diagnostizieren wir die Leiden unsrer Freunde. »Geh nicht«, scheinst du zu sagen, »in deiner Fülle und deinem Überfluß an mir vorbei! Bleib stehn«, sagst du, »und frag mich, was ich leide!«

Dann laß mich dich also erschaffen. (Du hast ebensoviel für mich getan.) Du liegst auf diesem heißen Ufer, an diesem schönen, diesem schwindenden, diesem immer noch hellen Oktobertag, und siehst zu, wie ein Boot nach dem andern hinter den glattgekämmten Zweigen der Trauerweide vorbeigleitet. Und du wünschst dir, ein Dichter zu sein; und du wünschst dir, ein Liebender zu sein. Doch die prächtige Klarheit deiner Intelligenz und die unbarmherzige Ehrlichkeit deines Intellekts (diese lateinischen Wörter verdanke ich dir; diese deine Eigenschaften bewirken, daß ich ein wenig unbehaglich hin- und herrücke und die verblichenen Stellen, die dünngewordene Strähne in meinem eigenen Rüstzeug sehe) bringen dich zum Innehalten. Du schwelgst nicht in absichtlichen Täuschungen. Du benebelst dich nicht mit rosigen oder goldigen Wolken.

Habe ich recht? Habe ich die kleine Gebärde deiner linken Hand richtig ausgelegt? Wenn ja, dann gib mir deine Gedichte; händige mir die Blätter aus, die du gestern abend in einer solchen Glut von Eingebung geschrieben hast, daß du dir jetzt ein wenig dämlich vorkommst. Denn du mißtraust Inspirationen, deinen wie meinen. Gehn wir miteınander zurück, über die Brücke, unter den Ulmen, in mein Zimmer, wo wir, umgeben von Wänden und vorgezogenen roten Sergevorhängen diese ablenkenden Stimmen, Düfte und Wohlgerüche von Lindenbäumen und andere Leben ausschließen können; diese kecken, hochnäsig einhertrippelnden Ladenmädchen, diese schlurrenden, schwerbepackten alten Frauen; diese verstohlenen Blicke auf eine undeutliche, entschwindende Gestalt — es mochte Jinny oder Susan sein, oder war das Rhoda, die da soeben die Allee entlang verschwand? Abermals errate ich aus einem leisen Zucken, was du fühlst; ich bin dir entkommen; ich bin davongesummt wie ein Bienenschwarm, immerdar auf der Wanderschaft, unfähig, mich, so wie du, unbarmherzig auf einen einzigen Gegenstand einzustellen. Aber ich werde zu dir zurückkehren.

Wo Bauwerke stehn wie diese hier, sagte Neville, vertrage ich keine Ladenmädchen. Ihr Gekicher, ihr Geschwätz beleidigt mich; bricht in meine Stille ein und stupst mich in Augenblicken reinster Erhebung, unsrer Erniedrigung zu gedenken.

Nun aber haben wir nach dem kurzen Scharmützel mit den Fahrrädern und dem Lindenduft und den im Gewirr der Straße enteilenden Gestalten unseren Bereich wiedergewonnen. Hier sind wir Herr über Ruhe und Ordnung; Erben stolzer Überlieferung. Die Lichter beginnen gelbe Schlitze in das Rasenviereck im Hof zu schneiden. Nebelschwaden vom Fluß herauf erfüllen diese altehrwürdigen Höfe. Sie schmiegen sich weich an das uralte Gemäuer. Nun liegen auf dem Land die Blätter dick in den Hohlwegen; Schafe husten auf den naßkalten Wiesen; aber hier in deinem Zimmer sind wir im Trockenen. Wir sprechen vertraulich miteinander. Das Kaminfeuer hüpft und fällt und läßt einen Knauf aufblinken.

Du hast Byron gelesen. Du hast die Stellen bezeichnet, die deinen eigenen Charakter zu billigen scheinen. Ich finde Zeichen bei allen den Sätzen, die eine sardonische und doch leidenschaftliche Natur auszudrücken scheinen; einen nachtfalterhaften Ungestüm, der sich gegen eine harte Glasscheibe wirft. Du hast, als du deinen Bleistift hier entlangführtest, gedacht: »Auch ich werfe meinen Mantel auf diese Weise ab. Auch ich schnippe mit den Fingern dem Schicksal ins Gesicht.« Aber Byron hat nie Tee aufgegossen wie du, der du die Teekanne so vollfüllst, daß sie, wenn du den Deckel drauftust, überfließt. Da ist eine braune Lache auf dem Tisch — sie läuft zwischen deinen Büchern und Papieren hin. Nun wischst du sie ungeschickt mit deinem Taschentuch auf. Dann stopfst du das Taschentuch in die Tasche zurück — das ist nicht Byron; das bist du; das bist so wesentlich du, daß es, wenn ich mich in zwanzig Jahren, wo wir dann beide berühmt, gichtbrüchig und unausstehlich geworden sein werden, deiner erinnere, durch diese Szene geschehn wird; und wenn du dann schon gestorben bist, werde ich weinen. Einmal warst du Tolstojs junger Mann; jetzt bist du Byrons junger Mann; vielleicht wirst du einmal Meredith' junger Mann sein; dann wirst du über die Osterferien nach Paris fahren und mit einer schwarzen Krawatte zurückkommen, ein abscheulicher Franzose, von dem niemand je gehört hat. Da werde ich dich fallen lassen.

Ich bin eine einzige Person — ich selbst. Ich nehme nicht die Person Catulls an, den ich anbete. Ich bin der sklavischeste aller Studenten, zu meiner Linken ein Wörterbuch, zu meiner Rechten ein Merkheft, in das ich kuriose Anwendungen des Mittelworts der Vergangenheit eintrage. Aber man kann nicht immerzu diese alten Inschriften mit einem Messer deutlicher herausarbeiten. Werde ich immer den roten Sergevorgang dicht schließen und mein Buch, bleich wie einen Marmorblock unter der Lampe liegen sehen? Das wäre ein herrliches Leben, sich der Vervollkommnung zu weihen; der Windung eines Satzes zu folgen, wohin sie auch führen mag, in die Wüste, an Sanddünen hin, ungeachtet aller Lockungen, aller Verführungen; immer arm zu sein, und ungepflegt; lächerlich zu erscheinen in Piccadilly.

Aber ich bin zu nervös, um meinen Satz richtig zu beendigen. Ich spreche schnell, im Hin- und Hergehn, um meine Erregung zu verbergen. Mir sind deine fettigen Taschentücher verhaßt — du wirst deine Ausgabe des *Don Juan* fleckig machen. Du hörst mir nicht zu. Du drischst Phrasen über Byron. Und während du gestikulierst, mit deinem Mantel, deinem Stock, versuche ich, ein Geheimnis zu enthüllen, das ich noch niemand erzählt habe; ich bitte dich (während ich so, mit dem Rücken zu dir, dastehe), mein Leben in deine Hände zu nehmen und mir zu sagen, ob ich dazu verdammt bin, in denen, die ich liebe, stets Abneigung hervorzurufen?

Ich stehe, unruhig und nervös, mit dem Rücken zu dir. Nein, meine Hände sind jetzt vollkommen ruhig. Pedantisch genau schiebe ich *Don Juan* in die Lücke im Bücherfach; so! Ich würde lieber geliebt sein, ich würde lieber berühmt sein, als durch die Sandwüste Vervollkommnung nachstreben. Aber bin ich dazu verdammt, Abneigung einzuflößen? Bin ich ein Dichter? Da, nimm! Dieser Wunsch, kalt wie Blei, grausam wie eine Kugel, mit dem meine Lippen geladen sind, das, womit ich auf Ladenmädchen, auf Frauen, auf das Geheuchelte, Vulgäre des Lebens ziele (weil ich es liebe), kommt auf dich zugeschossen, während ich dir — fang es auf! — mein Gedicht zuwerfe.

Er ist wie ein Pfeil aus dem Zimmer geschossen, sagte Bernard. Er hat mir sein Gedicht hiergelassen. O Freundschaft, auch ich will Blumen zwischen den Seiten von

Shakespeares Sonetten pressen! O Freundschaft, wie durchdringend sind deine Pfeile — hier, hier und wieder hier! Er sah mich an, hatte sich hergewendet, um mir ins Gesicht zu sehen; er gab mir sein Gedicht. Alle Nebel verkräuseln sich vom Dach meines Wesens. Diesen Vertrauensbeweis werde ich bis an mein Lebensende aufbewahren. Wie eine lange Welle, wie ein Rollen schwerer Wasser überflutete er mich mit seiner verheerenden Gegenwart — und hat mich aufgebrochen, hat die Kiesel auf dem Ufer meiner Seele bloßgelegt. Es war demütigend; ich wurde in kleine Steinchen verwandelt. Alle Ähnlichkeiten wurden überrollt. »Du bist nicht Byron. Du bist du selbst.« Von jemand anders zu einem einzigen Wesen zusammengezogen zu werden — wie seltsam!

Wie seltsam, den Faden, der sich von uns wegspinnt, seine zarten Fasern über die nebeligen Weiten der dazwischenliegenden Welt verlängern zu fühlen. Neville ist nicht mehr da; ich stehe hier, sein Gedicht in der Hand. Zwischen uns ist dieser Faden. Doch wie angenehm es nun ist, wie beruhigend, diese fremde Anwesenheit entfernt zu wissen, diesen verdunkelten und verhüllt forschenden Blick! Wie froh bin ich, die Vorhänge zu schließen und keine andre Anwesenheit einzulassen; zu fühlen, wie aus den dunkeln Winkeln, in denen sie Zuflucht nahmen, jene armseligen Mitbewohner, jene *spiritus familiares* zurückkehren, die er mit seiner überragenden Kraft in Verstecke getrieben hat. Die spöttischen, die aufmerksam beobachtenden Geister, die sogar in der Krise und unter dem Anprall des Augenblicks für mich Wache hielten, kommen wieder heimgeschwärmt. Wenn sie da sind, bin ich Bernard; bin ich Byron; bin ich dies, das und jenes. Sie verdunkeln die Luft und bereichern mich, wie seit je, mit ihren Possen, ihren Bemerkungen und umwölken die schöne Einfachheit meines Augenblicks von

Gemütsbewegung. Denn ich habe mehr Ichs, als Neville glaubt. Wir sind nicht einfach, wie unsre Freunde uns, um zu finden, was sie brauchen, haben wollen. Und doch ist Liebe einfach.

Nun sind sie zurückgekehrt, meine Mitbewohner, meine dienstbaren Geister. Nun ist der Stich, der Durchschlag meiner Parade, den Neville mir mit seinem erstaunlich scharfen Rapier zugefügt hat, geheilt. Ich bin beinahe wieder ganz; und schau, wie ich juble, wie ich alles, was Neville in mir nicht beachtet, wieder ins Spiel bringe! Ich fühle, sobald ich den Vorhang teile und aus dem Fenster blicke: »Dies hier würde ihm kein Vergnügen bereiten; mich aber freut es.« (Wir benützen unsre Freunde dazu, unsre eigne Statur an ihnen zu messen.) Meine Reichweite umfaßt, was Neville nie erlangt. Drüben, jenseits des Hofs, singen sie laute Jagdlieder. Sie feiern eine Jagd mit Hetzhunden. Die kleinen Jungen mit ihren Mützen, die immer alle gleichzeitig die Köpfe wandten, wenn der Gesellschaftswagen um die Ecke bog, klopfen einander auf die Schulter und prahlen. Aber Neville hastet, behutsam jedes Gestörtwerden vermeidend, verstohlen wie ein Verschwörer in sein Zimmer zurück. Ich sehe ihn, in seinen niedrigen Sessel zurückgelehnt, in das Kaminfeuer blicken, das für den Augenblick architektonische Festigkeit angenommen hat. Wenn doch das Leben, denkt er, solche Beständigkeit zeigen, wenn ihm solche Ordnung eigen sein könnte! — denn vor allem wünscht er sich Ordnung und haßt meine byronische Unordentlichkeit; und zieht daher die Vorhänge zu und verschließt die Tür. Seine Augen (denn er ist verliebt; die unheimliche Gestalt der Liebe führte bei unserm Beisammensein den Vorsitz) füllen sich mit Sehnsucht; füllen sich mit Tränen. Er greift hastig nach dem Schürhaken und zerstört mit einem Schlag diesen flüchtigen Anschein von Festigkeit in den brennenden Kohlen. Alles verändert sich. Auch Jugend und Liebe. Das Boot ist durch den Torbogen der Weide hindurch und ist jetzt unter der Brücke. Percival, Tony, Archie oder ein andrer wird nach Indien gehn. Wir werden einander nicht wieder begegnen. Dann streckt Neville die Hand nach seinem Merkbuch aus — einem sauber gehaltenen Heft in gesprenkeltem Einband — und beginnt fieberhaft, lange Gedichtzeilen zu schreiben, in der Manier desjenigen Dichters, den er grade am meisten bewundert.

Ich aber will verweilen; mich aus dem Fenster lehnen; lauschen. Da ertönt wieder dieser tolle Chorgesang. Sie zerschmeißen soeben Geschirr — auch das will der Brauch. Wie ein Gebirgsbach über Felsblöcke springt, brutal alte Bäume anfällt, stürzt der Chorgesang mit prächtiger Ausgelassenheit Abgründe hinab. Weiter tollen die Sänger; weiter galoppieren sie; Hunden nach, Fußbällen nach; sie schwengeln auf und nieder, an Rudern hängend wie Mehlsäcke. Alles Uneinige verschmilzt — sie handeln alle wie *ein* Mann. Der böige Oktoberwind weht den Aufruhr in jähen Ausbrüchen von Lärm und Stille über den Hof. Nun zerschmeißen sie abermals Geschirr — das ist so Brauch. Eine alte, ein wenig taumelnde Frau mit einer Markttasche trottet unter den feuerroten Fenstern heimwärts. Sie hat beinahe Angst, sie könnten sich auf sie stürzen und sie in den Rinnstein stoßen. Dennoch bleibt sie stehn, als wollte sie sich die knotigen, die rheumatischen Hände an dem Reisigfeuer wärmen, das mit Funkenschwärmen und dahingewehten Papierfetzen lodert. Die alte Frau bleibt vor dem erleuchteten Fenster stehn. Ein Kontrast. Ich sehe das, aber Neville sieht es nicht; ich fühle das, aber Neville fühlt es nicht. Daher wird er Vollkommenheit erlangen, und ich werde versagen und nichts andres hinterlassen als unvollständige, sandbestreute Phrasen.

Ich denke jetzt an Louis. Was für ein boshaftes und dabei eindringliches Licht würde Louis auf diesen schwindenden Herbstnachmittag werfen, auf dieses Geschirrzerschmeißen und Schmettern von Jagdliedern, auf Neville, Byron und unser Leben hier? Seine dünnen Lippen sind ein wenig geschürzt; seine Wangen sind blaß; er brütet in irgendeinem Kontorzimmer über irgendeinem schwerverständlichen geschäftlichen Schriftstück. »Mein Vater, ein Bankier in Brisbane« — weil er sich seiner schämt, redet er immerzu von ihm — hat Bankrott gemacht. Darum sitzt Louis jetzt in einem Kontor, Louis, der beste Schüler unsrer Schule. Aber ich, der ich Gegensätze suche, fühle oft seine Augen auf uns, seine lachenden Augen, seine wilden Augen, wie er uns zusammenzählt gleich unbedeutenden Posten, zu einer ungeheuren Endsumme, hinter der er immer und ewig in seinem Kontorzimmer her ist. Und eines Tags wird er eine spitze Feder ergreifen, sie in rote Tinte tauchen, und die Addition wird vollständig sein; unsre Endsumme wird bekannt sein; aber sie wird nicht genügen.

Krach! Jetzt haben sie einen Sessel gegen die Wand geschleudert. Wir sind also verurteilt. Auch mein Fall ist zweifelhaft. Fröne ich nicht unberechtigten Gemütsbewegungen? Ja, während ich jetzt aus dem Fenster lehne und meine Zigarette fallen lasse, so daß sie langsam zu Boden kreiselt, spüre ich, wie Louis sogar meine Zigarette beobachtet. Und Louis sagt: »Das bedeutet etwas. Aber was?«

Leute kommen vorüber, sagte Louis. Sie kommen unaufhörlich am Fenster dieses Speisehauses vorüber. Autos, Lieferwagen, Omnibusse; und wiederum Omnibusse, Lieferwagen, Autos — sie kommen am Fenster vorüber. Im Hintergrund gewahre ich Kaufläden und Häuser; auch die grauen Türme einer der alten Kirchen der City. Im Vordergrund stehn Glasregale mit Schüsseln voll Kuchenschnecken und Schinkenbroten. Alles wird vom Dampf einer Teemaschine ein wenig vernebelt. Ein fettiger Dunst von Rindernem und Schöpsernem, von Bratwürsten mit Kartoffelbrei hängt wie ein feuchtes Netz mitten in den Raum herab. Ich stütze mein Buch gegen ein Fläschchen Worcestersauce und bemühe mich, so auszusehen wie die andern.

Doch es will mir nicht gelingen. (Leute kommen weiter vorüber, kommen weiter in einem ungeordneten Zug vorüber.) Ich kann nicht mit Überzeugung mein Buch lesen oder mir mein Roastbeef bestellen. Ich sage mir immer wieder: »Ich bin ein durchschnittlicher Engländer; ich bin ein durchschnittlicher Kontorist«, und doch blicke ich zu diesen Leutchen am Nebentisch hinüber, um mich zu vergewissern, daß ich tue, was sie tun. Mit geschmeidigen Gesichtern, deren sich fältelnde Haut bei der Vielfalt ihrer Eindrücke immerzu zuckt, rafferisch wie Affen, für diesen bestimmten Augenblick geölt, unterhalten sie sich mit all den richtigen Gebärden über den Verkauf eines Klaviers. Es verstelle die Halle; also würde er es für einen Zehner hergeben. Leute kommen vorüber; sie kommen immerzu vorüber, vor den Kirchtürmen und hinter den Schüsseln mit Schinkenbroten. Die Wimpel meines Bewußtseins strecken sich flatternd und werden immer wieder von der Unordnung dort draußen zerschlissen und zerrissen. Darum kann ich mich nicht auf meine Mahlzeit konzentrieren. »Ich gäb's für zehn Pfund her. Es hat ein schönes Gehäuse; aber es verstellt mir den Platz.« Sie stoßen im Sturzflug herab wie Lummen, deren Gefieder von Öl glitschig ist. Alle Überschreitungen dieser Norm sind eitel. Die ist das Mittelmaß; die ist der Durchschnitt. Unterdessen wippen draußen die Hüte auf und nieder; die Tür öffnet und schließt sich unaufhörlich. Ich habe das Bewußtsein von beständigem Fluß; von Unordnung; von Vernichtung und Verzweiflung. Wenn dies alles ist, dann ist es wertlos. Und dennoch spüre ich auch den Rhythmus dieses Speisehauses. Er ist wie eine Walzermelodie, nach der alles ein und aus, rundum und rundum wirbelt. Die ihre Servierbretter balancierenden Kellnerinnen gehn schwungvoll ein und aus, rundum und rundum, verteilen Teller mit Gemüse, mit Aprikosenkompott und Eierrahmcreme, verteilen sie zur richtigen Zeit an den richtigen Gast. Die Durchschnittsmänner, den Rhythmus der Kellnerinnen in ihren eigenen einbeziehend (»Ich gäb's für einen Zehner her, denn es verstellt mir den Platz«), nehmen das Gemüse, nehmen das Aprikosenkompott mit Eierrahmcreme in Empfang. Wo ist dann der Bruch in dieser Kontinuität? Was der Spalt, durch den man das Unheil erblickt? Der Kreis ist nicht unterbrochen; die Harmonie vollständig. Hier ist der zentrale Rhythmus; hier die gemeinsame Triebfeder. Ich sehe zu, wie sie sich ausdehnt und zusammenzieht; und dann abermals ausdehnt. Dennoch bin ich nicht mit einbezogen. Wenn ich, die Aussprache dieser Männer nachahmend, etwas sage, spitzen sie die Ohren und warten, bis ich wieder etwas sage, damit sie mich einreihen können, ob als Kanadier oder als Australier. Ich, der ich mir vor allem nur dies eine wünsche, liebevoll umarmt zu werden, bin ein Fremder, ein Außenstehender. Ich, der ich fühlen möchte, daß sich über mir die schützenden Wogen des Gewöhnlichen, Durchschnittlichen schließen, erhasche aus dem Augenwinkel einen fernen Horizont; bin des beständigen ungeordneten Auf und Nieder von Hüten gewahr. An mich ist das Klagen des umherirrenden, verstörten Geists (eine Frau mit schadhaften Zähnen steht unschlüssig vor dem Ladentisch) gerichtet: »Führ uns in die Hürde zurück, uns, die wir so losgetrennt auf und nieder wippen, vorüber an Fenstern mit Schinkenbroten im Vordergrund!« Ja, ich werde euch zur Ordnung zurückführen.

Ich will in dem Buch lesen, das an der Worcestersauceflasche lehnt. Es enthält nur wenige geschmiedete Ringe, einige vollkommene Aussagen, ein paar Worte, aber dichterische. Keins, keins von euch beachtet sie. Was der tote Dichter sagte, habt ihr vergessen. Und ich kann es euch nicht übersetzen, so daß seine Bannkraft euch einfinge und euch klarmachte, daß ihr ohne Ziel seid und euer Rhythmus billig und wertlos ist; und kann so eure Erniedrigung nicht von euch nehmen, die euch, wenn ihr euch eurer Ziellosigkeit nicht bewußt seid, durchdringt und greisenhaft macht, sogar während ihr noch jung seid. Dieses Gedicht so zu übersetzen, daß es sich leicht liest, soll mein Bestreben sein. Ich, der Gefährte Platos und Vergils, will an die gemaserte Eichentür klopfen. Ich setze allem, was da vorüberzieht, diesen Rammbock von gehämmertem Stahl entgegen. Ich will mich diesem ziellosen Vorüber von steifen und weichen Hüten und allen den befiederten und mannigfaltigen weiblichen Kopfbedeckungen nicht unterwerfen. (Susan, die ich achte, trüge an einem Sommertag einen einfachen Strohhut.) Und auch nicht der Plackerei und dem Dunst, der in ungleich großen Tropfen an der Fensterscheibe herabrinnt; und nicht dem ruckweisen Bremsen und Anfahren von Autobussen; und unschlüssigem Umherstehn vor Ladentischen; und den Worten, die sich trübselig, menschlich bedeutungslos dahinschleppen; ich werde euch zur Ordnung zurückführen.

Meine Wurzeln reichen durch Adern von Blei und Silber hinab, durch feuchte, marschige Stellen, die Gerüche aushauchen, bis zu einem Knoten mitten zusammengebundener Eichenwurzeln. Versiegelt und blind, die Ohren von Erde verstopft, habe ich dennoch Kriegsgerüchte gehört; und die Nachtigall; habe das Eilen vieler Menschenscharen gespürt, die auf der Suche nach der Zivilisation hin und her wanderten wie Zugvögel auf der Suche nach dem Sommer; ich habe Frauen rote Krüge zum Ufer des Nils tragen gesehen. Ich erwachte in einem Garten von einem Schlag in den Nakken, einem heißen Kuß, Jinnys Kuß. Und ich erinnere mich alles dessen, wie man sich der wirren Rufe und der stürzenden Säulen und der roten und schwarzen Licht- und Schattenkegel einer nächtlichen Feuersbrunst erinnert. Ich schlafe und wache immerzu. Nun schlafe ich ein; nun erwache ich. Ich sehe die blinkende Teemaschine; die mit blaßgelben Schinkenbroten gefüllten Glasstürze; die Männer in Sakkos, die auf hohen Stühlen an der Bar sitzen; und auch, hinter ihnen, die Ewigkeit. Es ist ein Stigma, meinem zuckenden Fleisch von einem vermummten Mann mit einem rotglühenden Eisen eingebrannt. Ich sehe dieses Speisehaus gegen die dichtgedrängten, flatternden Vogelschwingen, die vielfiederigen, zusammengefalteten, der Vergangenheit. Daher meine verpreßten Lippen, meine krankhafte Blässe; mein abscheulicher, wenig einladender Anblick, sobald ich mein von Haß und Bitterkeit erfülltes Gesicht Bernard und Neville zuwende, die sich unter den Eiben eines Collegegartens ergehn; Armsessel von ihren Vorgängern übernehmen; und ihre Vorhänge dicht schließen, so daß nur Lampenlicht auf ihre Bücher fällt.

Susan, die achte ich; weil sie mit einer Näharbeit dasitzt. Sie näht unter einer friedlichen Lampe in einem Haus, wo das Korn dicht unterm Fenster seufzt und mir Geborgenheit schenkt. Denn ich bin das Schwächlichste, das Jüngste von ihnen allen. Ich bin ein Kind, das auf seine Füße guckt und auf die kleinen Rinnsale, die der Bach im Kies gebildet hat. Das ist eine Schnecke, sage ich; das ist ein Blatt. Ich bin entzückt von der Schnecke; ich bin entzückt von dem Blatt. Ich bin immer das Jüngste, das Einfältigste, das Vertrauensseligste. Ihr seid alle geschützt. Ich bin nackt.

Wenn die Kellnerin mit dem geflochtenen Zopfkranz schwungvoll vorbeikommt, teilt sie euch die Aprikosen mit Eierrahmcreme ohne Zögern, wie eine Schwester, aus. Ihr seid ihre Brüder. Aber sobald ich, die Krümel von meiner Weste streifend, aufstehe, schiebe ich ein zu großes Trinkgeld, einen Schilling, unter den Rand meines Tellers, damit sie es erst finde, bis ich weg bin, und ihre Verachtung, wenn sie es lachend aufgreift, nicht auf mich einschlage, bevor ich nicht durch die Schwingtür bin.

Nun hebt der Wind die Gardine, sagte Susan. Krüge und Waschschüsseln, Strohmatten und der schäbige Armsessel mit dem Loch darin sind nun deutlich sichtbar geworden. Die gewohnten verblichenen Bandschleifen sprenkeln die Tapete. Der Chor der Vögel ist zu Ende, nur ein einziger singt jetzt dicht bei dem Schlafzimmerfenster. Ich werde mir Strümpfe anziehen und leise an den Schlafzimmertüren entlang und hinunter in die Küche und durch den Garten, am Glashaus vorbei, auf die Wiese hinausgehn. Es ist noch früh am Morgen. Der Nebel liegt über den Marschen. Der Tag ist steif wie ein Totenhemd. Aber er wird weicher werden; er wird wärmer werden. Zu dieser Stunde, dieser noch frühen Morgenstunde, bilde ich mir ein, ich bin die Wiese, ich bin die Scheune, ich bin dieser oder jener Baum; mein sind die Schwärme von Vögeln und dieser junge Hase, der im letzten Augenblick, als ich fast auf ihn trete, davonspringt. Mein ist der Reiher, der seine riesigen Schwingen lässig ausbreitet; und die Kuh, die knarrt, wenn sie, mit den Kiefern mahlend, einen Fuß vor den andern schiebt; mein die ungestüm schwippende Schwalbe; und das schwache Rot am Himmel und das Grün, wenn das Rot verblaßt; die Stille und der Glockenklang; der Ruf des Mannes, der Karrengäule von der Weide holt, — alles das ist mein.

Ich bin nicht davon zu trennen oder fernzuhalten. Ich wurde in die Schule geschickt; ich wurde in die Schweiz geschickt, zur Vollendung meiner Erziehung. Ich hasse Linoleum; ich hasse Tannenbäume und Berge. Ich will mich nun auf diesen ebenen Boden hinwerfen, unter einem blassen Himmel, an dem die Wolken langsam dahinziehen. Der Karren wird allmählich größer, während er auf der Landstraße näher kommt. Die Schafe sammeln sich in der Mitte der Wiese. Die Vögel sammeln sich in der Mitte der Straße — sie brauchen noch nicht aufzufliegen. Der Holzrauch steigt hoch. Die Starre der Morgendämmerung löst sich. Nun beginnt sich der Tag zu regen. Farbe kehrt wieder. Der Tag wellt sich gelb mit allen seinen Kornfeldern. Die Erde hängt schwer unter mir.

Doch wer bin ich, die an diesem Gatter lehnt und ihrem Setter zusieht, wie er witternd im Kreis umherläuft? Ich denke mir manchmal (ich bin noch nicht zwanzig), ich sei keine Frau sondern das Licht, das auf dieses Gatter, auf diesen Fleck Erde fällt. Ich bin die Jahreszeiten, denke ich manchmal, Januar, Mai, November; der Schlamm, der Nebel, die Morgendämmerung. Ich vertrage es nicht, umhergestoßen zu werden oder sanft dahinzutreiben oder mich unter Menschen zu mischen. Und doch spüre ich nun, während ich hier lehne, bis sich das Gatter auf meinen Arm abdrückt, das schwere Gewicht, das sich in meiner Seite gebildet hat. Etwas hat sich geformt in der Schule und im Pensionat in der Schweiz, etwas Hartes. Kein Seufzen und Lachen; keine umwegigen und einfallsreichen Phrasen; keins von Rhodas seltsamen Selbstgesprächen, bei denen sie über unsre Schultern weg an uns vorbeisieht; kein Pirouettieren wie das Jinnys, Leib und Gliedmaßen ganz aus einem Guß. Was ich gebe, ist grimmig. Ich kann nicht sanft dahintreiben, wenn ich mich unter Menschen mische. Am liebsten ist mir der stete Blick der Schäfer, denen ich auf der Landstraße begegne; der starre Blick von Ziegeunerinnen, die neben ihrem Karren in einem Graben ihre Kinder säugen, so wie ich einmal die meinen säugen werde. Denn bald wird am heißen Mittag, wenn die Bienen die Stockrosen umsummen, mein Geliebter kommen. Er wird unter der Zeder stehn. Auf sein eines Wort werde ich ihm mit meinem einen Wort antworten. Was sich in mir geformt hat, werde ich ihm geben. Ich werde Kinder haben; ich werde Dienstmädchen haben in weißen Schürzen; Männer mit Heugabeln; eine Küche, in die sie die kränklichen Lämmer hereinbringen werden, damit sie sich in Körben erwärmen; wo die Schinken hängen und die Zwiebelschnüre blinken. Ich werde wie meine Mutter sein, die schweigend, in einer blauen Schürze, die Vorratsschränke verschließt.

Jetzt bin ich hungrig. Ich werde meinen Setter rufen. Ich denke an Krusten und dünne Butterbrotschnitten und weiße Teller in einem sonnigen Zimmer. Ich werde über die Wiesen zurückgehn. Ich werde diesen Rasenweg mit starken, gleichmäßigen Schritten entlanggehn, nun ausbiegen, um die Pfütze zu vermeiden, und mit einem leichten Sprung auf einem Erdhügel landen. Perlen von Feuchtigkeit bilden sich auf meinem rauhen Rock; meine Schuhe werden geschmeidig und dunkel. Die Steifheit ist aus dem Tag geschwunden; er ist in Grau, Grün und Umbra getönt. Die Vögel lassen sich nicht mehr auf der Landstraße nieder.

Ich kehre zurück, wie eine Katze oder ein Fuchs zurückkehrt, deren Fell von Reif grau ist, deren Fußballen von der groben Erde gehärtet sind. Ich dränge mich zwischen den Kohlköpfen durch, daß die Blätter quieken und die Tropfen auf ihnen versprühen. Ich sitze und lausche auf die Schritte meines Vaters, wenn er, ein Kräutlein zwischen den Fingern zerreibend, durch den Korridor geschlurrt kommt.

Ich schenke Tasse auf Tasse voll, während die noch nicht aufgeblühten Blumen auf dem Tisch sich kerzengerade halten zwischen den Konfitüretiegeln, den Brotlaiben und der Butter. Wir schweigen.

Dann gehe ich zum Vorratsschrank und hole das feuchte Säckchen mit den dicken Rosinen hervor; ich hebe den schweren Mehlsack auf den sauber geschrubbten Küchentisch. Ich knete; ich dehne; ich ziehe, die Hände in das warme Innere des Teigs getaucht. Ich lasse das kalte Wasser fächergleich durch meine Finger rinnen. Das Feuer saust; die Fliegen summen im Kreis. Alle meine Rosinen und meine Gewürze, die Säckchen aus Silberpapier und die aus blauem Papier sind wieder in den Vorratsschrank eingeschlossen. Der Braten ist im Rohr; das Brot steigt in einer sanften Kuppel unter dem frischgewaschenen Tuch. Am Nachmittag gehe ich zum Fluß hinunter. Die ganze Welt ist trächtig und brütet. Die Fliegen summen von einem Grashalm zum andern. Die Blumen sind berstvoll von Pollen. Die Schwäne schwimmen in guter Ordnung auf dem Fluß. Die Wolken ziehen, nun warm und sonnengefleckt, über die Hügel, hinterlassen Gold im Wasser und Gold auf den Hälsen der Schwäne. Einen Fuß vor den andern schiebend, mampfen sich die Kühe durch die Wiese. Ich taste im Gras nach dem weißgewölbten Pilz; und breche seinen Stiel und pflücke die purpurne Orchidee, die daneben wächst, und lege sie neben den Pilz mit seinem erdigen Strunk, und so heimwärts, um das Teewasser für meinen Vater zwischen den eben sich rötenden Rosen auf dem Tisch zum Sieden zu bringen.

Doch der Abend kommt, und die Lampen werden angezündet. Und wenn der Abend kommt und die Lampen angezündet werden, entfachen sie ein gelbes Feuer im Efeu. Ich sitze mit meiner Näharbeit am Tisch. Ich denke an Jinny;

an Rhoda; und höre das Rattern von Rädern auf dem Pflaster, wenn die Ackergäule heimstampfen; ich höre Verkehrslärm im Abendwind brausen. Ich blicke auf die bebenden Blätter in dem dunkeln Garten und denke: »In London tanzen sie jetzt. Jinny küßt Louis.«

Wie seltsam, sagte Jinny, daß Leute schlafen, daß Leute die Lichter ausschalten und hinauf und zu Bett gehn. Sie haben ihre Kleider abgelegt, sie haben weiße Nachthemden angezogen. Aus keinem dieser Häuser scheint Licht. Eine Reihe von Rauchfängen zeichnet sich gegen den Himmel ab; und ein paar Straßenlaternen brennen, wie Laternen brennen, wenn niemand sie braucht. Die einzigen Leute auf den Straßen sind arme Leute, die es eilig haben. Niemand kommt oder geht durch diese Straße; der Tag ist vorbei. Einige Polizisten stehn an den Ecken. Doch die Nacht beginnt. Ich fühle, wie ich im Dunkeln leuchte. Seide ist um meine Knie. Meine seidenen Beine reiben sich glatt aneinander. Die Steine einer Halskette liegen kalt auf meiner Kehle. Meine Füße spüren den Druck von Schuhen. Ich sitze kerzengerade, damit mein Haar nicht die Lehne berühre. Ich bin herausgeputzt, ich bin bereit. Dies ist die bedeutungsvolle Pause; der dunkle Augenblick. Die Geiger haben ihre Bögen gehoben.

Nun bleibt der Wagen sanft gleitend stehn. Ein Streifen Gehsteig ist beleuchtet. Die Haustür öffnet sich und schließt sich. Leute treffen ein; sie sprechen nicht; sie gehn eilig hinein. In der Halle das Rascheln abgestreifter Mäntel. Dies ist das Vorspiel, dies ist der Anfang. Ich schaue, ich spähe, ich pudere mein Gesicht. Alles sitzt richtig, ist hergerichtet. Mein Haar ist in einem einzigen Schwung hochfrisiert. Meine Lippen sind ganz genau mit Rot nachgezogen. Ich bin nun bereit, mich den Männern und Frauen auf der Treppe anzuschließen, meinen Gleichgestellten. Ich gehe an ihnen vorbei, ihren Blicken ausgesetzt, wie sie den meinen. Wie Blitze kreuzen unsre Blicke einander, aber besänftigen sich nicht und zeigen auch kein Zeichen des Erkennens. Unsre Körper halten Zwiesprache. Dazu bin ich berufen. Dies ist meine Welt. Alles ist entschieden und bereit; die Diener, hier einer und dort wieder einer, nehmen meinen Namen entgegen, meinen unabgebrauchten, meinen unbekannten Namen, und werfen ihn vor mir her. Ich trete ein.

Hier stehn vergoldete Stühle in den leeren, den erwartungsvollen Räumen, und Blumen — stiller, stattlicher als Blumen, die wachsen — breiten sich grün, breiten sich weiß vor die Wände. Und auf einem Tischchen liegt ein einzelnes Buch. So habe ich es geträumt; so habe ich es vorausgesagt. Ich bin von hier gebürtig. Ich schreite ganz natürlich über dicke Teppiche. Ich gleite mit Leichtigkeit über glattgewichste Böden. Ich beginne mich nun zu entfalten in diesem Duft, diesem Glanz, wie ein Farn, wenn seine eingerollten Blätter sich entfalten. Ich bleibe stehn. Ich mustere diese Welt. Ich sehe mich unter den Gruppen mir unbekannter Leute um. Zwischen den schimmernd grünen, rosenfarbenen, perlgrauen Frauen stehn aufrecht die Körper von Männern. Sie sind schwarz und weiß; unter ihren Anzügen sind sie von tiefen Rillen gefurcht. Ich empfinde abermals die Spiegelung im Fenster wie damals im Tunnel; sie bewegt sich. Die schwarzweißen Gestalten unbekannter Männer sehen mich an, wenn ich mich vorneige; wenn ich mich zur Seite wende, wenden auch sie sich zur Seite. Ihre Hände heben sich flatternd zu ihren Halsbinden. Sie befingern ihre Westen, ihre Taschentücher. Sie sind sehr jung. Sie sind besorgt, einen guten Eindruck zu machen. Ich fühle tausend Fähigkeiten in mir aufquellen. Ich bin abwechselnd schelmisch, lustig, schmachtend, schwermütig. Ich bin verwurzelt, aber ich flute. Ganz golden und in dieser Richtung flutend sage ich zu diesem: »Komm!« Schwarzrieselnd sage ich zu jenem: »Nein!« Einer löst sich von seinem Platz vor der Vitrine. Er nähert sich mir. Er strebt auf mich zu. Dies ist der aufregendste Augenblick, den ich je erlebt habe. Ich erbebe; ich welle mich; ich flute auf der Strömung wie eine Wasserpflanze. Hierhin fließend, dorthin fließend, damit er zu mir komme, aber angewurzelt. »Komm«, sage ich, »komm!« Blaß und dunkelhaarig ist er, der nun näher kommt, schwermütig, romantisch. Und ich bin schelmisch und redegewandt und launisch; denn er ist schwermütig, er ist romantisch. Nun ist er da; er steht neben mir.

Und jetzt, mit einem kleinen Ruck, wie eine von einem Felsen gebrochene Napfschnecke, werde ich weggebrochen: ich falle mit ihm; ich werde davongetragen. Wir geben diesem langsamen Fließen nach. Wir schlängeln uns ein und aus durch diese zögernde Musik. Felsen brechen die Strömung des Tanzes; er stockt, er schwankt. Ein und aus, so werden wir nun in diese große Figur hineingewirbelt; sie hält uns zusammen; wir können nicht heraus aus ihren gewundenen, ihren zögernden, ihren jähen, ihren uns völlig einkreisenden Mauern. Unsre Körper, sein fester, mein fließender, werden in ihrem Körper aneinandergedrängt; sie hält uns zusammen; und sich dann zu glatten, welligen Falten verlängernd, rollt sie uns zwischen sich fort. Plötzlich bricht die Musik ab. Mein Blut fließt weiter, aber mein Körper steht still. Das Zimmer kreiselt an meinen Augen vorbei. Es bleibt stehn.

Komm also, wandern wir wirbelnd zu den vergoldeten Stühlen! Der Körper ist stärker, als ich dachte. Ich bin schwindeliger, als ich vermutete. Es liegt mir an gar nichts auf der Welt. Es liegt mir an niemand außer diesem Mann, dessen Namen ich nicht kenne. Sind wir nicht annehmbar,

Mond? Sind wir nicht wunderschön, wie wir hier beisammensitzen, ich in meinem Seidenen, er in Schwarz und Weiß? Sie, denen ich nun gleichgestellt bin, mögen mich nur ansehn! Ich erwidere geradenwegs eure Blicke, ihr Männer und Frauen. Ich bin eine von euch. Dies ist meine Welt. Nun ergreife ich dieses dünnstengelige Glas und nippe daran. Wein hat einen strengen, einen herben Geschmack. Ich kann ein Zusammenzucken nicht unterdrücken. Parfüm und Blumen, strahlender Glanz und Hitze sind hier zu einer feurigen, einer gelben Flüssigkeit destilliert. Dicht innerhalb meiner Schulterblätter schließt sich sanft etwas Trokkenes, Großäugiges, lullt sich allmählich in Schlaf. Dies ist Verzückung; dies ist Erlösung. Die Schranke hinten in meiner Kehle senkt sich. Worte drängen und ballen sich und schieben sich vorwärts, eins übers andre. Es kommt nicht darauf an, welches. Sie stoßen einander und steigen eins dem andern auf die Schultern. Das einzelne und das einsame vermählen sich, purzeln übereinander und werden viele. Es kommt nicht darauf an, was ich sage. Sich überstürzend quert wie ein flatternder Vogel ein Satz den leeren Raum zwischen uns. Er läßt sich auf seinen Lippen nieder. Ich fülle mein Glas abermals. Ich trinke. Die Schleier zwischen uns sinken. Ich bin zugelassen zu der Wärme und Heimlichkeit einer andern Seele. Wir sind beisammen, hoch oben auf einem Alpenpaß. Er steht schwermütig auf dem Scheitel der Straße. Ich bücke mich. Ich pflücke eine blaue Blume und stecke sie ihm, mich auf den Zehenspitzen streckend, ins Knopfloch. So! Das ist mein Augenblick der Ekstase. Nun ist er vorbei.

Nun dringen Schlaffheit und Gleichgültigkeit in uns ein. Leute streifen uns im Vorbeigehn. Wir haben das Bewußtsein von unsern unter dem Tisch sich vereinenden Körpern verloren. Mir gefallen auch blonde Männer mit blauen Augen.

Die Tür öffnet sich. Die Tür öffnet sich immer wieder. Nun denke ich mir, das nächstemal, wenn sie sich öffnet, wird mein ganzes Leben verändert sein. Wer kommt herein? Ach, es ist nur ein Diener, der Gläser bringt. Und der da ist ein alter Mann — ihm gegenüber wäre ich ein Kind. Die da ist eine große Dame — ihr gegenüber würde ich mich verstellen. Mädchen meines Alters sind da, für die ich die gezogenen Schwerter einer ehrenhaften Feindseligkeit empfinde. Denn diese alle sind meinesgleichen. Ich bin aus dieser Welt hier gebürtig. Hier muß ich's wagen, hier mein Abenteuer bestehn. Die Tür öffnet sich. »O komm!« sage ich zu diesem, goldrieselnd von Kopf bis Fuß. »Komm!« Und er kommt auf mich zu.

Ich werde mich hinter die beiden schieben, sagte Rhoda, als sähe ich jemand, den ich kenne. Aber ich kenne niemand. Ich werde den Vorhang lüpfen und den Mond ansehen. Trünke des Vergessens sollen meine Aufregung stillen. Die Tür öffnet sich; der Tiger springt. Die Tür öffnet sich; Schrecken stürzt herein; Schrecken auf Schrecken dringt auf mich ein. Laßt mich verstohlen die Schätze aufsuchen, die ich beiseitegetan habe. Teiche liegen auf der andern Seite der Welt und spiegeln Marmorsäulen. Die Schwalbe taucht ihre Schwinge in diese dunkeln Teiche. Hier aber öffnet sich die Tür, und Leute kommen herein; sie kommen auf mich zu. Mir ein schwaches Lächeln zuwerfend, um ihre Grausamkeit, ihre Gleichgültigkeit zu maskieren, bemächtigen sie sich meiner. Die Schwalbe taucht ihre Schwinge ein; der Mond segelt einsam durch blaue Meere. Ich muß die Hand dieses Mannes ergreifen; ich muß antworten. Aber was soll ich antworten? Ich bin zurückgeworfen worden und stehe brennend da in diesem plumpen, diesem schlecht passenden Körper, um die Pfeile seiner Gleichgültigkeit und seiner Verachtung zu empfangen, ich, die sich nach Marmorsäulen sehnt und nach Teichen auf der andern Seite der Welt, in die die Schwalbe ihre Schwinge taucht.

Die Nacht ist ein wenig weitergerollt über die Rauchfänge. Ich sehe durchs Fenster, über seine Schulter weg, eine unbefangene Katze, eine nicht in Licht ertränkte, nicht in Seide gefangene, der es freisteht, innezuhalten, sich zu strekken und weiterzubewegen. Ich hasse alle Einzelheiten des individuellen Lebens. Aber ich bin hier festgebannt und muß zuhören. Ein ungeheurer Druck lastet auf mir. Ich kann mich nicht rühren, ohne das Gewicht von Jahrhunderten zu verrücken. Millionen von Pfeilen durchbohren mich. Verschmähung und Verspottung durchbohren mich. Ich, die ich freudig dem Sturm die Brust bieten und den Hagel mich fast ersticken lassen konnte, bin hier festgenagelt; bin hier ausgesetzt. Der Tiger springt. Zungen mit ihren Peitschenhieben sind über mir. Unaufhörlich zucken sie gelenk über mich hin. Ich muß Ausflüchte machen und sie mit Lügen abwehren. Welches Amulett gibt es gegen dieses Unheil? Welches Gesicht kann ich herbeirufen, um es kühl auf diese Glut zu legen? Ich denke an Namen auf Kofferzetteln; an Mütter, über deren weitgespreizte Knie Röcke herabhängen; an Waldtäler, zu denen die vielrückigen steilen Höhen absinken. Verbergt mich, rufe ich, beschützt mich, denn ich bin das Jüngste, das Nackteste von euch allen! Jinny schaukelt wie eine Möwe auf der Welle, teilt geschickt ihre Blicke hierhin und dahin aus, sagt dies, sagt das, und es ist wahr. Ich aber lüge; ich mache Ausflüchte.

Allein wiege ich meine Schüssel. Ich bin Herrin über meine Flotte von Schiffen. Hier aber, wie ich so die Quasten dieses Brokatvorhangs am Fenster meiner Gastgeberin zwirble, bin ich in gesonderte Stücke zerbrochen. Ich bin nicht mehr ein Ganzes. Was also ist das Wissen, das Jinny hat, wenn sie tanzt; die Selbstsicherheit, die Susan hat, wenn sie sich still unter das Lampenlicht vorneigt und den weißen Zwirnsfaden durch das Nadelöhr zieht? Sie sagen ja; sie sagen nein; sie lassen die Faust krachend auf den Tisch fallen. Ich aber zweifle; ich zittere; ich sehe den wilden Dornbusch in der Wüste seinen Schatten schütteln.

Jetzt werde ich, als hätte ich ein Ziel im Auge, durchs Zimmer gehn, auf den Balkon unter der Markise. Ich sehe den Himmel weich gefiedert vom plötzlichen Glanz des Mondes. Ich sehe auch Eisengitter um die Gartenanlage auf dem Platz und zwei Leute ohne Gesichtszüge, die sich wie Statuen an den Himmel lehnen. Es gibt also eine Welt, die gegen Veränderung gefeit ist. Kaum habe ich diesen Salon durchschritten, der von Zungen flackert, die mich wie Messer schneiden, mich stammeln machen, mich lügen machen, da finde ich Gesichter ohne Züge, in Schönheit gehüllte. Das Liebespaar duckt sich unter die Platane. Der Polizist steht an der Ecke Posten. Ein Mann geht vorbei. Es gibt also eine Welt, die gefeit ist gegen Veränderung. Aber ich, die ich auf Zehenspitzen am Rand eines Feuers stehe, immer noch versengt von dem heißen Atem, voll Furcht, daß die Tür sich öffne und der Tiger springe, — ich bin nicht gefaßt genug, um auch nur einen einzigen Satz zu formen. Alles, was ich sage, wird in einem fort widerlegt. So oft sich die Tür öffnet, werde ich gestört. Ich bin noch nicht einundzwanzig. Ich soll gebrochen werden. Ich soll mein Leben lang ausgelacht werden. Ich soll wie ein Kork auf rauher See auf- und abgeschleudert werden zwischen diesen Männern und Frauen mit ihren zuckenden Gesichtern, mit ihren lügnerischen Zungen. Wie ein Strähn von Wasserpflanzen werde ich weit geschleudert, so oft sich die Tür öffnet. Ich bin der Schaum, der die äußersten Ränder der Felsen mit Weiße überschwemmt und füllt; ich bin auch ein Mädchen, hier, in diesem Zimmer.

Die Sonne war aufgegangen, und nicht mehr auf eine grüne Matratze gebettet und ihren unsteten Blick zwischen wässerige Juwelen sendend, entblößte sie ihr Antlitz und schaute geradeaus über die Wellen. Die schlugen mit regelmäßigem dumpfem Klatschen ans Ufer, mit dem Aufprall von Pferdehufen auf Rasen. Ihr Schaum wirbelte hoch wie über den Köpfen der Reiter geschwungene Lanzen und Assegais. Sie überschwemmten den Strand mit stahlblauem, diamantenbesetztem Wasser. Sie rollten vor und zurück mit der Energie, der muskulösen Gelenkigkeit einer Maschine, die ihre Kraft aus- und einschwingen läßt. Der Sonnenschein fiel auf Kornfelder und Wälder. Flüsse wurden blau und vielsträhnig, Rasenflächen, die zum Wasserrand abfielen, wurden grün wie die Federn von Vögeln, die sanft ihr Gefieder plustern. Die Berge, gewölbt und gebändigt, schienen von Riemen zurückgebunden zu sein, wie Gliedmaßen von Muskelsträngen umschnürt sind; und die Wälder, die sich stolz auf ihren Flanken sträubten, glichen der kurzgeschorenen Mähne auf dem Nacken eines Pferdes.

Im Garten, wo die Bäume dicht belaubt über Blumenbeete, Teiche und Glashäuser aufragten, sangen die Vögel im heißen Sonnenschein jeder für sich. Einer sang unter dem Schlafzimmerfenster; ein andrer auf dem höchsten Zweig eines Fliederbusches; wieder ein andrer auf der Kante der Gartenmauer. Ein jeder sang schrill, leidenschaftlich, heftig, als wollte er sein Lied hervorbersten lassen, auch wenn es das Lied eines andern Vogels mit rauher Dissonanz zerschmetterte. Ihre runden Augen wölbten sich voll Glanz; ihre Krallen umklammerten den Zweig oder die Stange. Sie sangen, der Luft und der Sonne ohne Obdach ausgesetzt und wunderschön in ihrem neuen Gefieder, dem perlmuttergeäderten oder metallisch glänzenden, hier von sanftem Blau gebänderten, hier von Gold gesprenkelten oder von einer einzelnen hellen Feder gefleckten. Sie sangen, als würde der Gesang durch den Druck des Morgens aus ihnen hervorgepreßt. Sie sangen, als wäre die Schneide des Seins geschärft und müßte die Weichheit des blaugrünen Lichts, die Feuchtigkeit der nassen Erde durchtrennen und spalten; die Schwaden des fettigen Küchendunsts, den heißen Hauch von Schöpsernem und Rindernem, die Üppigkeit von Kuchen und Obst; die aus dem Kücheneimer geleerten durchnäßten Abfälle und Schalen, von denen ein langsamer Dampf aus dem Komposthaufen drang. Auf alles Durchweichte, von Feuchtigkeit Gefleckte, von Nässe Gekräuselte ließen sie sich trockenen Schnabels jäh und grausam nieder. Sie schwangen sich plötzlich von dem Fliederzweig oder dem Zaun herab. Sie erspähten eine Schnecke und schlugen das Gehäuse gegen einen Stein. Sie klopften wütend, methodisch, bis das Gehäuse zersprang und etwas Schleimiges aus dem Spalt hervorquoll. Sie schwangen sich in steilem Flug hoch in die Luft, zwitscherten kurze, scharfe Töne und saßen dann auf den oberen Ästen eines Baums und blickten hinab auf Blätter und Knospenkerzen unter ihnen und das von Blüten weiße, von Gras flutende Land und das Meer, das wie eine Trommel schlug, die ein Regiment federngeschmückter und beturbanter Krieger zusammenruft. Dann und wann flossen ihre Lieder zu schnellen Läufen zusammen, gleich den Verflechtungen eines Gebirgsbachs, dessen Gewässer sich vereinen, schäumen und dann mischen und immer schneller ein und dasselbe Bett hinabeilen und dieselben breiten Blätter streifen. Aber dann kommt ein Felsblock, und sie trennen sich.

Die Sonne fiel in scharfen Keilen in das Zimmer. Was immer das Licht berührte, wurde mit einem fanatischen Dasein beschenkt. Ein Teller glich einem weißen Teich. Ein Messer sah aus wie ein Dolch aus Eis. Plötzlich enthüllten sich Trinkgläser, von Lichtstreifen aufrecht gehalten, Tische und Stühle kamen an die Oberfläche, als wären sie in Wasser versunken gewesen und stiegen nun auf, von Rot, Orangegelb, Violett wie vom Hauch auf der Haut reifer Früchte überzogen. Die Krakelüre in der Glasur von Porzellan, die Maserung von Holz, die Fasern von Matten erschienen in immer feinerer Gravierung. Alles war ohne Schatten. Ein Krug war so grün, daß das Auge von solcher Intensität wie durch einen Trichter angesaugt zu werden und an ihm zu kleben schien wie ein Blutegel. Dann gewannen Formen Fülle und Kantigkeit. Hier war der Knauf eines Sessels. Hier die Masse eines Geschirrschranks. Und als das Licht zunahm, wurden Schwärme von Schatten vor ihm hergetrieben und ballten sich und hingen vielgefältelt im Hintergrund.

Wie schön, wie seltsam, sagte Bernard, liegt London, das glitzernde, vieltürmige und vielkuppelige, vor mir im Dunst. Von Gasometern, von Fabrikschloten bewacht, liegt die Stadt schlafend da, während wir uns nähern. Sie umschließt den Ameisenhaufen mit ihren Armen und drückt ihn an die Brust. Alles Geschrei, aller Lärm sind sanft in Schweigen eingehüllt; sogar Rom sieht nicht majestätischer aus. Und wir haben sie zum Ziel. Schon ist ihre mütterliche Schlaftrunkenheit unruhig geworden. Von Häusern befiederte Hügelrücken heben sich aus dem Nebel. Fabriken, Kathedralen, Glaskuppeln, Institute und Theater ragen auf. Der Frühzug aus dem Norden ist auf sie geschleudert wie ein Wurfgeschoß. Im Vorbeifahren ziehen wir einen Vorhang beiseite. Ausdruckslos erwartungsvolle Gesichter starren uns an, wenn wir ratternd durch Bahnhöfe flitzen. Männer umgreifen ihre Zeitung fester in der Vorstellung des Todes, wenn unser Sog an ihnen vorbeifegt. Doch wir sausen weiter. Wir werden gleich zwischen den Rippen der Stadt explodieren wie ein Geschoß in der Flanke eines schwerfälligen, majestätischen Tiers. Sie summt und brummt; sie erwartet uns.

Mittlerweile, während ich am Seitengangfenster stehe, fühle ich auf eine merkwürdige, überzeugende Weise, daß ich durch meine große Glückseligkeit (denn ich bin verlobt) ein Teil dieser Geschwindigkeit geworden bin, dieses auf die große Stadt geschleuderten Geschosses. Ich bin bis zu Duldsamkeit und Ergebung benommen. Mein lieber Herr, könnte ich sagen, warum zappeln Sie so, holen ihren Handkoffer herunter und quetschen die Mütze, die Sie die ganze Nacht aufhatten, hinein? Nichts, was wir tun können, wird von Nutzen sein. Über uns allen brütet eine herrliche Einhelligkeit. Wir sind vergrößert und feierlich gestimmt und wie von der grauen Schwinge einer riesigen Gans (es ist ein schöner, aber farbloser Morgen) zu Gleichförmigkeit zusammengefegt worden, denn wir haben alle nur den einzigen Wunsch, auf dem Londoner Bahnhof anzukommen. Ich will nicht, daß der Zug mit einem dumpfen Stoß stehnbleibe. Ich will nicht, daß die Verbindung, welche uns alle, die wir einander die ganze Nacht lang gegenübersaßen, zusammengehalten hat, zerreiße. Ich will nicht das Gefühl haben, daß Haß und Rivalitäten ihre Herrschaft wieder antreten; und unterschiedliche Begierden. Unsre Gemeinschaft in dem dahinrasenden Zug, wo wir, beseelt von einem einzigen Wunsch, beisammen saßen, war sehr willkommen. Aber seht nur, damit ist es vorbei! Wir haben erreicht, was wir wollten. Wir halten am Bahnsteig. Hast und Verwirrung und der Wunsch, als erster durch die Sperre und in den Aufzug der Untergrundbahn zu gelangen, machen sich geltend. Aber ich will gar nicht der erste sein, der durch die Sperre geht, will nicht die Bürde individuellen Lebens wieder aufnehmen. Ich, der ich seit Montag, seit sie meinen Antrag annahm, in jedem Nerv mit einem Bewußtsein von Selbstheit geladen war, ich, der keine Zahnbürste in einem Glas erblicken konnte, ohne zu sagen: »*Meine* Zahnbürste«, wünsche nun, meine Hände zu öffnen und meine Besitztümer fallen zu lassen und teilnahmslos einfach nur hier auf der Straße zu stehn und den Autobussen zuzusehen, wunschlos, neidlos, mit etwas, das grenzenlose Wißbegierde nach dem Menschenschicksal wäre, wenn mein Geist noch Schärfe hätte. Aber er hat keine. Ich bin angekommen; bin angenommen worden. Ich verlange mir nichts weiter.

Nun, da ich befriedigt wie ein Kind von der Mutterbrust herabgesunken bin, steht es mir frei, tief hinabzutauchen in das, was vorüberzieht, dieses allgegenwärtige, allgemeine

Leben. (Wie viel hängt doch, will ich mir vermerken, von einer Hose ab; der intelligente Kopf wird völlig von einer schäbigen Hose behindert.) Außerhalb der Ausgangstür des Aufzugs ist ein merkwürdiges Zaudern zu beobachten. Hierhin, dorthin oder dahin? Dann behauptet sich die Individualität. Jeder geht seines Wegs. Sie werden alle von irgendwelcher Notwendigkeit getrieben. Irgendein jämmerliches Vorhaben, eine Verabredung einzuhalten, einen Hut zu kaufen, reißt diese schönen Menschen voneinander, die einmal so einig waren. Was mich betrifft, ich habe kein Ziel. Ich habe keinen Ehrgeiz. Ich will mich von dem allgemeinen Impuls treiben lassen. Die Oberfläche meines Geistes gleitet dahin wie ein blaßgraues Gewässer, das widerspiegelt, was vorbeikommt. Ich vermag mich nicht mehr meiner Vergangenheit zu entsinnen, meiner Nase, der Farbe meiner Augen oder, was für eine Meinung ich im allgemeinen von mir selbst habe. Nur in Augenblicken der Gefahr, vor einer Kreuzung, an einem Randstein, springt der Wunsch, meinen Körper zu bewahren, hervor und packt mich und hält mich zurück, hier, vor diesem Autobus. Wir bestehn, scheint's, darauf, am Leben zu bleiben. Dann senkt sich wieder Gleichgültigkeit herab. Das Brausen des Verkehrs, das Vorbeiziehen ununterschiedlicher Gesichter, hierhin, dorthin, betäubt mich zu Träumen; löscht die Gesichtszüge aus. Die Leute könnten ebensogut durch mich hindurchgehn. Und was ist dieser Augenblick Zeit, dieser besondere Tag, in den ich mich eingefangen sehe? Das Grollen des Straßenverkehrs könnte ebensogut ein andrer Aufruhr sein — windgeschüttelte Waldbäume oder das Gebrüll wilder Tiere. Die Zeit ist einen Zoll oder zwei auf ihrer Spule zurückgeschnellt; unser kurzer Fortschritt ist widerrufen worden. Ich glaube auch, daß unsre Körper wahrhaftig nackt sind. Wir sind bloß leicht bedeckt von zugeknöpftem Tuch; und unter diesen Gehsteigen liegen Muscheln, Gebeine und Schweigen.

Es ist aber auch wahr, daß mein Träumen, mein tastendes Vorrücken wie das jemands, der unter der Oberfläche einer Strömung dahingetragen wird, gestört, zerrissen, zerstochen und zerzupft wird von Empfindungen, spontanen und belanglosen: von Neugier, Habgier, Begehren; verantwortungslos wie im Schlaf. (Mich gelüstet nach dieser Reisetasche — usw.) Nein, aber ich wünsche unterzutauchen; die tiefsten Tiefen aufzusuchen; einmal in der Zeit von meinem Vorrecht Gebrauch zu machen, nicht immer zu handeln, sondern zu erforschen; unbestimmte urzeitliche Geräusche von knackenden Ästen, von Mammuten zu hören, unmöglichen Wünschen zu frönen, die ganze Welt mit den Armen des Verstehens zu umschließen, — was denen, die handeln, unmöglich ist. Durchbebt mich, wie ich so dahinschreite, nicht ein seltsames Oszillieren und Vibrieren der Sympathie, die mich, der ich nun losgelöst bin von einem persönlichen Sein, heißt, diese ganz von irgend etwas in Anspruch genommenen Herden zu umarmen; diese Gaffer und Ausflügler; diese Botenjungen und verstohlenen, flüchtigen Mädchen, die, des ihnen drohenden Verhängnisses sich nicht bewußt, in Schaufenster gucken? Ich aber bin mir unsres vergänglichen Vorübergangs bewußt.

Es ist jedoch auch wahr, daß ich die Empfindung, das Leben sei für mich nun geheimnisvoll verlängert, nicht leugnen kann. Kommt das vielleicht daher, daß ich Kinder haben werde, über die heutige Generation hinaus, diese von Verhängnis eingekreiste Bevölkerung, die sich in endlosem Wettbewerb auf der Straße drängt und stößt? Meine Töchter sollen, in andern Sommern, hierherkommen; meine Söhne sollen neue Äcker umbrechen. Also sind wir nicht wie Regentropfen, bald vom Wind aufgetrocknete; wir bringen Gärten zum Blühen und Wälder zum Brausen; wir sprießen immer wieder anders auf. Dies hilft demnach, meine Zuversicht, meine innerste Standfestigkeit, die andrerseits so ungemein absurd sind, zu erklären, mit denen ich mich in den Strom dieser überfüllten Verkehrsstraße stürze, mir immerzu einen Durchgang schaffe zwischen den Leibern der Leute und die sicheren Augenblicke nütze, um die Straße zu queren. Es ist nicht Eitelkeit; denn ich bin bar allen Ehrgeizes; ich entsinne mich nicht mehr meiner besonderen Gaben oder Idiosynkrasien oder der Merkmale, die ich an meiner Person trage; der Augen, der Nase oder des Mundes. Ich bin, in diesem Augenblick, nicht mein eigenes Selbst.

Doch siehe da, es kehrt zurück. Man kann diesen beharrlichen Geruch nicht tilgen. Sie schleicht sich durch einen Sprung in dem Gebilde wieder ein — unsre Identität. Ich bin nicht ein Teil der Straße — nein, ich betrachte sie. Demnach spaltet man sich ab. Zum Beispiel, dort in jener Hintergasse steht ein Mädchen und wartet; auf wen? Eine romantische Geschichte. An der Außenmauer dieses Ladens ist ein kleiner Kran befestigt, und aus welchem Grund, so frage ich mich, ist dieser Kran da angebracht worden? und erfinde eine puterrote Dame, eine eingeengt schwellende, die irgendwann in den sechziger Jahren von ihrem perspirierenden Ehegatten aus einem Landauer heruntergehoben wurde. Eine groteske Geschichte. Das heißt, ich bin ein geborener Präger von Worten, ein Mensch, der, durch dies oder jenes veranlaßt, Seifenblasen bläst. Und von selbst diese Beobachtungen wie Funken sprühend, bastle ich an mir; differenziere mich und stelle mir, der Stimme lauschend, die, während ich vorbeischlendere, sagt: »Schau dorthin! Vermerk das!« vor, ich sei berufen, einmal an einem Winterabend alle meine Beobachtungen mit Bedeutungen zu versehen — mit einer Linie, die von einer zur andern läuft: eine vervollständigende Zusammenfassung. Aber Selbstgespräche in Hintergassen verlieren bald ihren Reiz. Ich brauche eine Zuhörerschaft. Das bringt mich zu Fall. Das zerzaust immer den Rand der endgültigen Aussage und verhindert sie, sich zu formen. Ich vermag nicht, mich in ein schäbiges Speisehaus zu setzen und Tag für Tag ein und dasselbe Glas zu bestellen und mich ganz mit einer einzigen Flüssigkeit zu durchtränken — mit diesem Leben. Ich drechsle meine Phrase und laufe damit in irgendein möbliertes Zimmer, wo sie von Dutzenden von Kerzen erhellt werden wird. Es braucht auf mir ruhende Augen, um diese Falbeln und Krausen aus mir hervorzuziehen. Um ich selbst zu sein (so vermerke ich), brauche ich die Erhellung durch andrer Menschen Augen und kann daher nicht ganz sicher sein, was mein Selbst ist. Die Authentischen, wie Louis, wie Rhoda, existieren am vollständigsten in Einsamkeit. Sie nehmen Erhellung, Verdoppelung übel. Sie werfen ihre Bilder, sobald sie sie gemalt haben, mit dem Gesicht aufs Gras. Auf Louis' Worten liegt eine dicke Schicht Packeis. Seine Worte kommen zusammengepreßt, verdichtet, dauerhaft hervor.

Ich wünsche mir also nach dieser Schläfrigkeit, im Licht der Gesichter meiner Freunde mit vielen Facetten zu funkeln. Ich habe das sonnenlose Gebiet der Nichtidentität durchquert. Ein seltsames Land. In meinem Augenblick der Beruhigung, in meinem Augenblick alles auslöschender Befriedigung habe ich den Seufzer vernommen, den die Gezeiten einziehen, den sie ausstoßen, während sie außerhalb dieses Kreises hellen Lichts ebben und fluten; dieses Trommelns unsinniger Raserei. Ich habe einen Augenblick ungeheuern Friedens gehabt. Dies mag vielleicht Glückseligkeit sein. Nun aber werde ich von stechenden Empfindungen zurückgezerrt; von Wissensdrang, Gier (ich habe Hunger) und dem unwiderstehlichen Wunsch, ich selbst zu sein. Ich denke an Menschen, zu denen ich sprechen könnte: Louis, Neville,

Susan, Jinny und Rhoda. In ihrer Gegenwart bin ich vielseitig. Sie holen mich aus der Dunkelheit zurück. Zum Glück werden wir einander heute abend treffen. Zum Glück brauche ich nicht allein zu sein. Wir werden miteinander zu Abend essen. Wir werden uns von Percival verabschieden, der nach Indien geht. Es ist noch lange bis dahin, aber ich fühle bereits diese Vorboten, diese Vorreiter, die Gestalten unsrer abwesenden Freunde. Ich sehe Louis aus Stein gemeißelt, skulpturhaft; Neville messerscharf, exakt; Susan mit Augen wie Kristallklumpen; Jinny tanzend, fieberisch, erhitzt, wie eine Flamme über dürre Erde; und Rhoda, die Brunnennymphe, die immer feuchte. Dies sind phantastische Bilder — dies sind Erdichtungen, diese Visionen von abwesenden Freunden, groteske, wassersüchtige, die sich, kaum daß die wirkliche Schuhspitze sie berührt, verflüchtigen. Und doch trommeln sie mich ins Leben zurück. Sie wischen diese Schwaden weg. Ich beginne ungeduldig zu werden mit der Einsamkeit — ihr Faltenkleid erstickend heiß und ungesund um mich zu fühlen. Oh, es abzuwerfen und zu handeln! Jeder ist mir recht. Ich bin nicht wählerisch. Mir genügt der Straßenkehrer; der Postbote; der Kellner in diesem französischen Restaurant; besser noch der lustige Besitzer, dessen heitere Freundlichkeit für einen selbst reserviert zu sein scheint. Er mischt eigenhändig den Salat für einen bevorzugten Gast. Wer ist der Bevorzugte und weshalb ist er's? Und was sagt er zu der Dame mit den Ohrringen? Ist sie mit ihm befreundet oder ein Gast? Ich spüre sogleich, während ich mich an einen Tisch setze, das köstliche Herandrängen von Verwirrung, von Ungewißheit, von Möglichkeiten, von Vermutungen. Die Bilder vermehren sich sogleich. Meine Fruchtbarkeit macht mich verlegen. Ich könnte jeden Stuhl, Tisch, Mittagsgast hier ausführlich und ungeniert schildern. Mein Geist summt hierhin und dorthin mit seinem Schleier von Worten für alles und jedes. Zu sprechen, auch nur mit dem Kellner des Weins wegen, führt schon eine Explosion herbei. Die Rakete schießt in die Höhe. Ihre goldenen Körner fallen befruchtend auf den üppigen Boden meiner Phantasie. Das ganz Unerwartete dieser Explosion — das macht die Freude am Umgang aus. Ich, vermischt mit einem unbekannten italienischen Kellner, — was bin ich? Es gibt nichts Feststehendes auf dieser Welt. Wer kann sagen, welche Bedeutung irgend etwas hat? Wer kann den Flug eines Worts voraussagen? Es ist ein Ballon, der über die Baumwipfel dahinsegelt. Von Wissen zu sprechen, ist müßig. Alles ist Versuch, Abenteuer. Wir vermengen uns immerzu mit unbekannten Größen. Was wird werden? Ich weiß es nicht. Aber während ich mein Glas hinstelle, erinnere ich mich: ich habe mich verlobt. Ich werde heute mit meinen Freunden zu Abend essen. Ich bin Bernard, ich selbst.

Es ist jetzt fünf Minuten vor acht, sagte Neville. Ich bin zeitig gekommen. Ich habe mich zehn Minuten vor der Zeit an den Tisch gesetzt, um jeden Augenblick der Vorfreude auszukosten; um die Tür sich öffnen zu sehen und zu denken: »Ist es Percival? Nein es ist nicht Percival.« Es liegt ein krankhaftes Vergnügen darin, sich zu sagen: »Nein, es ist nicht Percival.« Ich habe die Tür sich schon zwanzigmal öffnen und schließen gesehen; mit jedem Mal verschärft sich die Erwartung noch mehr. Dies ist der Ort, an den er kommen wird. Dies ist der Tisch, an dem er sitzen wird. Hier wird er, so unglaublich es auch scheint, leibhaftig zugegen sein. Mit diesem Tisch, diesen Stühlen, dieser Metallvase und den drei roten Blumen darin wird sehr bald eine außerordentliche Verwandlung vor sich gehn. Schon hat der ganze Raum mit seiner Schwingtür, seinen mit Obst, mit kaltem Braten beladenen Tischen das schwankende, unwirkliche Aussehen eines Orts, an dem man wartet, daß etwas geschehn werde. Alles flimmert, als existierte es noch gar nicht. Grell starrt die Leere weißer Tischtücher. Die Feindseligkeit, die Gleichgültigkeit der andern Leute, die hier zu Abend essen, ist bedrückend. Wir sehen einander an; entdecken, daß wir einander nicht kennen, starren ins Leere und sehen dann wieder weg. Solche Blicke sind Peitschenhiebe. Ich fühle die ganze Grausamkeit und Gleichgültigkeit der Welt in ihnen. Wenn er nicht käme, ich könnte es nicht ertragen. Ich würde weggehn. Doch irgend jemand muß jetzt mit ihm beisammen sein. Er muß in irgendeinem Wagen sitzen; er muß an irgendeinem Kaufladen vorbeifahren. Und jeden Augenblick scheint er in den Raum hier dieses stachelige Licht, diese Intensität des Seins zu pumpen, so daß die Dinge ihren gewohnten Zweck eingebüßt haben — diese Messerklinge ist nur ein heller Blitz, nicht etwas, womit man schneiden kann. Das Gewohnte ist abgeschafft.

Die Tür öffnet sich, aber er kommt nicht. Es ist Louis, der zögernd dort steht. Das ist diese merkwürdige Mischung von Selbstsicherheit und Schüchternheit an ihm. Er sieht sich beim Hereinkommen im Spiegel an; er berührt seine Haare; er ist unzufrieden mit seiner Erscheinung. Er denkt sich: »Ich bin ein Herzog — der letzte eines uralten Geschlechts.« Er ist ätzend, argwöhnisch, herrschsüchtig, schwierig (ich vergleiche ihn mit Percival). Dabei ist er großartig, denn seine Augen lachen. Er hat mich gesehen. Hier ist er.

Dort ist Susan, sagte Louis. Sie sieht uns nicht. Sie hat sich für den Abend nicht umgekleidet, denn sie verachtet die Nichtigkeit Londons. Sie bleibt einen Augenblick an der Schwingtür stehn und blickt umher wie ein vom Licht einer Lampe geblendetes Geschöpf. Nun macht sie eine Bewegung. Sie hat (sogar zwischen Tischen und Stühlen) die verstohlenen und doch selbstsicheren Bewegungen eines wilden

Tiers. Sie scheint sich instinktiv zwischen diesen kleinen Tischen hindurchzufinden, ohne an jemand anzustoßen, ohne die Kellner zu beachten, und kommt doch gradenwegs auf unsern Tisch in der Ecke zu. Sobald sie uns (Neville und mich) sieht, nimmt sie eine Miene der Gewißheit an, die erschreckend ist, als hätte sie nun, was sie wollte. Von Susan geliebt zu werden, das wäre so, als würde man vom scharfen Schnabel eines Vogels aufgespießt, als würde man an ein Scheunentor genagelt. Doch es gibt Augenblicke, wo ich mir wahrhaftig wünschen könnte, von einem Schnabel durchbohrt, an ein Scheunentor genagelt zu werden, ein für allemal.

Jetzt kommt Rhoda, von nirgendsher; sie muß hereingeschlüpft sein, während wir nicht hinsahen. Sie muß einen Umweg gemacht, einmal hinter einem Kellner, dann hinter einer verzierten Säule Deckung gesucht haben, um den Schock des Wiedererkennens so lange als möglich hinauszuschieben, um noch einen Augenblick länger in Sicherheit zu sein und ihre Blütenblätter in der Schüssel zu schaukeln. Wir wecken sie auf. Wir peinigen sie. Sie fürchtet uns, sie verachtet uns und kommt doch unterwürfig zu uns her, denn trotz aller unsrer Grausamkeit ist doch immer irgendein Name, irgendein Gesicht da, die ein Leuchten ausstrahlen, das für sie das Pflaster erhellt und es ihr ermöglicht, ihre Träume wieder aufzufüllen.

Die Tür öffnet sich, die Tür öffnet sich immer wieder, sagte Neville, doch er kommt nicht.

Dort ist Jinny, sagte Susan. Sie steht an der Tür. Alles scheint angehalten zu sein. Der Kellner bleibt stehn. Die an dem Tisch dort neben der Tür Essenden blicken auf. Sie scheint allem den Mittelpunkt zu geben; um sie herum ordnen sich strahlenförmig die Tische, die Linien der Türen, der Fenster, der Zimmerdecke wie die Strahlen um den Stern einer in der Mitte eingeschlagenen Fensterscheibe. Sie bringt Sinn in die Dinge, bringt sie in Ordnung. Jetzt sieht sie uns und rührt sich, und alle die Strahlen wellen sich und fließen und flackern über uns hin und bringen Fluten neuartiger Empfindungen mit sich. Wir verändern uns. Louis greift sich an die Halsbinde. Neville, der in qualvoller Gespanntheit wartend dasitzt, schiebt nervös die Gabeln vor sich gerade. Rhoda erblickt Jinny mit Überraschung, als loderte an einem fernen Horizont ein Feuer auf. Und ich, obwohl ich meinen Geist mit feuchtem Gras, mit nassen Feldern, mit dem Geräusch von Regen auf dem Dach und den Windstößen, die im Winter auf das Haus einstürmen, vollfülle und so meine Seele vor ihr schütze, spüre ihr Spotten mich umschleichen, spüre ihr Gelächter mich feurig umzüngeln und unbarmherzig mein armseliges Kleid, meine breitgeschnittenen Fingernägel, die ich sogleich unter dem Tischtuch verstecke, beleuchten.

Er ist nicht gekommen, sagte Neville. Die Tür öffnet sich, und er kommt nicht. Da ist Bernard. Während er seinen Mantel auszieht, läßt er natürlich das blaue Hemd aus seinen Achselhöhlen hervorgucken. Und anders als wir andern kommt er herein, ohne zu wissen, daß er eine Tür aufstößt, daß er einen Raum voll Fremder betritt. Er blickt nicht in den Spiegel. Sein Haar ist zerzaust, aber er weiß es nicht. Er nimmt es nicht wahr, daß wir alle voneinander verschieden sind oder daß dieser Tisch sein Ziel ist. Er zaudert auf dem Weg hierher. Wer ist das? fragt er sich, denn eine Frau in einem Abendmantel kommt ihm bekannt vor. Jedermann kommt ihm bekannt vor; er kennt niemand (ich vergleiche ihn mit Percival). Aber jetzt, da er uns sieht, winkt er uns einen wohlwollenden Gruß zu; er kommt mit solchem Wohlwollen, einer solchen Menschenliebe (durchsetzt von humorvoller Bescheidung mit der Vergeblichkeit,

»die Menschen zu lieben«) herbei, daß man, wenn Percival nicht wäre, der dies alles zu Dunst werden läßt, das Gefühl hätte, das die andern bereits haben: Nun hat unsre Feier begonnen; nun sind wir beisammen. Aber ohne Percival gibt es nichts Festes. Wir sind Schattenrisse, hohle Phantome, die sich nebelhaft ohne einen Hintergrund bewegen.

Die Schwingtür öffnet sich immer wieder, sagte Rhoda. Immerzu kommen fremde Leute herein, Leute, die wir nie wieder sehen werden, Leute, die uns unangenehm mit ihrer Vertraulichkeit, ihrer Gleichgültigkeit streifen und uns das Gefühl von einer Welt geben, die ohne uns weiterbestehn wird. Wir können nicht hinabsinken, wir können unsre Gesichter nicht vergessen. Sogar ich, die ich kein Gesicht habe, deren Hereinkommen keinen Unterschied macht (Susan und Jinny bewirken eine Veränderung der Körper und Gesichter), flattere lose im Raum, ohne irgendwo verankert zu sein, unverfestigt, außerstande, irgendeine leere Fläche oder Kontinuität oder Wand zu bilden, vor der sich diese Körper bewegen. Schuld daran ist Neville und sein Elend. Der scharfe Hauch seines Elends zerstreut mein Sein. Nichts kann zur Ruhe kommen; nichts sich setzen. So oft sich die Tür öffnet, sieht er starr auf den Tisch — er wagt nicht, die Augen zu heben — blickt dann eine Sekunde lang hin und sagt: »Er ist nicht gekommen.« Aber hier ist er.

Nun, sagte Neville, blüht mein Baum. Mein Herz hebt sich. Alle Bedrücktheit ist von mir genommen. Jedes Hindernis ist beseitigt. Die Herrschaft des Chaos ist vorbei. Er hat Ordnung auferlegt. Messer schneiden wieder.

Hier ist Percival, sagte Jinny. Er ist nicht im Abendanzug.

Hier ist Percival, sagte Bernard, und glättet sich die Haare, nicht aus Eitelkeit (er blickt nicht in den Spiegel), sondern um den Gott der Wohlanständigkeit günstig zu stimmen. Er ist konventionell; er ist ein Held. Die kleinen Jungen zogen scharenweise hinter ihm her über die Spielplätze. Sie schneuzten sich auf die Weise, wie er sich schneuzte, aber es gelang ihnen nicht, denn er ist Percival. Nun, da er daran ist, uns zu verlassen, nach Indien zu fahren, sammeln sich alle diese Kleinigkeiten. Er ist ein Held. O ja, das läßt sich nicht leugnen, und wenn er sich neben Susan setzt, die er liebt, ist das die Krönung dieser festlichen Gelegenheit. Wir, die wir wie Schakale kläfften und eins nach des andern Fersen schnappten, nehmen nun das nüchterne und selbstsichere Gehaben von Soldaten in Gegenwart ihres Obersten an. Wir, die wir durch unsre Jugend voneinander getrennt waren (noch keins von uns ist fünfundzwanzig), die wie eifrige Vögel jedes sein eigenes Lied sangen und mit der fühllosen, wilden Selbstsucht der Jungen auf das Schneckengehäuse vor uns loshämmerten, bis es barst (ich habe mich verlobt), oder einsam vor einem Schlafzimmerfenster draußen saßen und von Liebe sangen, von Ruhm oder andern Einzelerfahrungen, welche dem noch unbefiederten Vogel mit dem gelben Flaumbüschel auf dem Schnabel so teuer sind, wir kommen nun einander näher; und enger zusammenrückend auf unsrer Stange in diesem Restaurant, wo die Interessen aller Leute einander entgegengesetzt sind und das beständige Hin und Her uns mit Ablenkungen schürft und das unaufhörliche Sichöffnen des Glaskäfigs der Tür uns mit Myriaden von Versuchungen lockt und unsrer Zuversicht Beleidigungen und Verwundungen bietet, — wie wir hier beisammen sitzen, lieben wir einander und glauben an unsere Fortdauer.

Nun wollen wir aus dem Dunkel der Einsamkeit heraus, sagte Louis.

Nun sollen wir grob und unumwunden aussprechen, was wir im Sinn haben, sagte Neville. Unsre Abgeschlossenheit, unsre Vorbereitung sind vorbei: die verstohlenen Tage des Verheimlichens und Verbergens, die Offenbarungen auf Treppen, Augenblicke des Schreckens und der Ekstase.

Die alte Mrs. Constable hob den Schwamm, und Wärme strömte auf uns herab, sagte Bernard. Wir wurden in dieses sich verändernde, dieses empfindende Gewand von Fleisch gekleidet.

Der Hausdiener, sagte Susan, knutschte das Küchenmädchen ab, im Gemüsegarten, zwischen den vom Wind geblähten Wäschestücken.

Der Atem des Windes war wie das Keuchen eines Tigers, sagte Rhoda.

Der Mann lag bleich, mit durchschnittener Kehle im Rinnstein, sagte Neville. Und die Treppe hinaufgehend konnte ich den Fuß nicht heben wegen des unerweichlichen Apfelbaums mit seinen steif gespreizten silbernen Blättern.

Das Blatt in der Hecke wedelte, ohne daß jemand darauf blies, sagte Jinny.

In dem sonnegedörrten Winkel, sagte Louis, schwammen die Blütenblätter auf grünen Tiefen.

In Elvedon fegten und fegten die Gärtner mit ihren großen Besen, und die Dame saß am Tisch und schrieb, sagte Bernard.

Von diesen enggewickelten Knäueln, sagte Louis, ziehen wir nun jedes Fädchen, sobald wir zusammenkommen und uns erinnern.

Und dann, sagte Bernard, fuhr der Wagen vor, und unsre neuen Melonenhüte fest in die Stirn drückend, um unsre unmännlichen Tränen zu verbergen, fuhren wir durch Straßen, wo sogar die Hausmädchen uns nachsahen; und unsre mit weißen Lettern auf unsre Koffer gemalten Namen verkündeten aller Welt, daß wir ins Internat fuhren, in unserm Gepäck die vorschriftsmäßige Anzahl von Socken und Unterhosen, in die unsre Mütter ein paar Abende zuvor unsre

Anfangsbuchstaben eingenäht hatten. Eine zweite Abtrennung vom Mutterleib.

Und Miss Lambert, Miss Cutting und Miss Bard, sagte Jinny, monumentale Damen mit weißen Halskrausen, steinfarbene, rätselhafte, mit Amethystringen, die sich wie jungfräuliche Wachskerzen, wie mattleuchtende Glühwürmchen über die Seiten des Französischen, der Geographie und der Arithmetik bewegten, führten den Vorsitz; und es gab dort Landkarten, mit grünem Tuch bezogene Tische, und Schuhe in Reihen auf einem Wandbrett.

Glocken läuteten pünktlich, sagte Susan, Dienstmädchen knufften einander und kicherten. Es gab ein Stühlerücken, unter den Tisch hinein und weg vom Tisch, auf dem Linoleum. Doch aus einer der Mansarden hatte man eine Aussicht ins Blaue, einen Fernblick auf eine Wiese, unbefleckt von der Verderbtheit dieses reglementierten, unwirklichen Daseins.

Von unsern Köpfen fielen Schleier, sagte Rhoda. Wir schlangen die Blumen mit ihren grünen Blättern zu raschelnden Girlanden.

Wir veränderten uns, wir wurden unkenntlich, sagte Louis. Allen diesen verschiedenen Beleuchtungen ausgesetzt, kam, was wir in uns hatten (denn wir sind alle so verschieden), stoßweise, in heftigen, von leeren Stellen unterbrochenen Flecken an die Oberfläche, als wäre eine Säure ungleichmäßig auf eine Platte getropft. Ich war dies, Neville das, Rhoda wieder etwas andres, und so auch Bernard.

Dann glitten Paddelboote zwischen blaß getönten Weidenzweigen hindurch, sagte Neville, und Bernard, der auf seine lässige Art auf Flächen von Grün, auf altgestiftete Gebäude zuging, schmiß sich neben mir zu Boden. In einem Anfall von Gemütsbewegung — kein Sturm kann ärger toben, kein Blitz jäher herabfahren — nahm ich mein Gedicht, warf ich mein Gedicht hin, schlug die Tür hinter mir zu.

Ich hingegen, sagte Louis, saß, indes ich euch aus den Augen verlor, in meinem Kontor und riß das Blatt vom Kalender und verkündete der Welt der Schiffsmakler, Getreidehändler und Versicherungsstatistiker, daß Freitag, der Zehnte, oder Dienstag, der Achtzehnte, über der City von London heraufgezogen war.

Dann, sagte Jinny, verneigten sich Rhoda und ich, in hellen Kleidern zur Schau gestellt, einige Edelsteine in einem kalten Reif um den Hals gebettet, schüttelten Hände und nahmen lächelnd ein belegtes Brötchen von einer Platte.

Der Tiger sprang, sagte Rhoda, und die Schwalbe tauchte ihre Schwinge in dunkle Teiche am andern Ende der Welt.

Doch hier und heute sind wir beisammen, sagte Bernard. Wir sind um eine bestimmte Zeit an diesem bestimmten Ort zusammengekommen. Wir wurden durch eine tiefe, eine gemeinsame Gemütsbewegung in diese Zwiesprache der Seelen hineingezogen. Sollen wir sie bequemlichkeitshalber »Liebe« nennen? Sollen wir sagen »Liebe zu Percival«, weil Percival nach Indien geht?

Nein, das ist ein zu kleiner, ein zu besonderer Name. Wir können den Umfang und die Spannweite unsrer Gefühle nicht an ein so kleines Zeichen heften. Wir sind zusammengekommen (von Norden, von Süden, von Susans Landgut, von Louis' Geschäftshaus), um etwas zu schaffen; nichts Dauerndes — denn was ist heute von Dauer? — sondern etwas von vielen Augen gleichzeitig Gesehenes. Hier in dieser Vase steckt eine rote Nelke. Eine einzige Blume, während wir wartend hier saßen, jetzt aber eine siebenseitige Blume mit vielen Blütenblättern, roten, bräunlichroten, purpurn schattierten, eine von silberig getönten Blättern versteifte — eine vollständige Blume, der jedes Auge seinen eigenen Beitrag zubringt.

Nach den launischen Feuern, dem abgründigen Dämmer

der Jugend, sagte Neville, fällt das Licht nun auf wirkliche Dinge. Hier sind Messer und Gabeln. Die Welt ist entfaltet, und auch wir sind es, so daß wir ein Gespräch führen können.

Wir sind verschieden voneinander, vielleicht allzu verschieden, sagte Louis, als daß es sich erklären ließe. Doch wir wollen es versuchen. Ich strich mir die Haare glatt, als ich hereinkam, weil ich hoffte, wie ihr andern auszusehen. Aber das kann ich nicht, denn ich bin nicht eins und ganz, wie ihr das seid. Ich habe schon tausend Leben gelebt. Jeden Tag hole ich Dinge hervor — grabe ich welche aus. Ich finde Überreste meiner selbst im Sand, vor Jahrtausenden von Frauen geformte, als ich Lieder singen und am Nil das angekettete Tier stampfen hörte. Der, den ihr neben euch seht, dieser Mann, dieser Louis, ist nur Asche und Abfall von etwas, das einst herrlich war. Ich war ein Araberprinz; seht meine ungezwungenen Gebärden! Ich war ein großer Dichter zur Zeit Elisabeths. Ich war ein Herzog am Hof Ludwigs XIV. Ich bin sehr eitel, sehr zuversichtlich; ich habe ein unermeßliches Verlangen nach den mitfühlenden Seufzern von Frauen. Ich habe heute nicht zu Mittag gegessen, damit Susan mich leichenhaft finden und Jinny mir den köstlichen Balsam ihres Mitgefühls darbieten möge. Aber während ich Susan und Percival bewundere, hasse ich die andern, denn für die mache ich diese Faxen, fahre mir glättend übers Haar, versuche meinen Akzent zu vertuschen. Ich bin das Äffchen, das an einer Nuß knabbert und schnattert, und ihr seid die Landpomeranzen mit fettigen Papiersäckchen voll altbackener Kuchen; ich bin auch der Tiger im Käfig, und ihr seid die Wärter mit rotglühenden Stangen. Das heißt, ich bin wilder und stärker als ihr, und doch wird die Erscheinung, die sich nach Äonen des Nichtseins über dem Erdboden zeigt, sich in der Angst erschöpft haben, ob ihr mich nicht auslacht, beim Wenden mit dem Wind gegen die Rußstürme, beim Bemühen, einen stählernen Ring klarer Poesie zu schmieden, der die Möwen und die Frauen mit schadhaften Zähnen und den Kirchturm verbinden soll und die wippenden Melonenhüte, wie ich sie sehe, wenn ich zu Mittag esse und meinen Dichter — ist es Lukrez? — gegen das Essig- und Ölkännchen und die saftbespritzte Speisekarte lehne.

Du aber wirst mich nie hassen, sagte Jinny. Du wirst mich niemals, auch nicht in einem Zimmer voller vergoldeter Stühle und Gesandten erblicken, ohne durch das ganze Zimmer auf mich zuzukommen, um mein Mitgefühl zu suchen. Grade vorhin, als ich eintrat, stand alles wie in einem Muster still. Die Kellner blieben stehn, die Essenden hoben die Gabeln, ohne sie zum Mund zu führen. Es hatte den Anschein, ich wäre vorbereitet darauf, was geschehen würde. Als ich mich setzte, da habt ihr die Hände an eure Halsbinden gehoben oder sie unter dem Tisch verborgen. Ich aber verberge nichts. Ich bin vorbereitet. So oft sich die Tür öffnet, rufe ich: »Mehr!« Aber meine Vorstellungskraft ist die des Körpers. Ich vermag mir außerhalb des Kreises, den mein Körper wirft, nichts vorzustellen. Mein Körper geht vor mir her wie eine Laterne durch einen dunkeln Hohlweg, die ein Ding nach dem andern aus der Dunkelheit in einen Kreis von Licht holt. Ich blende euch; ich mache euch glauben, daß dies schon alles ist.

Aber wenn du in der Tür stehst, sagte Neville, zwingst du zum Verstummen, heischst Bewunderung, und das ist der Unbefangenheit des Umgangs sehr hinderlich. Du stehst in der Tür und zwingst uns, dich zu bemerken. Aber mich hat keins von euch herankommen gesehen; ich kam früh; ich kam eilig und geradenwegs, *hierher*, um neben dem zu sitzen, den ich liebe. Mein Leben hat eine Geschwindigkeit, die dem euern fehlt. Ich bin wie ein Spürhund auf der Fährte.

Ich jage von früh bis spät. Nichts, nicht das Streben nach Vollkommenheit durch den Wüstensand, nicht Ruhm, nicht Geld bedeutet mir etwas. Ich werde Reichtum, ich werde Ruhm besitzen. Aber ich werde nie das besitzen, was ich mir wünsche, denn es fehlt mir an körperlicher Anmut und der Selbstsicherheit, die sie einem verleiht. Mein Geist ist zu flink für meinen Körper. Ich versage, bevor ich ans Ziel komme, und sinke schweißbedeckt, vielleicht sogar Abscheu erregend, in mich zusammen. Ich errege Mitleid in den Krisen des Lebens, nicht Liebe. Daher leide ich entsetzlich. Aber ich leide nicht, wie Louis leidet, um ein Schaustück aus mir zu machen. Ich habe einen zu sehr geschärften Wirklichkeitssinn, um mir diese Gaukeleien, diese Anmaßungen zu gestatten. Ich sehe alles — ausgenommen eines — mit völliger Klarheit. Das ist meine Rettung. Das ist's, was meinem Leben etwas unaufhörlich Erregendes verleiht. Das ist's, was mich befähigt, diktatorisch zu sein, auch wenn ich schweige. Und da ich, in einer Hinsicht, getäuscht werde, da die Person, wenn auch nicht das Begehren, immerzu wechselt und ich morgens nicht weiß, neben wem ich abends sitzen werde, stagniere ich nie, erhebe ich mich von meinen schlimmsten Stürzen, wende mich, verändere mich. Kieselsteine prallen von dem Panzer meines muskulösen, meines gestrafften Körpers ab. Bei diesem Bestreben werde ich alt werden.

Wenn ich glauben könnte, sagte Rhoda, daß ich strebend und mich verändernd alt würde, wäre ich meine Furcht los: daß nichts beharre. Ein Augenblick führt nicht zum nächsten. Sondern die Tür öffnet sich, und der Tiger springt. Ihr habt mich nicht hereinkommen gesehen. Ich habe Bogen um Stühle und Tische gemacht, um dem Schrecken seines Sprungs auszuweichen. Ich fürchte mich vor euch allen. Ich fürchte mich vor dem jähen Anprall des Gefühls, das mich anspringt; denn ich kann damit nicht fertig werden so wie ihr — ich vermag nicht, den einen Augenblick in den nächsten übergehn zu lassen. Mir erscheint ein jeder als etwas Heftiges, für sich Bestehendes; und wenn ich unter dem Anprall des Sprungs stürze, werdet ihr über mich her sein, mich in Stücke reißen. Ich habe kein Ziel vor mir. Ich weiß nicht, wie eine Minute in die andre, eine Stunde in die andre verrinnen lassen, wie sie durch eine natürliche Kraft auflösen, bis sie die ganze unteilbare Masse dessen bilden, was ihr Leben nennt. Weil ihr ein Ziel abseht — einen Menschen, nicht wahr? um neben ihm zu sitzen, eine Idee, nicht wahr? eure Schönheit, nicht wahr? Ich weiß es nicht — eure Tage und Stunden fliegen vorbei wie die Zweige von Waldbäumen und das glatte Grün von Schneisen an einem der Fährte folgenden Jagdhund. Für mich aber gibt es keine einzelne Fährte, keine einzelne Gestalt, der ich folgen könnte. Und ich habe kein Gesicht. Ich bin wie der Schaum, der über den Strand rast, oder das Mondlicht, das pfeilgleich hier auf eine Blechdose, hier auf ein stacheliges Reis der gepanzerten Stranddistel oder auf einen Knochen oder ein halb zerfressenes Boot fällt. Ich werde durch Höhlen gewirbelt und klatsche wie ein Stück Papier an die Wände endloser Gänge und muß meine Hand gegen die Mauer stemmen, um mich zurückzuholen.

Aber da ich vor allem eine Stätte haben möchte, tue ich, während ich hinter Jinny und Susan hertrödle, so, als hätte ich ein Ziel. Ich ziehe mir die Strümpfe an, so wie ich die beiden die ihren anziehen sehe. Ich warte, bis ihr redet, und rede dann so wie ihr. Ich werde durch ganz London hierhergezogen, an einen bestimmten Ort, zu einer bestimmten Stunde, nicht um dich zu sehen oder dich oder dich, sondern um mein Feuer an eurem gemeinsamen Brand zu entzünden, die ihr ganz und unteilbar und unbekümmert lebt.

Als ich heute abend diesen Raum betrat, sagte Susan, blieb ich stehn, umherspähend wie ein Tier, das die Augen nahe dem Erdboden hat. Der Geruch von Teppichen und Möbeln und Parfüm ist mir zuwider. Ich gehe gern allein durch feuchte Wiesen oder bleibe an einem Gatter stehn und sehe zu, wie mein Setter witternd im Kreis umherläuft, und frage ihn: »Wo ist der Hase?« Ich bin gern mit Leuten beisammen, die Kräuter zwischen den Fingern zerreiben und ins Kaminfeuer spucken und in Pantoffeln durch lange Korridore schlurren wie mein Vater. Die einzigen Äußerungen, die ich verstehe, sind Rufe der Liebe, des Hasses, der Wut oder des Schmerzes. Dieses Gerede hier ist so, als entkleidete man eine alte Frau, deren Kleid ein Teil von ihr zu sein schien, die aber nun, während wir reden, darunter rötlich anläuft und runzelige Schenkel und Hängebrüste hat. Wenn ihr schweigt, seid ihr wieder schön. Ich werde nie ein andres als natürliches Glücklichsein kennen. Es wird mich beinahe zufriedenstellen. Ich werde müde zu Bett gehn. Ich werde daliegen wie ein Feld, das in wiederkehrender Folge Ernten hervorbringt. Im Sommer wird die Hitze über mich hintanzen; im Winter werde ich rissig sein vor Kälte. Doch Hitze und Kälte werden einander auf natürliche Weise folgen, ohne mein Wollen oder Nichtwollen. Meine Kinder werden mich vorwärtstragen; ihr Zahnen, ihr Weinen, ihr Wegfahren in die Schule und Heimkommen werden mich wie Meereswellen dahintragen. Kein Tag, der ohne diese Bewegung sein wird. Ich werde auf dem Rücken der Jahreszeiten höher als irgendeins von euch emporgehoben werden. Ich werde mehr besitzen als Jinny, mehr als Rhoda, wenn die Zeit kommt, wo ich sterben werde. Andrerseits aber werde ich, während ihr alle vielfarbig seid und millionenmal lächelnd den Ideen und dem Lachen andrer begegnet, mürrisch, vom Sturm gefärbt und ein einziges Pur-

purviolett sein. Ich werde würdelos und engherzig werden durch die animalische und schöne Leidenschaft des Mutterseins. Ich werde das Glück meiner Kinder ohne Bedenken zu erzwingen trachten. Ich werde alle Leute hassen, die ihre Fehler sehen werden. Ich werde gemein lügen, um meinen Kindern beizustehn. Ich werde zulassen, daß sie mich von dir und dir abmauern. Überdies bin ich von Eifersucht zerrissen. Ich hasse Jinny, denn sie anzusehen zeigt mir, daß meine Hände rot, meine Nägel abgebissen sind. Ich liebe mit solcher Wildheit, daß es mich umbringt, wenn der Gegenstand meiner Liebe mir durch eine Phrase zeigt, er könne entwischen. Er entwischt, und ich bleibe zurück und hasche nach einer zwischen den Blättern der Baumwipfel ein- und ausschlüpfenden Schnur. Ich verstehe Phrasen nicht.

Wäre ich geboren worden, ohne zu wissen, daß ein Wort aufs andre folgt, sagte Bernard, hätte ich wer weiß was werden können. Wie es nun ist, finde ich überall Aufeinanderfolgen; ich kann den Druck des Alleinseins nicht ertragen. Wenn ich nicht Wörter sich um mich herum gleich Rauchkringeln kräuseln sehe, bin ich im Dunkeln — bin ich nichts. Wenn ich allein bin, verfalle ich in stumpfes Brüten, und während ich die Asche durchs Kamingitter stochere, sage ich mir trübselig, Mrs. Moffat, die Putzfrau, wird schon kommen. Sie wird kommen und es alles zusammenfegen. Wenn Louis allein ist, sieht er mit erstaunlicher Intensität und schreibt ein paar Worte hin, die vielleicht uns alle überdauern werden. Rhoda liebt das Alleinsein. Sie fürchtet uns, weil wir das Gefühl des Seins, das in Einsamkeit so stark ist, zertrümmern — seht, wie sie die Gabel packt! — ihre Waffe uns gegenüber. Ich aber erlange Dasein, wenn der Klempner oder der Pferdehändler oder wer immer es sein mag etwas sagt, das mich entzündet. Wie wunderschön dann der Rauch meiner Phrase ist, wie er steigt und sinkt, sich bauscht und fällt, auf rote Hummern und gelbe Früchte, und sie alle zu einer einzigen Schönheit umschlingt! Aber beachtet, wie buhlerisch die Phrase ist — zusammengesetzt aus Gott weiß was für Ausflüchten und altbekannten Lügen. So ist also mein Charakter zum Teil aus dem Ansporn gemacht, den andre liefern, und ist nicht mein, wie der eure euer ist. Es ist da ein verhängnisvoller Zug, eine abweichende und abschweifende Ader von Silber, die ihn schwächt. Daher geschah, was Neville in der Schule so aufbrachte: ich verließ ihn. Ich fuhr mit den prahlerischen Jungen mit ihren kleinen Mützen und Abzeichen, die in großen Gesellschaftswagen davonrollten, — es sind einige solche heute abend hier im Lokal, um, korrekt gekleidet, gemeinsam zu essen, bevor sie völlig einträchtig in ein Varieté gehn; ich liebte sie. Denn sie bringen mich ebenso gewiß ins Dasein, wie ihr das tut. Daher fühlt ihr auch, sobald ich euch verlasse und der Zug abfährt, daß es nicht der Zug ist, der abfährt, sondern ich, Bernard, dem an nichts liegt, der nichts empfindet, der keine Fahrkarte hat und vielleicht seine Geldbörse verlor. Susan, die auf die zwischen den Buchenblättern ein- und ausschlüpfende Schnur starrt, ruft aus: »Er ist weg! Er ist mir entwischt!« Denn es ist nichts da, woran sie sich halten könnte. Ich werde fortwährend erschaffen und wiedererschaffen. Andre Leute locken andre Wörter aus mir hervor.

Daher gibt es nicht nur einen sondern fünfzig Menschen, neben denen ich heute abend sitzen möchte. Aber ich bin der einzige von euch, der sich hier zu Hause fühlt, ohne sich Freiheiten zu erlauben. Ich bin nicht derb; ich bin auch kein Snob; bin ich auch dem Druck der Gesellschaft ausgesetzt, so gelingt es mir doch oft, mittels meiner großen Zungengewandtheit etwas Schwieriges in Umlauf zu bringen. Seht nur meine kleinen Spielsachen, binnen einer Sekunde aus nichts zusammengedreht, wie unterhaltsam sie sind! Ich bin kein Hamster — ich werde bloß einen Schrank voll alter Kleider hinterlassen, wenn ich sterbe — und ich bin fast gleichgültig gegen die kleinen Eitelkeiten des Lebens, die Louis so viel Qual verursachen. Aber ich habe viel geopfert. Geädert von Eisen, von Silber und durchschichtet von gemeinem Lehm, wie ich nun einmal bin, kann ich mich nicht zu der festen Faust zusammenziehen, die diejenigen ballen, die nicht auf einen Ansporn angewiesen sind. Ich bin unfähig, so entsagungsvoll und so heldenhaft zu sein wie Louis und Rhoda. Es wird mir nie gelingen, nicht einmal im Reden, eine vollkommene Phrase zu formen. Doch werde ich mehr zu dem flüchtigen Augenblick beigetragen haben als irgendeins von euch; ich werde mehr Räume, mehr verschiedenartige Räume betreten als irgendeins von euch. Aber weil in mir etwas ist, das von außen kommt und nicht von innen, werde ich vergessen werden; sobald meine Stimme verstummt ist, werdet ihr euch meiner nicht mehr erinnern, es wäre denn als des Echos einer Stimme, die einst Früchte zu Phrasen geschlungen hat.

Seht! sagte Rhoda. Horcht! Seht, wie das Licht von Sekunde zu Sekunde üppiger wird und überall alles blüht und reift und unsre Augen in diesem Raum mit all seinen Tischen umherschweifen und durch Vorhänge von Farbe — Rot, Orangegelb, Umbra und seltsam zwielichtige Töne — zu dringen scheinen, die nachgeben wie Schleier und sich hinter ihnen wieder schließen, und wie ein Ding ins andre verschmilzt!

Ja, sagte Jinny, unsre Sinne haben sich geweitet. Membranen, Nervengeflechte, die weiß und schlaff dalagen, haben sich gefüllt und ausgebreitet und umschweben uns wie Fäden, machen die Luft greifbar und fangen ferne, nie zuvor gehörte Laute auf.

Das Brausen von London, sagte Louis, umgibt uns. Autos, Lieferwagen, Omnibusse fahren unaufhörlich vorbei. Alle sind sie in ein sich drehendes Rad eines einzigen Geräusches verflochten. Alle einzelnen Laute — Räder, Glocken, die Rufe von Betrunkenen oder Nachtschwärmern — alle sind zu einem einzigen Geräusch, einem stahlblauen, kreisrunden, verquirlt. Dann heult eine Sirene. Und daraufhin entgleitet das Ufer, Schornsteine legen sich unter der Brücke um, das Schiff fährt dem offenen Meer zu.

Percival fährt weg, sagte Neville. Wir sitzen hier, von Leuten umgeben, beleuchtet, mannigfarbig; alles — Hände, Vorhänge, Messer und Gabeln, die andern Essenden — verfließt ineinander. Wir sind hier eingemauert. Indien aber liegt außerhalb.

Ich sehe Indien, sagte Bernard. Ich sehe das niedrige, langgestreckte Ufer; ich sehe die gewundenen Pfade von gestampftem Lehm, die zwischen verfallenen Pagoden ein und aus führen; ich sehe die vergoldeten, zinnengekrönten Gebäude, die etwas Zerbrechliches und Einsturzbereites haben, als wären sie nur vorübergehend aufgestellte Bauten in einer orientalischen Ausstellung. Ich sehe ein Büffelgespann, das einen niedrigen Karren die sonnengedörrte Straße entlangzieht. Der Karren schwankt, untüchtig gelenkt, hin und her. Ein Rad bleibt in der Spur stecken, und sogleich umschwärmen es zahllose Eingeborene im Lendenschurz mit aufgeregtem Schnattern. Aber sie unternehmen nichts. Zeit scheint endlos vorhanden, jedes Vorhaben vergebens zu sein. Über allem brütet ein Bewußtsein von der Nutzlosigkeit menschlicher Bemühungen. Merkwürdige säuerliche Gerüche liegen in der Luft. Ein alter Mann in einem Straßengraben kaut weiter Betel und beschaut seinen Nabel. Aber nun, seht ihr, nähert sich Percival; Percival kommt auf einer Fliegenschimmelstute einhergeritten, einen Tropenhelm auf dem

Kopf. Den Maßstab des Westens anlegend und die zügellose Sprache gebrauchend, die ihm natürlich ist, bewirkt er, daß der Ochsenkarren in weniger als fünf Minuten aufgerichtet wird. Das Problem des Ostens ist gelöst. Er reitet weiter; die Menge umdrängt ihn, betrachtet ihn, als wäre er — was er tatsächlich ist — ein Gott.

Ungekannt, mit einem Geheimnis oder ohne eins, es macht nichts aus, sagte Rhoda, ist er wie ein in einen Teich gefallener Stein, um den die Elritzen schwärmen. Wir, die wir wie Elritzen hin und her geschossen waren, schossen alle um ihn herum, als er eintrat. Wie Elritzen schlängeln und tummeln wir uns zufrieden, der Anwesenheit eines großen Steins bewußt. Behagen überschleicht uns; Gold rinnt in unserm Blut. Tick-tack, tick-tack schlägt das Herz heiter gelassen, zuversichtlich, in einer Trance von Wohlsein, einer Verzückung des Wohlwollens; und seht, die abgelegensten Teile der Erde — blasse Schatten am fernsten Horizont, Indien etwa, steigen in unsern Gesichtskreis auf. Die Welt, die zusammengeschrumpft war, rundet sich; entlegene Gegenden werden aus dem Dunkel hervorgeholt; wir sehen schlammige Straßen, verschlungene Dschungel, Schwärme von Menschen, und der Geier, der an einem aufgeschwellten Kadaver frißt, ist innerhalb unsres Blickfelds, Teil unsres stolzen und herrlichen Gebiets, denn Percival, allein auf einem Fliegenschimmel vorausreitend, rückt einen einsamen Pfad entlang vor, läßt sein Lager zwischen ein paar vereinzelten Bäumen aufschlagen und sitzt dort allein und betrachtet die ungeheuern Berge.

Es ist Percival, sagte Louis, und er sitzt so schweigsam da, wie er inmitten der kitzelnden Grashalme saß, als der leichte Wind die Wolken auseinandertrieb und sie sich aufs neue formten; Percival, der uns bewußt werden läßt, daß diese Versuche, zu sagen: »Ich bin dies, ich bin das«, die wir machen, wenn wir, gleich getrennten Teilen eines einzigen Körpers und einer einzigen Seele, zusammenkommen, unehrlich sind. Irgend etwas ist, aus Furcht, weggelassen worden. Irgend etwas ist, aus Eitelkeit, verändert worden. Wir haben versucht, Unterschiede hervorzuheben. Aus dem Wunsch, jedes für sich zu sein, haben wir unsere Fehler und das, was das Besondere an uns ist, betont. Aber unterhalb wirbelt eine Kette in einem stahlblauen Kreis rundum und rundum.

Es ist Haß, es ist Liebe, sagte Susan. Das ist die wütende, kohlschwarze Strömung, die uns schwindeln macht, wenn wir in sie hinabschauen. Wir stehn hier auf einem Felsband, aber sobald wir hinabschauen, schwindelt uns.

Es ist Liebe, sagte Jinny, es ist Haß, wie Susan ihn mir gegenüber empfindet, weil ich Louis einmal im Garten küßte; denn so ausgestattet, wie ich bin, bringe ich sie, wenn ich hereinkomme, auf den Gedanken: »Meine Hände sind rot«, und zwinge sie, sie zu verstecken. Aber unser Haß ist beinahe ununterscheidbar von unsrer Liebe.

Doch diese tosenden Wasser, sagte Neville, auf denen wir unsre schwankenden Rednertribünen errichten, sind standfester als die wilden, die schwächlichen und widersinnigen Rufe, die wir ausstoßen, wenn wir uns bei dem Versuch, zu sprechen, erheben; wenn wir debattieren und diese unehrlichen Worte: »Ich bin dies, ich bin das!« hervorstoßen. Reden ist unehrlich.

Aber ich esse. Ich verliere allmählich alles Bewußtsein von Einzelheiten, während ich esse. Ich werde von Speisen beschwert. Diese köstlichen Mundvoll gebratener Ente, angemessen mit Gemüse beladen, die einander in köstlichem wiederkehrendem Wechsel von Wärme, Gewicht, Süße und Bitterkeit an meinem Gaumen vorbei durch meine Kehle in meinen Magen hinab folgen, haben meinen Körper gestetigt. Ich empfinde Ruhe, Schwergewicht, Beherrschung. Alles hat sich nun verfestigt. Instinktiv verlangt nun und erwartet mein Gaumen etwas Süßes und Leichtes, etwas Gezuckertes und sich Verflüchtigendes; und kühlen Wein, der wie ein Handschuh über jene feineren Nerven paßt, die vom Dach meiner Mundhöhle her zu erbeben scheinen und sie (wenn ich trinke) zu einer hochgewölbten Grotte weiten, einer von Weinblättern grünen, nach Moschus duftenden, von Trauben purpurnen. Nun vermag ich unentwegt in den Mühlgang zu schauen, der drunten schäumt. Mit welchem besonderen Namen sollen wir ihn benennen? Rhoda, deren Gesicht ich nebelhaft im Spiegel gegenüber sehe, soll es uns sagen; Rhoda, die ich, als sie ihre Blütenblätter in einer Schüssel schaukelte, dadurch störte, daß ich nach dem Taschenmesser fragte, das Bernard entwendet hatte. Für sie ist die Liebe kein Stromwirbel. Sie wird nicht schwindlig, wenn sie hinabschaut. Sie schaut über unsre Köpfe weg in die Ferne, über Indien hinaus.

Ja, zwischen euern Schultern durch, über eure Köpfe weg auf eine Landschaft, sagte Rhoda, bis zu einer Mulde, zu der die vielrückigen, steilen Berge gleich zusammengefalteten Vogelschwingen abfallen. Dort, auf dem kurzen, festen Rasen wachsen Büsche, dunkelblättrige, und vor ihrem Dunkel sehe ich eine Gestalt, eine weiße, aber nicht aus Stein, die sich bewegt, die vielleicht lebendig ist. Doch sie ist nicht du und nicht du und nicht du; nicht Percival, Susan, Jinny, Neville oder Louis. Wenn der weiße Arm auf dem Knie ruht, bildet er ein Dreieck; nun wird er hochgestreckt — eine Säule; nun ist er eine Fontäne, eine herabfallende. Die Gestalt gibt kein Zeichen, winkt nicht, sieht uns nicht. Hinter ihr rauscht das Meer. Sie ist außer unsrer Reichweite. Und doch wage ich mich dorthin. Dorthin begebe ich mich, um meine Leere aufzufüllen, um meine Nächte auszudehnen und sie immer mehr mit Träumen zu füllen. Und sekundenlang, sogar heute, sogar hier, erreiche ich mein Ziel und sage: »Wandere nicht weiter! Alles andre ist nur Tasten und Täuschung. Hier ist das Ziel.« Aber diese Pilgerfahrten, diese Augenblicke des Aufbruchs nehmen immer in eurer Gegenwart ihren Anfang, von diesem Tisch, diesen Lichtern, von Percival und Susan, hier und heute. Immer sehe ich den Hain über eure Köpfe hinweg, zwischen euern Schultern hindurch oder von einem Fenster aus, wenn ich während einer Gesellschaft durchs Zimmer gegangen bin und dort stehe und auf die Straße hinabblicke.

Aber seine Pantoffel? sagte Neville. Und seine Stimme unten in der Halle? Und ihn plötzlich zu erblicken, wenn er einen nicht sieht? Man wartet, und er kommt nicht. Es wird später und später. Er hat vergessen. Er ist mit jemand anders beisammen. Er ist treulos, seine Liebe bedeutete nichts. Oh, diese Qual dann — diese unerträgliche Verzweiflung! Und dann öffnet sich die Tür: Er ist da.

Ganz rieselndes Gold, sage ich zu ihm: »Komm!« sagte Jinny. Und er kommt; er geht durch das Zimmer auf mich zu, wo ich, von meinem Kleid wie von einem Schleier umbauscht, auf dem vergoldeten Sessel sitze. Unsre Hände berühren einander, unsre Körper entbrennen. Der Sessel, das Kelchglas, der Tisch — nichts bleibt unentflammt. Alles flackert, alles fängt Feuer, alles brennt lichterloh.

(Schau, Rhoda, sagte Louis, sie sind zu Nachtgeschöpfen, zu verzückten, geworden. Ihre Augen sind wie die Flügel von Nachtfaltern, die sich so schnell bewegen, daß sie sich überhaupt nicht zu bewegen scheinen.

Hörner und Trompeten ertönen, sagte Rhoda. Blätter entfalten sich; die Hirsche röhren im Dickicht. Da ist ein Tanzen und Trommeln, wie nackte Männer mit Assegais tanzen und trommeln.

Wie der Tanz von Wilden um das Lagerfeuer, sagte Louis. Sie sind wild; sie sind grausam. Sie tanzen im Kreis und schwingen Schweinsblasen. Die Flammen hüpfen über ihre bemalten Gesichter, über die Leopardenfelle und die blutenden Gliedmaßen, die sie dem lebenden Leib ausgerissen haben.

Die Flammen des Fests lodern hoch empor, sagte Rhoda. Der große Zug schreitet vorüber, wirft grüne Zweige und Blütenranken. Aus ihren Hörnern quillt blauer Rauch; ihre Haut ist vom Licht der Fackeln rot und gelb gesprenkelt. Sie werfen Veilchen. Sie schmücken die Geliebten mit Girlanden und Lorbeerblättern, dort auf dem Rasenrund, zu dem die steilrückigen Berge abfallen. Der Festzug zieht vorüber. Und während er vorüberzieht, Louis, fühlen wir Untergang, ahnen wir Verfall. Die Schatten senken sich schräg. Wir beide, die wir Verschwörer sind, uns miteinander zurückgezogen haben, um uns über eine kalte Urne zu neigen, gewahren, wie die purpurne Flamme nach unten fließt.

Der Tod ist mit den Veilchen verflochten, sagte Louis. Tod und abermals Tod.)

Wie stolz wir hier sitzen, sagte Jinny, wir, die wir noch nicht fünfundzwanzig sind! Draußen blühen die Bäume; draußen verweilen sich die Frauen; draußen schwenken und schwuppen die Taxis. Herausgelangt aus den tastenden Versuchen, den Verschwommenheiten und Verblendungen der Jugend, schauen wir geradeaus vor uns hin, vorbereitet auf was immer kommen mag (die Tür öffnet sich, die Tür öffnet sich immerzu). Alles ist wirklich; alles ist fest, ohne Schatten oder Illusion. Schönheit thront auf unsern Stirnen. Da ist meine, da ist Susans. Unser Fleisch ist prall und kühl. Unsre Verschiedenheiten sind fest umrissen wie die Schatten von Felsen in vollem Sonnenlicht. Neben uns liegen knusprige Brötchen, gelb glasierte, harte; das Tischtuch ist weiß; und unsre Hände liegen halb gekrümmt da, bereit, sich zur Faust zu schließen. Tage und Tage strecken sich vor uns, winterliche, sommerliche; wir haben unsern Vorrat kaum angebrochen. Nun ist die Frucht unterm Laub geschwellt. Das Zimmer ist golden. »Komm!« sage ich zu ihm.

Er hat rote Ohren, sagte Louis, und Bratendunst hängt als ein feuchtes Netz herab, während die Kontoristen einen Imbiß an der Bartheke einnehmen.

Da wir unbegrenzt Zeit vor uns haben, sagte Neville, fragen wir uns, was wir tun sollen. Sollen wir die Bond Street entlangschlendern, hierhin und dorthin blickend, und vielleicht eine Füllfeder kaufen, weil sie grün ist, oder fragen, wieviel der Ring mit dem blauen Stein kostet? Oder sollen wir zu Haus bleiben und zusehen, wie die Kohlen glutrot werden? Sollen wir nach einem Buch langen und hier einen Absatz und da einen Absatz lesen? Sollen wir ganz ohne Grund vor Lachen brüllen? Sollen wir durch blühende Wiesen gehn und Ketten aus Gänseblümchen winden? Sollen wir uns erkundigen, wann der nächste Zug nach den Hebriden abfährt, und uns ein Abteil reservieren lassen? Alles liegt noch vor uns.

Für euch, sagte Bernard. Aber ich rannte gestern, bums, in eine Briefkastensäule hinein. Gestern habe ich mich verlobt.

Wie seltsam, sagte Susan, diese kleinen Zuckerhäufchen neben unsern Tellern aussehen! Und ebenso diese gefleckten Kringel von Birnenschalen und die Plüschränder der Spiegel! Die habe ich vorher nicht bemerkt. Alles ist zur Ruhe gekommen; alles ist festgesetzt. Bernard hat sich verlobt. Etwas Unwiderrufliches ist geschehen. Ein Kreis ist auf die Wasser geworfen, eine Kette auferlegt worden. Wir werden nie wieder frei dahinfließen.

Bloß für einen Augenblick, sagte Louis. Bevor die Kette reißt, bevor Unordnung wiederkehrt, seht uns festgemacht, seht uns zur Schau gestellt, seht uns wie in einem Schraubstock festgehalten!

Jetzt aber zerbricht der Kreis. Nun fließt die Strömung wieder. Nun schießen wir schneller dahin als zuvor. Nun steigen Leidenschaften auf, die zwischen den dunkeln Wasserpflanzen dort unten auf uns lauerten, und hämmern mit ihren Wellen auf uns ein: Schmerz und Eifersucht, Neid und Begehren und etwas Tieferliegendes als diese, stärker als Liebe und unterirdischer. Die Stimme entschlossenen Handelns spricht. Hör zu, Rhoda (denn wir beide sind Verschwörer, die Hände auf der kalten Urne), hör der unbekümmerten, hastigen, erregenden Stimme des Handelns zu, der Stimme von Spürhunden auf der Fährte. Sie sprechen nun, ohne sich die Mühe zu nehmen, ihre Sätze zu beenden. Sie sprechen in einer Kleinkindersprache, wie Verliebte sie gebrauchen. Etwas gebieterisch Brutales hat von ihnen Besitz ergriffen. Die Nerven in ihren Schenkeln erbeben. Ihre Herzen klopfen wild und hämmern in ihrer Brust. Susan knüllt ihr Taschentuch zusammen. Jinnys Augen funkeln feurig.

Die beiden sind unempfindlich, sagte Rhoda, gegen bohrende Finger und forschende Augen. Wie ungezwungen sie den Kopf wenden und umhersehen; was für energische und stolze Haltungen sie einnehmen! Welches Leben aus Jinnys Augen scheint; wie unentwegt, wie voll ist Susans Blick, wenn sie an den Wurzeln nach Insekten sucht! Das Haar der beiden hat einen schimmernden Glanz. Ihre Augen glühen wie die Augen von Tieren, die auf der Spur der Beute durchs Laub streifen. Der Kreis ist zerstört. Wir sind auseinandergeworfen.

Aber bald, allzubald, sagte Bernard, versagt diese egotistische Jubelstimmung. Allzubald ist der Augenblick heißhungriger Ichsucht vorbei, und das Verlangen nach Glück und Glück und noch mehr Glück übersättigt. Der Stein ist gesunken; der Augenblick ist vorbei. Um mich herum verbreitet sich ein breiter Rand von Gleichgültigkeit. Nun öffnen sich in meinen Augen tausend neugierige Augen. Jedem steht es nun frei, Bernard, der verlobt ist, zu ermorden, wenn er nur diesen Gürtel unbekannten Gebiets unbetreten läßt, diesen Urwald unbekannter Welt. Warum, frage ich (diskret flüsternd), essen diese Frauen dort allein miteinander? Wer sind sie? Und was hat sie grade an diesem Abend grade in dieses Lokal geführt? Der junge Mann dort in der Ecke, nach der nervösen Art zu schließen, mit der er sich manchmal an den Hinterkopf greift, ist vom Land. Er ist bescheiden und so ängstlich bemüht, sich für die Güte seines Gastgebers, eines Freunds seines Vaters, empfänglich zu zeigen, daß er jetzt kaum genießen kann, was er morgen vormittag, um etwa halb zwölf, sehr genießen wird. Ich habe auch gesehen, wie sich diese Dame dort, mitten in einem sie ganz in Anspruch nehmenden Gespräch — vielleicht über die Liebe, vielleicht über das Unglück ihrer liebsten Freundin — dreimal die Nase gepudert hat. »Ah, aber in was für einem Zustand meine Nase ist!« denkt sie, und die Puderquaste kommt hervor und verwischt unterwegs alle innigsten Gefühle des Menschenherzens. Verbleibt allerdings das unlösbare Problem des einschichtigen Mannes mit dem Monokel und das der älteren Dame, die allein Champagner trinkt. Wer und was sind diese unbekannten Leute? frage ich mich. Ich könnte ein Dutzend Geschichten daraus erfinden, was er sagte, was sie sagte, — ich kann ein Dutzend Bilder sehen. Doch was sind Geschichten? Spielzeug, das ich zusammendrehe, Rauchkringel, die ich, einen Ring durch den andern, in die Luft blase. Und manchmal beginne ich zu zweifeln, ob es da überhaupt Geschichten gibt. Welches ist meine? Und die Rhodas? Und die Nevilles? Es gibt Tatsachen, wie etwa: »Der stattliche junge Mann im grauen Anzug, dessen Zurückhaltung so seltsam von der Redseligkeit der andern abstach, streifte sich jetzt die Krümel von der Weste und gab mit einer charakteristischen, zugleich befehlerischen und wohlwollenden Gebärde dem Kellner ein Zeichen, der sogleich herbeieilte und einen Augenblick später mit der auf einem Teller diskret gefalteten Rechnung zurückkam.« Das ist die Wahrheit; das ist die Tatsache, aber darüber hinaus ist alles dunkel und mutmaßlich.

Nun, sagte Louis, während wir daran sind, nachdem jedes seine Rechnung bezahlt hat, auseinanderzugehn, schließt sich abermals in unserm Blut der Kreis, der so oft, so heftig, denn wir sind alle so verschieden, zerrissen wurde, zu einem Ring. Etwas ist geschaffen. Ja, während wir uns jetzt erheben und ein wenig nervös umherstehn, bitten wir, dieses gemeinsame Gefühl in den Händen haltend, flehentlich: »Rührt euch nicht, laßt nicht die Schwingtür in Stücke schneiden, was sich hier, zwischen diesen Lampen, diesen Obstschalen, diesen verstreuten Brotkrümeln und vorbeigehenden Leuten zur Kugel rundet! Rührt euch nicht, geht nicht weg! Haltet es fest für immer!«

Wir wollen es für einen Augenblick festhalten, sagte Jinny; Liebe, Haß, wie immer wir sie benennen, diese Kugel, deren Wände aus Percival gemacht sind, aus Jugend und Schönheit und etwas so tief in uns Versenktem, daß wir vielleicht nie wieder diesen Augenblick aus einem einzigen Menschen erschaffen werden.

Wälder, sagte Rhoda, sind darin und ferne Länder auf der andern Seite der Welt; Meere und Dschungel; das Heulen von Schakalen und das Mondlicht, das auf einen hohen Berggipfel fällt, um den der Adler kreist.

Glücklichsein ist darin, sagte Neville, und die Stille gewöhnlicher Dinge. Ein Tisch, ein Stuhl, ein Buch mit einem zwischen die Seiten gesteckten Papiermesser. Und das Blütenblatt, das von der Rose abfällt, und das Flimmern des Lichts, während wir schweigend dasitzen oder vielleicht, da uns etwas Nichtiges einfällt, plötzlich sprechen.

Wochentage sind darin, sagte Susan: Montag, Dienstag, Mittwoch; die Pferde, die auf die Felder hinausgehn, und die Pferde, die heimkommen; die Krähen, die auffliegen und sich fallen lassen und die Ulmen in ihrem Netz fangen, ob es April ist, ob es November ist.

Was kommen wird, ist darin, sagte Bernard. Das ist der letzte Tropfen und der hellste, den wir wie ein himmliches Quecksilber in den schwellenden, herrlichen Augenblick fallen lassen, den wir aus Percival erschaffen haben. Was wird kommen? frage ich, die Krümel von der Weste streifend; was ist draußen? Wir haben bewiesen, als wir hier beisammen saßen und aßen und tranken und sprachen, daß wir dem Hort von Augenblicken einen hinzufügen können. Wir sind keine Sklaven, gezwungen, unaufhörlich unvermeldete kleinliche Schläge auf unsre gebeugten Rücken zu ertragen. Wir sind auch keine Schafe, die einem Herrn folgen. Wir sind Schöpfer. Auch wir haben etwas erschaffen, das sich den unzähligen Gemeinschaften vergangener Zeiten gesellen wird. Auch wir werden, wenn wir uns jetzt den Hut aufsetzen und die Tür aufstoßen, nicht ins Chaos hinausschreiten, sondern in eine Welt, die wir uns aus eigener Kraft untertan und zu einem Teil der erleuchteten und ewig bestehenden Straße machen können.

Betrachte, Percival, während das Taxi geholt wird, noch einmal den Ausblick, den du so bald aus den Augen verlieren wirst! Die Straße ist hart und dunkel geglättet vom Mahlen zahlloser Räder. Der gelbe Baldachin unsrer ungeheuern Tatkraft hängt wie ein feuriges Gewebe über unsern Köpfen. Theater, Varietés und Lampen in Privathäusern verbreiten dieses Licht.

Hochgetürmte Wolken, sagte Rhoda, segeln über einen Himmel, der dunkel ist wie poliertes Fischbein.

Nun beginnt die Qual, sagte Neville, nun hat das Grauen mich in den Fängen. Nun kommt das Taxi; nun fährt Percival weg. Was können wir tun, um ihn zu halten? Wie die Entfernung zwischen uns überbrücken? Wie das Feuer anfachen, damit es ewig brenne? Wie aller Zukunft künden, daß wir, die wir hier im Lampenlicht auf der Straße stehn, Percival liebten? Nun ist Percival nicht mehr da.

Die Sonne war zu voller Höhe aufgestiegen. Sie wurde nicht mehr nur halb gesehen und aus Blinken und Winken erraten, als umwände ein Mädchen, auf ihre grüne Meermatratze gelagert, sich die Stirn mit Reihen tropfenförmiger Juwelen, die Lanzen opalenen Lichts in die ungewisse Luft entsandten, fallende und funkelnde wie die Flanken eines springenden Delphins oder das Aufblitzen einer herabsausenden Klinge. Nun brannte die Sonne unnachgiebig und unabweisbar. Sie prallte auf den harten Sand, und die Felsen wurden zu rotglühenden Schmelzöfen; sie durchsuchte jeden Tümpel und erwischte die sich in dem Spalt verbergende Elritze und wies auf das rostige Karrenrad, den weißen Knochen oder den Schuh, der ohne Schnürriemen, schwarz wie Eisen, im Sand stak. Sie gab allem und jedem sein genaues Maß von Farbe; den Dünen ihr unzähliges Glitzern, den wilden Gräsern ihr aufblitzendes Grün; oder sie fiel auf die dürre Einöde der Wüste, der hier vom Wind zu Furchen gepeitschten, hier zu einsamen Haufen zusammengewehten, hier von verkümmerten dunkelgrünen Dschungelbäumen gesprenkelten. Sie beleuchtete die glatt vergoldete Moschee, die gebrechlichen rosaroten und weißen Kartenhäuser des südlichen Dorfs und die hängebrüstigen weißhaarigen Weiber, die im Flußbett knieten und geknüllte Wäsche auf die Steine klatschten. Dampfer, die langsam übers Meer pufften, wurden vom unentwegten Starrblick der Sonne getroffen, und sie brannte durch das gelbe Sonnensegel auf Passagiere, die dösten oder das Deck abschritten und ihre Augen beschatteten, um nach dem Land auszuspähen, während Tag auf Tag das Schiff sie, zwischen seine öligen schütternden Flanken zusammengezwängt, eintönig über das Wasser weitertrug.

Die Sonne brannte auf die gedrängten Felstürme südlicher

Berge und glastete in tiefen, steinigen Flußbetten, wo das Wasser unter der hochgewölbten Brücke so gesunken war, daß die auf heißen Steinen knieenden Weiber ihre Wäsche kaum benetzen konnten; und wo magere Maultiere mit über ihre schmalen Schultern gehängten Körben sich den Weg durch das klappernde graue Geröll suchten. Zu Mittag machte die Hitze die Berge graubraun, als wären sie von einer Explosion rasiert und abgesengt, während weiter nördlich, in wolkigeren und regnerischeren Ländern, wie mit dem Rücken eines Spatens zu Platten geglättete Berge ein Licht in sich hatten, als ginge ein Wächter tief innen mit einer grünen Lampe von Kammer zu Kammer. Durch Atome graublauer Luft beschien die Sonne englische Wiesen und beleuchtete Marschen und Tümpel, eine weiße Möwe auf einem Pfahl und langsam über rundköpfige Wälder und junges Korn und flutende Mähwiesen dahinsegelnde Schatten. Sie prallte auf die Obstgartenmauer, und jedes Grübchen und Buckelchen der Ziegel war wie mit Silber betupft, purpurrot, feurig, als wäre es weich anzugreifen, als müßte es, angegriffen, zu heißgebackenen Stäubchen zerfallen. Die Johannisbeeren hingen vor der Mauer in Wellchen und Kaskaden von blankgeputztem Rot. Pflaumenbäume ließen ihre Blätter schwellen, und alle Grashalme liefen in ein flüssiges grünes Flammen zusammen. Der Schatten der Bäume war zu dunkeln Tümpeln an der Wurzel zusammengeschrumpft. Herabflutendes Licht löste die einzelnen Blätter der Belaubung in einen einzigen Gupf von Grün auf.

Die Vögel sangen leidenschaftliche, nur an ein einziges Ohr gerichtete Lieder und verstummten dann. Gurrend und gluckend trugen sie Strohhälmchen und Zweiglein zu den dunkeln Knoten in den höheren Ästen der Bäume. Übergoldet und überrötet fanden sie sich einen Sitz im Garten, wo Dolden von Laburnum und Flieder Gelb und Lilarot herabregneten, denn jetzt, zu Mittag, war der Garten ein einziges üppiges Blühen, und sogar die Stollen unter den Pflanzen waren grün und purpurn und gelb-

rot, als die Sonne durch das rote oder das sattgelbe Blütenblatt drang oder von einem dickbehaarten grünen Stengel abgehalten wurde.

Die Sonne brannte gradenwegs auf das Haus, machte die weißen Mauern zwischen den dunkeln Fenstern grell. Deren Scheiben, von grünen Zweigen dick überwoben, enthielten Kreise undurchdringlicher Dunkelheit. Scharfkantige Keile von Licht lagen auf dem Fenstersims und ließen innen im Zimmer Teller mit blauem Rand sichtbar werden, Tassen mit gekrümmten Henkeln, die Wölbung einer großen Terrine, das kreuz und quer laufende Muster im Teppich und die dräuenden Kanten und Ecken von Schränken und Bücherregalen. Hinter dieser Ansammlung hing eine Zone von Schatten, in der es vielleicht noch eine Gestalt gab, die von Schatten zu entlasten war, oder noch dichtere Tiefen von Dunkelheit.

Die Wellen brachen sich und breiteten ihre Wasser geschwind über den Strand. Eine nach der andern türmten sie sich und überstürzten sich; der Schaum schleuderte sich mit der Wucht ihres Anpralls zurück. Die Wellen waren von tiefem Blau getränkt, bis auf ein Muster von diamantenen Lichtpunkten auf ihren Rükken, die sich wellten, wie die Muskeln auf den Rücken großer Pferde sich wellen, wenn die sich bewegen. Die Wellen stürzten; zogen sich zurück und stürzten abermals mit dem dumpfen Aufprall eines großen stampfenden Tiers.

Er ist tot, sagte Neville. Er stürzte. Sein Pferd stolperte. Er wurde abgeworfen. Das Segel der Welt schwang herum und hat mir einen Schlag auf den Kopf versetzt. Alles ist aus. Die Lichter der Welt sind erloschen. Da steht der Baum, an dem ich nicht vorbeikann.

Oh, dieses Telegramm in meinen Fingern zu zerknüllen — das Licht der Welt zurückfluten zu lassen — sagen zu können, dies ist nicht geschehen! Aber weshalb den Kopf hierhin und dorthin wenden? Dies ist die Wahrheit. Dies ist die Tatsache. Sein Pferd stolperte; er wurde abgeworfen. Die vorüberflitzenden Bäume und weißen Geländerstangen wurden in einem Schauer hochgerissen. Ein Aufwogen; ein Trommeln in seinen Ohren. Dann der Stoß; die Welt stürzte ein; er atmete schwer. Er starb, wo er hingefallen war.

Scheunen und Sommertage auf dem Land, Zimmer, in denen wir saßen, — alle liegen sie nun in der unwirklichen Welt, die dahin ist. Meine Vergangenheit ist von mir abgeschnitten. Männer kamen gelaufen. Sie trugen ihn in einen Pavillon, Männer in Reitstiefeln, Männer in Tropenhelmen; mitten unter unbekannten Männern starb er. Einsamkeit und Schweigen umgaben ihn oft. Er verließ mich oft. Und wenn er dann zurückkehrte — »Schau, hier kommt er!« sagte ich mir.

Frauen schieben sich am Fenster vorbei, als wäre da keine einschneidende Kluft in der Straße; kein Baum mit steifen Blättern, an dem wir nicht vorbeikönnen. Wir, wir verdienen es, von Maulwurfshügeln zu Fall gebracht zu werden. Wir sind unendlich verächtlich, wie wir so mit geschlossenen Augen vorbeischlurren. Aber warum sollte ich mich fügen? Warum versuchen, den Fuß zu heben und die Treppe hinaufzugehn? Dies ist die Stelle, wo ich stehe; hier, das Telegramm in der Hand. Die Vergangenheit, Sommertage und Zimmer, in denen wir saßen, treibt hinweg wie verkohltes Papier mit roten Augen darin. Warum einander treffen und wieder von neuem beginnen? Warum reden und essen und andre Verbindungen mit andern Menschen eingehn? Von diesem Augenblick an bin ich einsam. Niemand wird mich von nun an kennen. Ich besitze drei Briefe von ihm. »Ich soll jetzt mit einem Obersten Scheiben werfen, also nichts weiter für heute«, so endet er, sich einen Weg durch die Menge bahnend, unsre Freundschaft mit einem Schwenken der Hand. Diese Farce ist keine förmlichere Feier wert. Aber wenn doch nur jemand gesagt hätte: »Warte!«, die Gurte drei Löcher enger geschnallt hätte — er hätte fünfzig Jahre lang Recht gesprochen in einem Gerichtssaal und wäre allein an der Spitze von Truppen geritten und hätte irgendeine ungeheuerliche Tyrannei angeprangert und wäre zu uns zurückgekommen.

Nun sage ich, da grinst etwas, da steckt eine Hinterlist. Irgend etwas höhnt hinter unserm Rücken. Dieser Junge da verlor fast den Halt, als er auf den Autobus aufsprang. Percival stürzte; wurde getötet; ist begraben; und ich sehe zu, wie Leute vorbeigehn; sich am Geländer von Autobussen festhalten; entschlossen sind, ihr Leben zu bewahren.

Ich will den Fuß nicht heben, um die Treppe hinaufzugehn. Ich will einen Augenblick unter dem unerweichlichen Baum stehnbleiben, allein mit dem Mann, der mit durchschnittener Kehle daliegt, während unten die Köchin die Wärmeregler aus- und einschiebt. Ich will die Treppe nicht hinaufgehn. Wir sind dem Untergang geweiht, wir alle. Frauen mit Einkaufstaschen schlurren vorbei. Immerzu kommen Leute vorbei. Doch du sollst mich nicht vernichten.

Denn diesen Augenblick, diesen einen Augenblick sind wir beisammen. Ich drücke dich an mich. Komm, Schmerz, nähre dich von mir! Grabe mir deine Fänge ins Fleisch! Zerreiße mich! Ich schluchze, ich schluchze.

So unverständlich ist alles miteinander verknüpft, sagte Bernard, so vielfältig ist alles, daß ich, während ich die Treppe hinuntergehe, nicht weiß, ob ich Trauer, ob ich Freude empfinde. Mein Sohn ist geboren; Percival ist tot. Ich werde von Pfeilern gestützt, links und rechts gestemmt von krassen Empfindungen; doch welche ist Trauer, welche ist Freude? frage ich mich, und ich weiß es nicht, nur, daß ich Stille brauche und allein sein und ausgehn und mir eine Stunde absparen möchte, um zu bedenken, was meiner Welt widerfahren ist, was der Tod meiner Welt angetan hat.

Dies also ist die Welt, die Percival nicht mehr sieht. Ich will mich in ihr umblicken. Der Metzgerbursche liefert nebenan Fleisch ab; zwei alte Männer stolpern den Gehsteig entlang; Sperlinge lassen sich nieder. Die Maschine arbeitet also; ich vermerke den Rhythmus, das Pochen, aber als etwas, woran ich nicht teilhabe, da er es nicht mehr sieht. (Er liegt bleich und bindenumwickelt in irgendeinem Zimmer.) Nun also ist die Gelegenheit da, herauszufinden, was für mich von großer Wichtigkeit ist, und ich muß mich in acht nehmen, mich nicht zu belügen. Was ihn betraf, fühlte ich: er saß im Mittelpunkt. Nun begebe ich mich nicht mehr dorthin. Die Stelle ist leer.

O ja, ich kann euch versichern, ihr Männer in Filzhüten und ihr Frauen mit Einkaufskörben — ihr habt etwas verloren, das sehr wertvoll für euch gewesen wäre. Ihr habt einen Führer verloren, dem ihr gefolgt wäret; und eine von euch hat ihr Glück und ihre Kinder verloren. Er ist tot, der euch das gegeben hätte. Er liegt verbunden auf einem Feldbett in einem heißen Krankenhaus in Indien, während Kulis, auf dem Boden hockend, diese Fächer — ich habe vergessen, wie man sie nennt — hin- und herbewegen. Doch dies ist wichtig: »Du bist fein heraus«, sagte ich, als wäre es so, während die Tauben über die Dächer herabschwebten und mein Sohn geboren wurde. Ich erinnere mich, wie er als Knabe etwas merkwürdig Losgelöstes hatte. Und weiter sage ich (und meine Augen füllen sich mit Tränen und sind dann trocken): »Doch das ist besser, als man zu hoffen wagte.« Ich sage zu dem Abstrakten, das mir augenlos am Ende der Allee am Himmel entgegensieht: »Ist dies das Äußerste, das du vermagst?« Dann hätten wir gesiegt. »Du hast dein Äußerstes getan«, sage ich zu dem leeren, brutalen Gesicht (denn er war fünfundzwanzig und hätte achtzig werden sollen), »aber es war vergeblich. Ich werde mich nicht hinwerfen und ein gramvolles Leben mit Tränen vertrauern.« (In mein Merkbuch einzutragen: Verachtung für diejenigen, die einem einen sinnlosen Tod antun.) Ferner, und auch dies ist wichtig, sollte ich imstande sein, ihn in kleinliche und lächerliche Situationen zu versetzen, damit er sich nicht absurd vorkomme dort oben auf dem hohen Roß; ich muß imstande sein zu sagen: »Percival — ein lächerlicher Name!« Gleichzeitig aber laßt euch sagen, ihr Männer und Frauen, die ihr zur Untergrundbahnstation eilt, ihr hättet Achtung vor ihm gehabt und euch formieren und ihm folgen müssen. Wie sonderbar, sich seinen Weg durch die Menge zu bahnen, das Leben aus hohlen Augen, aus brennenden Augen zu sehen!

Und doch beginnen schon wieder Zeichen, Winke, Versuche, mich zurückzulocken. Neugier ist nur für eine kurze Weile verjagt. Man kann nicht länger als vielleicht eine halbe Stunde außerhalb der Maschine leben. Körper, so gewahre ich, beginnen schon wieder normal auszusehen; aber was hinter ihnen ist — die Perspektive, ist anders. Hinter dem

Zeitungsplakat sehe ich das Krankenhaus; den langen Saal, wo dunkelhäutige Männer an Fächerschnüren ziehen; und dann begraben sie ihn. Aber weil das Plakat sagt, daß sich eine berühmte Schauspielerin hat scheiden lassen, frage ich mich sogleich, welche? Doch ich vermag nicht, das Kupferstück hervorzuholen; ich vermag nicht, eine Zeitung zu kaufen; ich vermag noch nicht, eine Unterbrechung zu ertragen.

Ich frage mich, welche Form unsre Zwiesprache nun annehmen wird, nun, da ich dich nie mehr sehen und meine Augen nicht mehr auf dieser festen Verläßlichkeit ruhen lassen werde. Du bist über den Hof gegangen, weiter und weiter weg, hast den Faden zwischen uns dünner und dünner ausgedehnt. Doch du existierst irgendwo. Etwas von dir verbleibt. Ein Richter. Das heißt, wenn ich eine neue Ader in mir entdecke, werde ich sie insgeheim dir unterbreiten. Ich werde fragen: Was ist dein Urteil? Du wirst für mich der *arbiter* bleiben. Aber auf wie lange? Es wird vieles zu schwierig zu erklären sein; es wird Neues geben; gibt es schon: meinen Sohn. Ich befinde mich jetzt im Zenith eines Erlebnisses. Es wird absinken. Schon rufe ich nicht mehr überzeugt aus: »Welches Glück!« Mein Hochgefühl, das Herabschweben von Tauben ist vorbei. Das Chaos und Einzelheiten kehren zurück. Ich staune nicht mehr über Namen, die über Schaufenstern stehn. Ich empfinde nicht mehr: Wozu die Eile? Wozu einen Zug erreichen? Die natürliche Aufeinanderfolge der Dinge kehrt wieder; das eine führt zum andern — die übliche Ordnung.

Ja, aber ich lehne die übliche Ordnung noch immer ab. Ich will mich noch nicht dahin bringen lassen, die Aufeinanderfolge hinzunehmen. Ich werde weitergehn; ich werde diese Stufen zu der Gemäldegalerie hinaufsteigen und mich dem Einfluß von Geistern unterwerfen, die gleich dem meinen außerhalb der Aufeinanderfolge stehn. Es bleibt kaum Zeit, die Frage zu beantworten; meine Kräfte erlahmen; ich werde träge. Hier sind Bilder. Hier sind kalte Madonnen zwischen ihren Säulen. Sie sollen die unaufhörliche Geschäftigkeit des geistigen Auges, den verbundenen Kopf, die Männer und Schnüre zur Ruhe bringen, damit ich darunter vielleicht etwas Nichtvisuelles finde. Hier sind Gärten; und Venus inmitten ihrer Blumen; hier sind Heilige und blaue Madonnen. Barmherzigerweise machen diese Bilder keine Anspielung; sie geben einem keinen heimlichen Rippenstoß; sie weisen nicht mit dem Finger. So weiten sie mein Bewußtsein von ihm und bringen ihn mir auf andre Weise zurück. Ich erinnere mich seiner Schönheit. »Schau, dort kommt er!« sage ich.

Linien und Farben überzeugen mich beinahe, daß auch ich heroisch sein kann; ich, der ich so leicht Phrasen mache, bin so bald verführt, liebe, was als nächstes sich ereignet, und kann nicht die Faust ballen, sondern schwanke unschlüssig und mache Phrasen je nach meinen Umständen. Nun erlange ich, durch meine Kraftlosigkeit, wieder, was er für mich war: mein Gegenteil. Von Natur wahrheitsliebend, sah er den Zweck solcher Übertreibungen nicht ein und wurde von einem natürlichen Gefühl für das Passende getragen, war tatsächlich ein großer Meister der Lebenskunst, so daß er lange gelebt und Ruhe um sich verbreitet zu haben scheint, Gleichmut, könnte man fast sagen, sicherlich gegenüber seinem eignen Vorwärtskommen, obzwar er sehr mitfühlend sein konnte. Ein spielendes Kind — ein Sommerabend — Türen öffnen und schließen sich, hören nicht auf, sich zu öffnen und zu schließen, und durch sie sehe ich Anblicke, die mich weinen machen. Denn sie sind nicht mitteilbar. Daher unsre Vereinsamung; daher unsre Verlassenheit. Ich wende mich dieser Stelle in meinem Gemüt zu und finde sie leer. Meine Schwächen bedrücken mich. Er ist nicht mehr da, um ihr Gegenteil darzubieten.

Dann blick also auf die blaue, tränenüberströmte Muttergottes! Dies ist meine Totenfeier für ihn. Wir haben keine öffentlichen Zeremonien, nur persönliche Trauergesänge, und keine zusammenfassenden Leichenreden, bloß heftige, von einander getrennte Empfindungen. Nichts, was gesagt worden ist, trifft auf unsern Fall zu. Wir sitzen im italienischen Saal der Nationalgalerie und klauben Bruchstücke auf. Ich bezweifle, daß Tizian je diese Ratte nagen spürte. Maler führen ein Leben methodischen Insichaufnehmens, fügen einen Pinselstrich an den andern. Sie sind nicht — wie Dichter — Sündenböcke; sie sind nicht an den Felsen gekettet. Daher die Stille, die Erhabenheit. Und doch muß dieses Karminrot Tizian im Magen gebrannt haben. Zweifellos erhob er sich, das Füllhorn in den mächtigen Armen, und stürzte im Herabsteigen. Aber die Stille lastet auf mir — die ständige Aufforderung an das Auge. Der Druck setzt manchmal aus, ist manchmal nur dumpf. Ich unterscheide zu wenig und zu undeutlich. Es wird am Glockenzug gezogen, aber ich läute nicht oder bringe nur beziehungslose, mißtönende Laute hervor. Ich werde von etwas Prächtigem außerordentlich gekitzelt; dem gekräuselten Scharlachrot neben dem grünen Futterstoff; der Flucht von Säulen; dem gelbroten Licht hinter den schwarzen, gespitzten Ohren der Ölbäume. Pfeile von Sinnesempfindungen strahlen von meinem Rückgrat aus, aber in keiner Ordnung.

Doch etwas kommt zu meiner Auslegung hinzu. Etwas liegt tief begraben. Einen Augenblick glaubte ich, es zu erfassen. Aber begrabe es, begrabe es! Es soll brüten, in den Tiefen meines Geistes versteckt, um eines Tags Frucht hervorzubringen. Nach einem langen Leben, in einem Augenblick der Offenbarung, werde ich es vielleicht lose in die

Finger bekommen, jetzt aber zerbricht mir die Idee in der Hand. Ideen zerbrechen tausendmal für das eine Mal, wo sie sich zur ganzen Kugel runden. Sie zerbrechen; sie fallen auf mich herab. »Umriß und Farben, sie überdauern, daher ...«

Ich gähne. Ich bin übersättigt von Empfindungen. Ich bin erschöpft von der Anstrengung und der langen, langen Zeit — fünfundzwanzig Minuten, eine halbe Stunde — die ich mich allein, außerhalb der Maschine gehalten habe. Ich werde stumpf; ich werde steif. Wie soll ich diese Stumpfheit zerbrechen, die mein mitfühlendes Herz in Mißkredit bringt? Es gibt andre, die leiden — Unmengen von Menschen, die leiden. Neville leidet. Er liebte Percival. Aber ich kann keine Seelenqualen mehr vertragen; ich brauche jemand, mit dem ich lachen, mit dem ich gähnen, mit dem ich mich erinnern kann, wie er sich den Kopf zu kratzen pflegte; jemand, mit dem er unbefangen war und den er gern hatte (nicht Susan, die er liebte, sondern eher Jinny). Auch in ihrem Zimmer könnte ich Buße tun. Ich könnte fragen: »Hat er dir erzählt, wie ich es ihm damals abschlug, mit ihm nach Hampton Court zu fahren?« Solches sind die Gedanken, die mich qualvoll auffahren lassen werden mitten in der Nacht — die Verbrechen, für die man auf allen Marktplätzen der Welt barhaupt Buße tun möchte; daß man damals nicht nach Hampton Court fuhr.

Jetzt aber will ich Leben um mich haben und Bücher und Nippsachen und die gewohnten Rufe der Straßenverkäufer, um nach dieser Erschöpfung meinen Kopf darauf zu betten und nach dieser Offenbarung die Augen zu schließen. Ich will also unverzüglich die Stufen hinuntergehn und das erste Taxi herbeiwinken und zu Jinny fahren.

Da ist die Pfütze, sagte Rhoda, und ich kann nicht hinüber. Ich höre das Schwirren des großen Schleifsteins ein paar Zoll von meinem Kopf. Sein Luftzug braust mir ins

Gesicht. Alle greifbaren Formen des Lebens haben mich im Stich gelassen. Wenn ich mich nicht strecken und irgend etwas Hartes berühren kann, werde ich immerdar durch die ewigen Gänge geweht werden. Was also kann ich berühren? Welchen Ziegel, welchen Stein? Und mich so über den ungeheuern Abgrund heil in meinen Körper zurückziehen?

Nun hat sich der Schatten gesenkt, und das purpurne Licht fließt schräg herab. Die Gestalt, die in Schönheit gewandet war, ist nun in Verfall gekleidet. Die Gestalt, die in der Mulde stand, zu der die steilrückigen Berge absinken, zerfällt in Stücke, wie ich es ihnen sagte, als sie behaupteten, sie liebten seine Stimme auf der Treppe und seine alten Schuhe und die Augenblicke des Beisammenseins.

Nun will ich durch die Oxford Street gehn und eine Welt ins Auge fassen, die vom Blitz zerrissen ist; ich will Eichenstämme ansehen, die gespalten sind und rot, wo der blühende Ast abgebrochen ist. Ich will in die Oxford Street gehn und mir für eine Abendgesellschaft Strümpfe kaufen. Unter dem Zucken des Blitzstrahls will ich das Gewohnte tun. Vom nackten Erdboden will ich Veilchen pflücken und sie zu einem Sträußchen binden und sie Percival darbieten, etwas ihm von mir Geschenktes. Seht nun, was Percival mir geschenkt hat! Seht nun die Straße an, da Percival tot ist! Die Häuser sind so schwach unterbaut, daß ein Hauch sie umblasen kann. Rücksichtslos drauflos rasen und rattern die Autos, und wie Spürhunde hetzen sie uns zu Tod. Ich bin allein in einer feindseligen Welt. Das menschliche Gesicht ist scheußlich. Das ist ganz, wie es mir gefällt. Ich möchte Öffentlichkeit und Gewalttätigkeit und möchte wie ein Stein an Felsen zerschmettert werden. Mir gefallen Fabrikschlote und Krane und Lastwagen. Mir gefällt das Vorüber von Gesicht und Gesicht und Gesicht, alle mißgestalt, gleichgültig. Ich habe Hübschheit satt; ich habe ungestörtes Alleinsein satt. Ich befahre wilde Gewässer und werde untergehn, ohne daß jemand da ist, der mich rettet.

Percival hat mir durch seinen Tod dieses Geschenk gemacht, hat diesen Schrecken enthüllt, hat mich dem Erleiden dieser Erniedrigung überlassen — Gesichtern und Gesichtern, ausgeteilt wie Suppenteller von Küchenjungen; groben, gierigen, gleichgültigen; mit baumelnden Päckchen in Schaufenster blickenden; die alles beäugeln, an alles anstreifen, alles zerstören und sogar unsre Liebe, nun von ihren schmutzigen Fingern berührt, verunreinigt zurücklassen.

Hier ist das Warenhaus, wo es Strümpfe zu kaufen gibt. Und ich könnte glauben, daß Schönheit noch einmal in Fluß gebracht ist. Ihr Geflüster kommt durch diese Gänge zwischen den Ladentischen, haucht durch diese Spitzen, um diese Körbe mit bunten Bändern. So gibt es denn kosige Nischen, ins Innerste des Tumults gehöhlte; Alkoven des Schweigens, wo wir uns, unter dem Fittich der Schönheit, vor der Wahrheit bergen können, nach der ich verlange. Schmerz ist in Schwebe, während eine Verkäuferin lautlos eine Schublade öffnet. Aber dann sagt sie etwas; ihre Stimme weckt mich. Ich schieße hinab auf den Grund, zwischen die Wasserpflanzen, und sehe Neid, Eifersucht, Haß und Bosheit gleich Krabben über den Sand davonkrabbeln, während sie spricht. Diese sind unsre Gefährten. Ich will meine Rechnung bezahlen und mein Päckchen in Empfang nehmen.

Dies ist die Oxford Street. Hier sind Haß, Neid, Hast und Gleichgültigkeit zu einem wildschäumenden Anschein des Lebens aufgerührt. Diese sind unsre Gefährten. Betrachte die Freunde, mit denen wir beisammensitzen und essen! Ich denke an Louis, der die Sportspalten einer Abendzeitung liest und sich vor Lächerlichkeit fürchtet; ein Snob. Er sagt, auf die Vorübergehenden blickend, er werde uns leiten, wenn wir ihm folgen wollen. Wenn wir uns fügen, werde er uns zu Ordnung zurückführen. Auf diese Weise wird er zu seiner Befriedigung Percivals Tod wegglätten, während er starr über das Essig-und-Ölkännchen und an den Häusern hinauf in den Himmel blickt. Und Bernard läßt sich unterdessen mit geröteten Augen in einen Armstuhl sinken. Er wird sein Merkbuch hervorziehen; unter T wird er eintragen: »Phrasen, beim Tod von Freunden zu gebrauchen.« Jinny wird sich, durch das Zimmer pirouettierend, auf die Armlehne seines Sessels setzen und fragen: »Hat er mich geliebt? Mehr, als er Susan liebte?« Susan, mit ihrem Landwirt verlobt, wird einen Augenblick dastehn, das Telegramm vor sich, einen Teller in der Hand; und dann, mit einem Schnellen der Ferse, die Herdtüre zuwerfen. Neville wird, nachdem er durch Tränen aufs Fenster gestarrt hat, durch seine Tränen hindurchsehen und sagen: »Wer geht dort draußen vorbei? — Welcher schöne Knabe?« Dies ist mein Tribut an Percival: verwelkte Veilchen, schwarz gewordene Veilchen.

Wohin also soll ich gehn? In irgendein Museum, wo Ringe in Glaskästen aufbewahrt sind, wo es Zierschränkchen zu sehen gibt und die Gewänder, die Königinnen getragen haben? Oder soll ich nach Hampton Court und die roten Mauern betrachten und die Höfe und die Artigkeit einer Herde von Eiben, die zwischen den Blumen symmetrisch schwarze Pyramiden auf dem Gras bilden? Werde ich dort Schönheit wiederentdecken und meiner durchharkten, meiner zerzausten Seele Ordnung auferlegen? Doch was läßt sich in Einsamkeit schaffen? Allein würde ich auf dem menschenleeren Gras stehn und sagen: »Krähen fliegen; jemand kommt mit seiner Einkaufstasche vorbei; dort ist ein Gärtner mit einem Schubkarren.« Ich würde in einer Schlange stehn und Schweißgeruch einatmen, und ebenso scheußlich riechendes Parfüm, und mit andern Leuten wie eine Hammelkeule zwischen andern Hammelkeulen hängen.

Hier ist ein Saal, wo man Geld bezahlt und hineingeht und sich Musik anhört inmitten andrer schläfriger Leute, die nach dem Essen hierhergekommen sind, an einem heißen Nachmittag. Wir haben genug Roastbeef und Süßspeise gegessen, um eine Woche lang ohne Nahrung leben zu können. Darum sammeln wir uns wie Maden auf dem Rücken von etwas, das uns weitertragen wird. Wohlanständig, behäbig — wir haben in Wellen gelegte weiße Haare unter unsern Hüten; schmale Schuhe; kleine Handtaschen, glattrasierte Wangen; da und dort einen militärischen Schnurrbart; keinem Stäubchen ist gestattet worden, sich auf unsern Kleidern von schwarzem Tuch niederzulassen. Programme schwenkend und entfaltend, einige Begrüßungsworte mit Freunden wechselnd, machen wir es uns bequem gleich Walrossen, auf Felsen gestrandeten, gleich schweren Leibern, unfähig zum Meer hinzuwatscheln, und hoffen, eine Welle werde kommen und uns heben, aber wir sind zu schwer, und ein zu breites Stück Kieselstrand ist zwischen uns und dem Wasser. Wir liegen vollgegessen, träge in der Hitze da. Und dann kommt uns die aufgeschwemmte, aber von schlüpfriger Seide umschlossene Weibsperson zu Hilfe. Sie saugt die Lippen ein, nimmt einen Ausdruck von Gespanntheit an, bläht sich auf und wirft sich, haargenau im richtigen Augenblick, als sähe sie einen Apfel und ihre Stimme wäre der Pfeil, auf den Ton: »Ah!«

Eine Axt hat einen Baum bis ins Mark gespalten; das Mark ist warm; Klang vibriert in der Rinde. »Ah!« rief eine Frau, aus einem Fenster in Venedig lehnend, ihrem Liebhaber zu. »Ah, ah!« rief sie und ruft abermals: »Ah!« Sie hat uns mit einem Schrei versorgt. Aber nur einem Schrei. Und was ist ein Schrei? Dann erscheinen käferförmige

Männer mit ihren Geigen; warten; zählen; nicken; die Bögen senken sich. Und dann gibt's ein Geriesel und Gelächter, ähnlich dem Tanz von Ölbäumen und ihren Myriaden grauer Blätterzungen, wenn ein Seefahrer, ein Zweiglein zwischen den Zähnen, dort, wo die vielrückigen steilen Berge abfallen, ans Ufer springt.

»Wie« und »gleich dem« und »ähnlich jenem« — aber was ist denn nun das Ding, das unter dem ihm ähnlichen liegt? Nun, da der Blitz den Baum gespalten hat und der blühende Ast abgebrochen ist und Percival mir, durch seinen Tod, dieses Geschenk gemacht hat, will ich mir das Ding ansehen. Da ist ein Quadrat; da ist ein Rechteck. Die Musiker nehmen das Quadrat und setzen es auf das Rechteck. Sie setzen es sehr genau auf; sie errichten eine vollkommene Wohnstätte. Sehr wenig bleibt außerhalb davon. Die Struktur ist nun sichtbar; was noch ungestaltet ist, wird hier ausgesagt; wir sind weder so vielfältig noch so armselig; wir haben Quadrate verfertigt und sie auf Rechtecke gestellt. Das ist unser Triumph; das ist unser Trost.

Die Süße dieser Befriedigung fließt über und die Wände meines Geists herab und befreit das Verständnis. Wandre nicht mehr! sage ich mir; dies ist das Ziel. Das Quadrat ist auf das Rechteck gestellt worden; obenauf ist die Spirale. Wir sind über den Kieselstrand zum Meer hinunter geschleift worden. Die Musiker kommen wieder. Aber sie wischen sich das Gesicht. Sie sind nicht mehr so schmuck oder so gutgelaunt. Ich werde gehn. Ich will diesem Nachmittag einen Platz für sich geben. Ich will eine Wallfahrt unternehmen. Ich will nach Greenwich fahren. Ich will mich furchtlos in Trambahnen, in Autobusse stürzen. Während wir schwankend durch die Regent Street rucken und ich gegen diese Frau, gegen jenen Mann geworfen werde, bin ich nicht verletzt, bin ich nicht empört durch den Zusammenprall. Ein Quadrat steht auf einem Rechteck. Hier sind ärmliche Gassen, wo vor Marktbuden gefeilscht wird und jede Art von Stangen, Bolzen und Schrauben ausgelegt ist und die Leute von den Gehsteigen herabschwärmen und mit feisten Fingern prüfend rohe Fleischstücke kneifen. Die Struktur ist sichtbar. Wir haben eine Wohnstätte errichtet.

Dies also sind die Blumen, die zwischen den groben Wiesengräsern wachsen, von den Kühen zertrampelt, vom Wind zerzaust, beinahe aus der Form gebracht, ohne Blüte oder Frucht. Diese also sind, was ich mitbringe, samt den Wurzeln aus dem Pflaster der Oxford Street gerissen, mein Pennysträußchen, mein Pennysträußchen Veilchen. Nun erblicke ich durch das Tramfenster Mastspitzen zwischen den Rauchfängen; und da ist der Fluß; da sind Schiffe, die nach Indien fahren. Ich will den Fluß entlanggehn. Ich werde auf diesem Kai hin- und hergehn, wo ein alter Mann in einem verglasten Wartehäuschen eine Zeitung liest. Ich werde auf dieser Terrasse hin- und hergehn und den Schiffen zusehen, die mit der Ebbe flußabwärts fahren. Eine Frau ergeht sich, von einem Hund umbellt, auf dem Deck. Ihr Rock flattert; ihr Haar flattert; die dort fahren aufs Meer hinaus; sie lassen uns zurück; sie verschwinden an diesem Sommerabend. Nun will ich loslassen; nun will ich freigeben. Nun will ich endlich dem zurückgehaltenen, zurückgedrängten Wunsch, mich auszugeben, erschöpft zu werden, nachgeben. Wir wollen miteinander über Wüstenhügel galoppieren, dahin, wo die Schwalbe ihre Schwinge in dunkle Teiche taucht und die Säule ungeborsten dasteht. In die Welle, die ans Ufer schlägt, in die Welle, die ihren weißen Gischt bis an die äußersten Enden der Erde schleudert, werfe ich meine Veilchen, meine Opfergabe für Percival.

Die Sonne stand nicht mehr mitten am Himmel. Ihr Licht kam schräg, fiel schief ein. Hier entzündete es sich am Rand einer Wolke und brannte sie zu einer Fläche von Licht, einer lodernden Insel, auf der kein Fuß ruhen konnte. Dann fing sich eine andre Wolke in dem Licht und noch eine und noch eine, so daß die Wellen unter ihnen von feurig befiederten Pfeilen getroffen wurden, die umherirrend über die wellige Bläue schossen.

Die obersten Blätter des Baums dörrten in der Sonne. Sie raschelten steif in der schweifenden Brise. Die Vögel saßen still, aber wendeten ihre Köpfe scharf von einer Seite zur andern. Nun hielten sie in ihrem Gesang inne, wie von Klang übersättigt und als hätte die Fülle des Mittags ihnen die Kehle gestopft. Die Libelle schwebte regungslos über einem Schilfrohr und schnellte dann ihren blauen Nadelstich weiter durch die Luft. Das leise Summen in der Ferne schien von dem Schwirren zarter Flügel zu kommen, die am Himmelsrand auf und nieder tanzten. Das Wasser des Flusses hielt die Schilfstengel nun fest, als hätte es sich um sie herum zu Glas verhärtet; und dann wellte sich das Glas, und die Schilfrohre neigten sich tief. Nachdenklich, mit gesenktem Kopf standen die Rinder auf den Weiden und setzten schwerfällig einen Fuß vorwärts und dann noch einen. Der Wasserhahn an der Hauswand hörte auf, in den Eimer zu tropfen, als wäre der Eimer voll, und dann ließ er einen, zwei, drei einzelne Tropfen hintereinander fallen.

Die Fenster zeigten bald da, bald dort Flecke brennenden Feuers, den Ellbogen eines Asts und dann eine stille Fläche reiner Klarheit. Die Gardine hing rot an der Kante des Fensters, und innen im Zimmer fielen Dolche von Licht auf Stühle und Tische und ließen Sprünge in Lack und Politur entstehn. Die grüne Vase wölbte sich gewaltig mit ihrem in die Länge gezogenen weißen

Fenster in der Seite. Dunkelheit vor sich hertreibend ergoß sich das Licht überströmend auf Ecken und Buckel; und staute doch Dunkelheit zu Haufen von ungeformter Gestalt auf.

Die Wellen drängten sich, krümmten den Rücken und überstürzten sich, daß Steine und Kiesel aufsprühten. Sie fegten um Felsen, und der hochspringende Schaum bespritzte die Wände einer Grotte, die vorher trocken gewesen war, und landeinwärts blieben Tümpel zurück, in denen gestrandete Fische mit dem Schwanz schlugen, als die Welle sich zurückzog.

Ich habe meinen Namen, sagte Louis, schon zwanzigmal unterschrieben. Ich und wieder ich und wieder ich. Klar, fest, unbezweifelbar steht er da, mein Name. Klar umrissen und unbezweifelbar bin auch ich. Doch ein ungeheures Erbgut von Erfahrung ist in mir angehäuft. Ich habe Tausende von Jahren gelebt. Ich bin wie ein Wurm, der sich durch das Holz eines uralten Eichenbalkens gefressen hat. Aber heute bin ich kompakt; heute, an diesem schönen Vormittag, bin ich gesammelt.

Die Sonne scheint von einem klaren Himmel. Aber zwölf Uhr bringt weder Regen noch Sonnenschein. Es ist die Stunde, zu der Miss Johnson mir meine Briefe in einem Drahtkorb bringt. Auf diese weißen Vierecke kritzle ich meinen Namen. Das Gewisper von Laub, das Geriesel von Wasser den Rinnstein entlang, grüne, von Dahlien und Zinnien gefleckte Tiefen; ich nun ein Herzog, nun Plato, der Gefährte des Sokrates; der schwere Tritt dunkelhäutiger und gelbhäutiger Männer, die nach Osten, Westen, Norden und Süden wandern; die ewige Prozession, Frauen, die mit Aktenköfferchen den »Strand« entlanggehn, wie sie einst mit Krügen zum Nil hinabgingen; alle die zusammengerollten, dichtgepackten Blätter meines vielfältigen Lebens sind nun in meinen Namen zusammengefaßt; klar und offen in das Briefblatt eingeritzt. Nun ein voll ausgewachsener Mann, nun aufrecht dastehend in Sonnenschein oder Regen, muß ich schwer wie eine Axt herabsausen und den Eichenstamm mit meinem schieren Gewicht spalten, denn wenn ich abweiche, hierhin oder dorthin blicke, werde ich wie Schnee herabfallen und hinschwinden.

Ich bin fast verliebt in die Schreibmaschine und das Telephon. Mit Briefen und Kabeln und knappen aber höflichen telephonischen Befehlen nach Paris, Berlin, New York habe ich meine zahlreichen Leben zu einem einzigen verschmolzen; habe ich durch meine Emsigkeit und Entschlußkraft mitgeholfen, jene Linien auf der Landkarte dort, durch die die verschiedenen Teile der Welt verbunden sind, einzuzeichnen. Ich liebe es, pünktlich um zehn mein Bureauzimmer zu betreten; ich liebe das purpurne Glühen des dunkeln Mahagoniholzes; ich liebe den Schreibtisch und seine scharfe Kante; und die leicht gleitenden Schubladen. Ich liebe das Telephon, dessen Muschel sich meinem Flüstern entgegenstreckt, und das Datum an der Wand; und das Vormerkbuch mit den Verabredungen: Mr. Prentice um vier; Mr. Eyres um punkt vier Uhr dreißig.

Ich habe es gern, in Mr. Burchards Privatzimmer gerufen zu werden und über unsre Verbindlichkeiten in China zu berichten. Ich hoffe, ich werde einen Armstuhl und einen türkischen Teppich erben. Meine Hände greifen in die Speichen; ich rolle das Dunkel vor mir her, verbreite Handel, wo Chaos war in den fernen Gebieten der Erde. Wenn ich vorwärtsdränge, aus Chaos Ordnung mache, werde ich mich eines Tags dort sehen, wo Chatham stand und Pitt, Burke und Sir Robert Peel. Auf diese Weise lösche ich gewisse Makel und tilge einstige Verunglimpfungen; die Frau, die mir ein Fähnchen von der Spitze des Weihnachtsbaums schenkte; meine Aussprache; Prügel und andre Quälereien; die prahlerischen Jungen; meinen Vater, einen Bankier in Brisbane.

Ich habe meinen Lieblingsdichter in einem Speisehaus gelesen und, meinen Kaffee umrührend, den Kontoristen zugehört, die an den kleinen Tischen ihre Wetten abschlossen, habe den Frauen, den unschlüssig vor dem Büffet stehenden, zugesehen. Ich sagte, daß nichts belanglos sein sollte wie ein achtlos weggeworfenes Stück Packpapier. Ich sagte, ihre Reisen sollten ein Ziel vor sich haben; sie sollten ihre zwei Pfund zehn die Woche auf Befehl eines erhabenen Herrn und Meisters verdienen; eine Hand, eine Robe sollte uns des Abends umhüllen. Wenn ich diese Brüche geheilt und diese Ungeheuerlichkeiten begriffen haben werde, so daß sie weder entschuldigt noch verteidigt zu werden brauchen, was beides unsre Kräfte vergeudet, werde ich der Straße und dem Speisehaus zurückgeben, was sie verloren haben, als sie in diese harten Zeiten gerieten und an diesen steinigen Gestaden zerbrachen. Ich werde ein paar Wörter zusammenfügen und einen Ring aus gehämmertem Stahl um uns schmieden.

Doch nun habe ich keinen Augenblick länger Zeit. Hier gibt es keine Atempause für uns, keinen Schatten von bebenden Blättern, keine Laube, in die man sich aus der Sonne zurückziehen kann, um da mit einer Liebsten in der Abendkühle zu sitzen. Das Gewicht der Welt lastet auf unsern Schultern; sie sieht aus, wie unsre Angen sie sehen; sobald wir blinzeln oder zur Seite blicken oder uns zurückwenden, um, was Plato sagte, zu durchblättern oder uns Napoleons und seiner Eroberungen zu erinnern, fügen wir der Welt die Unbill eines schiefen Urteils zu. Dies ist das Leben: Mr. Prentice um vier; Mr. Eyres um vier Uhr dreißig. Ich höre gern das sanfte Sausen des Aufzugs und den dumpfen kleinen Bums, mit dem er bei meinem Treppenabsatz anhält, und die schweren männlichen Tritte verantwortungsbewußter Füße auf dem Korridor. So entsenden wir kraft unsrer vereinten Bemühungen Schiffe, mit Klosetten und Turnsälen ausgestattete, in die entferntesten Teile des Erdballs. Das Gewicht der Welt lastet auf unsern Schultern. Dies ist das Leben. Wenn ich so weiterstrebe, werde ich einen Armstuhl und einen Teppich erben; einen Besitz in Surrey mit Glashäusern und einer seltenen Konifere, einer Melone oder einem blühenden Baum, um den andre Handelsherren mich beneiden werden.

Und doch behalte ich immer noch meine Dachkammer. Dort öffne ich das gewohnte kleine Buch; dort sehe ich zu, wie der Regen auf den Dachziegeln glitzert, bis sie glänzen wie der wasserdichte Mantel eines Polizisten; von dort sehe ich die zerbrochenen Fensterscheiben in den Häusern der Armen; die mageren Katzen; irgendeine Schlumpe, die sich in einem gesprungenen Spiegel mit zusammengekniffenen Augen besieht, um ihr Gesicht für die Straßenecke zurechtzumachen; in diese Mansarde kommt manchmal Rhoda; denn wir sind ein Liebespaar.

Percival ist gestorben (er ist in Ägypten gestorben; er ist in Griechenland gestorben; alle Tode sind ein und derselbe Tod). Susan hat Kinder; Neville steigt rasch zu den höchsten Höhen auf. Das Leben vergeht. Die Wolken verändern sich ständig über unsern Häusern. Ich tue dies, tue das und dann wieder dies und das. Zusammenkommend und auseinandergehend setzen wir verschiedene Formen zusammen, bilden wir verschiedene Muster. Aber wenn ich diese Eindrücke nicht ans schwarze Brett hefte und aus den vielen Männern in mir einen einzigen mache, hier und heute existiere und nicht in Streifen und Flecken gleich verstreuten Schneewehen auf fernen Bergen; und beim Durchschreiten des Bureaus Miss Johnson nicht nach den Filmen, die sie gesehen hat, frage und meine Tasse Tee ergreife und auch mein Lieblingskeks entgegennehme, werde ich wie Schnee herabfallen und hinschwinden.

Aber sobald es sechs Uhr ist und ich, vom Portier gegrüßt, an den Hutrand greife, der ich immer zu übertrieben zeremoniös bin, weil mich sosehr danach verlangt, akzeptiert zu werden; und mich, bis zum Hals zugeknöpft, mit blauen Kinnbacken und tränenden Augen gegen den Wind stemme, wünsche ich mir, eine kleine Tippmamsell würde sich auf meine Knie kuscheln; da denke ich daran, daß mein Leibgericht geröstete Leber mit Speck ist; und wandere dann gern zum Fluß hinunter, durch die engen Gassen, wo es zahlreiche Schenken gibt und sich balgende Weiber und am Ende der Gasse die Schattenrisse vorbeifahrender Schiffe. Doch ich sage mir, meinen gesunden Menschenverstand zurückgewinnend: Mr. Prentice um vier; Mr. Eyres um vier Uhr dreißig. Das Beil muß auf den Block herabsausen; der Eichenklotz bis ins Mark gespalten werden. Die Last der Welt ruht auf meinen Schultern. Hier liegen Feder und Papier; auf den Briefen in dem Drahtkorb unterschreibe ich meinen Namen, ich, ich und wieder ich.

Der Sommer kommt und der Winter, sagte Susan. Die Jahreszeiten gehn vorbei. Die Birne füllt sich und fällt vom Baum. Das dürre Blatt ruht auf seinem Rand. Aber Wasserdampf hat das Fenster getrübt. Ich sitze am Feuer und sehe zu, wie der Kessel kocht. Ich sehe den Birnbaum durch den streifigen Dampf an der Fensterscheibe.

Schlaf, schlaf, singe ich leise, ob es Sommer ist oder Winter, Mai oder November. Schlaf! singe ich — ich, die ich unmusikalisch bin und keine Musik höre außer ländlicher, wenn ein Hund bellt, eine Glocke bimmelt oder Räder über den Kies knirschen. Ich singe mein Lied am Feuer, wie eine alte Muschel auf dem Strand murmelt. Schlaf, schlaf, sage ich und verscheuche mit meiner Stimme alle, die mit Milchkannen klappern, auf Krähen schießen, Kaninchen abknallen oder irgendwie den Schock der Zerstörung in die Nähe dieser Korbwiege bringen, die mit weichen, unter eine rosa Decke gekuschelten Gliedmaßen beladen ist.

Ich habe meine Unbekümmertheit verloren, meine blanken Augen, meine birnenförmigen Augen, die bis an die Wurzel sahen. Ich bin nicht mehr Januar, Mai oder eine andre Jahreszeit, sondern bin ganz und gar zu einem feinen Faden um die Wiege herum gesponnen, wickle die zarten Glieder meines Kindchens in einen Kokon aus meinem eignen Blut. Schlaf! sage ich und spüre in mir etwas wilder, dunkler Heftiges aufschießen, so daß ich mit einem einzigen Schlag jeden Eindringling, jeden Räuber, der in dieses Zimmer einbrechen und das Schlafende wecken würde, niederschlüge.

Ich schlapfe den ganzen Tag in Schürze und Pantoffeln umher wie meine Mutter, die an Krebs starb. Ob es Sommer ist, ob es Winter ist, das erkenne ich nicht mehr am Gras der Bergwiesen und an den Blumen der Heide; nur am Wasserdampf an der Fensterscheibe oder den Eisblumen an der Fensterscheibe. Wenn die Lerche hoch oben ihre Spirale von Klang zieht und die durch die Luft herabfällt wie eine Apfelschale, bücke ich mich; ich stille mein Kindchen. Ich, die ich den Buchenwald zu durchwandern gewohnt war und gewahrte, wie die Feder des Eichelhähers blau herabkreiselt; vorbeikam an Schäfer und Landstreicher und die Frau ansah, die neben einem gekippten Karren im Straßengraben hockte, ich gehe nun mit einem Staubwedel von Zimmer zu Zimmer. Schlaf! sage ich und wünsche, Schlaf möge herabsinken wie eine Daunendecke und diese schwachen Glieder einhüllen; verlange, das Leben solle seine Krallen einziehen und seine Blitze an den Gürtel binden und vorbeigehn, und mache aus meinem Körper eine Nische, ein warmes Obdach, darin mein Kind schlafe. Schlaf, sage ich, schlaf! Oder ich trete ans Fenster und blicke hinauf auf das Krähennest hoch oben; und auf den Birnbaum. »Seine Augen werden sehen, wenn die meinen geschlossen sind«, denke ich. »Ich werde, mit den seinen vermengt, über meinen Körper hinausgehn und Indien sehen. Es wird heimkommen und Trophäen mitbringen, um sie mir zu Füßen zu legen. Es wird meine Besitztümer mehren.«

Aber ich stehe nun nie bei Morgengrauen auf und sehe die violetten Tropfen auf den Kohlblättern; die roten Tropfen auf den Rosen. Ich sehe nicht mehr zu, wie der Setter witternd im Kreis umherläuft, und liege nicht mehr des Nachts und sehe zu, wie die Blätter die Sterne verbergen und die Sterne sich bewegen und die Blätter still hängen. Der Metzger kommt; die Milch muß zugedeckt werden, damit sie nicht sauer werde.

Schlaf, sage ich, schlaf, während der Kessel kocht und sein Atem immer dicker in einem einzigen Strahl aus dem Schnabel hervorkommt. So füllt Leben meine Adern. So rinnt Leben durch meine Glieder. So werde ich vorwärtsgetrieben, bis ich, die ich von morgens bis abends öffnend und schließend in Bewegung bin, ausrufen möchte: »Genug! Ich bin übersatt von natürlichem Glücklichsein.« Aber noch mehr wird kommen: mehr Kinder, mehr Wiegen, mehr Körbe in der Küche und reifende Schinken und goldglänzende Zwiebeln und noch mehr Salat- und Kartoffelbeete. Ich werde wie ein Blatt vor dem Sturm einhergeweht, bald das feuchte Gras streifend, bald in die Luft emporgewirbelt. Ich bin gesättigt von natürlichem Glücklichsein; und wünsche mir manchmal, daß diese Fülle mich verlasse und das Gewicht des schlafenden Hauses sich von mir hebe, wenn wir dasitzen und lesen, und ich mit dem Faden am Öhr meiner Nähnadel innehalte. Die Lampe entzündet ein Feuer in der dunkeln Fensterscheibe. Feuer brennt im Innersten des Efeulaubs. Ich sehe eine erhellte Straße zwischen den immergrünen Blättern. Ich höre Verkehrslärm aus dem Wind, der durch den Heckenweg streift, und abgerissene Stimmen und Lachen und Jinny, die, sobald sich die Tür öffnet, ausruft: »Komm, komm!«

Aber kein Laut unterbricht das Schweigen unsres Hauses, wo die Felder ganz nahe der Eingangstür seufzen. Der Wind spült durch die Ulmen; ein Nachtfalter prallt gegen die Lampe; eine Kuh muht; ein Knacken beginnt in den Dachsparren, und ich ziehe den Faden durch das Nadelöhr und murmle: »Schlaf!«

Nun ist der Augenblick da, sagte Jinny. Nun haben wir zwei einander getroffen und sind zusammengekommen. Nun wollen wir plaudern, einander Geschichten erzählen. Wer ist er? Wer ist sie? Ich bin unendlich neugierig und weiß nicht, was geschehen wird. Wenn du, den ich zum erstenmal treffe, zu mir sagtest: »Der Überlandbus fährt um vier von Piccadilly ab«, würde ich mich nicht damit aufhalten, ein paar notwendige Kleinigkeiten in eine Hutschachtel zu werfen, sondern würde sogleich kommen.

Setzen wir uns auf das Sofa unter das Bild mit den Schnittblumen. Wir wollen unsern Weihnachtsbaum mit Tatsachen und abermals mit Tatsachen aufputzen. Menschen sind so bald dahin; fangen wir sie ein! Dieser Mann dort neben dem Schränkchen; er lebt, sagst du, umgeben von Porzellanvasen. Zerbrichst du eine, zertrümmerst du tausend Pfund. Und er liebte ein Mädchen in Rom, und sie verließ ihn. Daher die Vasen, alter Kram, in Logierhäusern gefunden oder aus dem Wüstensand ausgegraben. Und da Schönheit täglich zerbrochen werden muß, um schön zu bleiben, und er sich nicht vom Fleck rührt, stagniert sein Leben in einem Meer von Porzellan. Aber es ist doch merkwürdig: einst, als junger Mann, saß er auf dem feuchten Erdboden und trank mit Soldaten Rum.

Man muß flink sein und geschickt Tatsachen hinzufügen, sie wie Spielsachen mit einer Fingerdrehung an einem Weihnachtsbaum befestigen. Er beugt sich herab, und wie er sich herabbeugt, sogar über eine Azalee! Er beugt sich sogar zu der alten Dame, weil sie Diamanten in den Ohren trägt und in einem Ponywagen auf ihrem Landgut umhersaust und Weisungen gibt, wer unterstützt, welcher Baum gefällt, wer morgen entlassen werden und seine Kate verlieren soll. (Ich habe mein Leben, das muß ich dir sagen, alle die Jahre, und ich bin nun mehr als dreißig, gefährlich gelebt, wie eine Bergziege von Fels zu Fels springend; ich lasse mich nirgends für lange nieder; ich schließe mich nicht an einen bestimmten Menschen an; aber du wirst sehen, wenn ich den Arm hebe, wird sich sogleich irgendeine Gestalt loslösen und herkommen.) Und jener Mann ist ein Richter; und jener ein Millionär, und jener, mit dem Einglas, schoß seine Gouvernante mit einem Pfeil mitten durchs Herz, als er zehn Jahre alt war. Später ritt er mit Meldungen durch Wüsten, nahm an Revolutionen teil und sammelt jetzt Material für eine Geschichte der Familie seiner Mutter, die seit langem in Norfolk ansässig ist. Dieser kleine Mann mit dem bläulichen Kinn hat eine verkrüppelte rechte Hand. Aber wieso? Wir wissen es nicht. Die dort, flüsterst du mir diskret zu, die dort mit den Perlenpagoden in den Ohren, war die reine Flamme, die das Leben eines unsrer Staatsmänner erhellt hat; nun, seit er gestorben ist, sieht sie Geister, sagt die Zukunft voraus und hat einen kaffeebraunen Jüngling adoptiert, den sie den Messias nennt. Jener Mann mit dem Hängeschnurrbart, der wie ein Kavallerieoffizier aussieht, hat ein äußerst ausschweifendes Leben geführt (es steht alles in irgendwelchen Memoiren), bis er eines Tags in der Eisenbahn von einem Unbekannten, der ihm aus der Bibel vorlas, zwischen Edinburgh und Carlisle bekehrt wurde.

Und so entziffern wir behend, geschickt, in ein paar Sekunden die Hieroglyphen, die auf andrer Leute Gesichtern geschrieben stehn. Hier, in diesem Zimmer, befinden sich die abgescheuerten und angeschlagenen Muscheln, die ans Ufer geworfen wurden. Die Tür öffnet sich immer wieder. Das Zimmer füllt sich immer mehr mit Wissen, Seelenqual, vielen Arten von Ehrgeiz, viel Gleichgültigkeit, einiger Verzweiflung. Wir alle miteinander, sagst du, könnten Kathedralen erbauen, Politik machen, Menschen zum Tod verurteilen und die Angelegenheiten mehrerer öffentlicher Ämter verwalten. Der gemeinsame Vorrat an Erfahrung ist sehr groß. Alle zusammen haben wir Dutzende von Kindern beiderlei Geschlechts, die wir aufziehen, die wir, wenn sie die Masern bekommen, im Internat besuchen, und wir erziehen sie, damit sie dereinst unsre Häuser erben. Auf die eine oder andre Art machen wir diesen Tag, diesen Freitag, zu dem, was er ist, indem wir, einige von uns, in die Gerichtshöfe gehn; andre in die City; wieder andre ins Kinderzimmer; noch andre, indem sie in Viererreihen marschieren. Millionen Hände nähen, heben Mörteltröge, tragen Ziegel. Der Tätigkeit ist kein Ende. Und morgen beginnt es von neuem; morgen machen wir den Samstag. Einige besteigen den Zug nach Frankreich; andre ein Schiff nach Indien. Einige werden dieses Zimmer nie wieder betreten. Einer wird vielleicht heute abend sterben. Ein andrer wird ein Kind zeugen. Aus uns wird jede Art von Gebäude, Politik, Wagnis, Bild, Dichtung, Kind, Fabrik entspringen. Das Leben kommt; das Leben geht; wir machen das Leben. So sagst du.

Aber wir, die wir im Leibe leben, sehen mit der Vorstellungskraft des Leibes Dinge im Umriß. Ich sehe Felsen in hellem Sonnenschein. Ich kann diese Tatsachen nicht in eine Höhle mitnehmen und, die Augen beschattend, ihr Gelb, Blau und Umbra zu einer einzigen Substanz abstufen. Ich kann nicht lange sitzen bleiben. Ich muß aufspringen und weggehn. Der Überlandbus wird vielleicht von Piccadilly abfahren. Ich lasse alle diese Tatsachen — Diamanten, verkrüppelte Hände, Vasen aus Porzellan und alles übrige — fallen, wie ein Äffchen Nüsse aus seinen nackten Pfoten fallen läßt. Ich kann dir nicht sagen, ob das Leben dies ist oder das. Ich werde mich hinausdrängen in die buntgemischte Menge. Ich werde umhergestoßen werden; hinauf- und hinuntergeworfen werden inmitten von Menschen, wie ein Schiff auf hoher See.

Denn mein Körper, mein Gefährte, der immer seine Signale, das brüske schwarze »Nein«, das goldene »Komm«, als schnelle, eilende Pfeile von Empfindungen sendet, winkt nun. Jemand bewegt sich. Habe ich den Arm gehoben? Habe ich hingesehen? Hat mein gelber Schal mit den erdbeerroten Tupfen, in der Luft flatternd, ein Zeichen gesandt? Der dort hat sich von der Wand gelöst. Er folgt mir. Ich werde durch den Wald verfolgt. Alles ist verzückt, alles ist natürlich, und die Papageien klettern kreischend durchs Gezweig. Alle meine Sinne sind aufgerichtet. Nun spüre ich die groben Fäden des Vorhangs, durch den ich mich hindurchdränge; nun spüre ich das kalte Eisengeländer und seinen abspringenden Lack unter meiner Handfläche. Nun spülen die kühlen Fluten der Dunkelheit über mich hinweg. Wir sind im Freien. Die Nacht erschließt sich; die von schwärmenden Nachtfaltern durchschweifte; die abenteuerlustige Liebespaare verbergende Nacht. Ich rieche Rosen; ich rieche Veilchen; ich sehe grade noch erkennbares Rot und Blau. Nun ist Kies unter meinen Schuhen; nun Gras. Hochauf ragen die Hinterseiten von Häusern mit ihrer Mitschuld von Lichtern. Ganz London ist eine einzige Unruhe blinkender Lichter. Nun wollen wir unser Liebeslied singen — Komm, komm, komm! Nun gleicht mein goldenes Signal einer gestrafft dahinschießenden Libelle. Tschuck, tschuck, tschuck singe ich wie die Nachtigall, deren Melodien in den zu engen Gang ihrer Kehle gedrängt sind. Nun höre ich das Brechen und Knacken von Zweigen und das Krachen von Geweihen, als wären die Tiere des Waldes alle auf der Jagd nach Beute, bäumten sich alle hoch auf und stürzten sich ins Dornengestrüpp. Eines hat mich durchbohrt. Eines ist tief in mich eingedrungen. Und samtige Blumen und Blätter, deren Kühle in Wasser gestellt wurde, umspülen mich, umhüllen mich, balsamieren mich.

Warum denn, sagte Neville, auf die Uhr blicken, die dort auf dem Kaminsims tickt? Die Zeit vergeht, ja. Und wir werden älter. Aber mit dir hier zu sitzen, allein mit dir, hier in London, in diesem vom Kaminfeuer erhellten Zimmer, du dort, ich hier, ist alles. Die Welt, bis in ihre fernsten Winkel durchstöbert und alle ihre Höhen geplündert und ihre Blumen eingesammelt, enthält nicht mehr. Sieh, wie der Feuerschein die Goldfäden im Vorhang hinauf und hinunter läuft! Die Früchte, die er umspielt, hängen schwer herab. Der Feuerschein fällt auf die Spitze deines Schuhs, er umgibt dein Gesicht mit einem roten Rand — ich glaube, es ist der Feuerschein und nicht dein Gesicht; ich glaube, das dort an der Wand sind Bücher und dies ist ein Vorhang und das hier vielleicht ein Armsessel. Aber wenn du kommst, verändert sich alles. Die Tassen und Teller veränderten sich, als du heute morgen hereinkamst. Kein Zweifel, dachte ich, die Zeitung beiseiteschiebend, daß unsre armseligen Leben, unansehnlich, wie sie nun einmal sind, nur unter den Augen der Liebe sich mit Herrlichkeit umhüllen und einen Sinn bekommen.

Ich stand auf. Ich hatte mein Frühstück beendet. Der ganze Tag lag vor uns, und da es ein schöner Tag war, ein zärtlicher, zu nichts verpflichtender, gingen wir durch den Park zum Themsekai, dann durch den Strand bis zur St. Pauls-Kirche, dann in den Laden, wo ich einen Schirm kaufte, immerzu plaudernd und dann und wann stehnbleibend, um uns etwas anzusehen. Aber kann dies von Dauer sein? fragte ich mich auf dem Trafalgar Square vor einem der Löwen, vor dem ein- für allemal gesehenen Löwen. So durchstreife ich mein vergangenes Leben, Szene auf Szene; da steht eine Ulme, und dort liegt Percival. Auf immer und ewig, schwur ich. Dann kamen die gewohnten Zweifel herangeschossen. Ich umklammerte deine Hand. Du gingst weg. Der Abstieg in die Untergrundbahn war wie ein Tod. Wir wurden zerschnitten, wir wurden zertrennt von allen jenen Gesichtern und dem hohlen Wind, der dort unten über Felsblöcke in einer Wüste zu brausen schien. Dann saß ich in meinem Zimmer und starrte vor mich hin. Als es fünf Uhr wurde, wußte ich, daß du mir untreu warst. Ich griff hastig nach dem Telephon, und das Brr-brr-brr seiner albernen Stimme in deinem leeren Zimmer knüppelte mein Herz nieder — da ging die Tür auf und du standest da. Das war die vollkommenste unsrer Zusammenkünfte. Aber diese Zusammenkünfte, diese Abschiede werden uns zuletzt vernichten.

Jetzt erscheint mir dieses Zimmer als ein Mittelpunkt, als etwas aus der ewigen Nacht Herausgeschältes. Außerhalb verschlingen und überschneiden sich Linien, aber immer rund um uns her, uns umhüllend. Hier sind wir im Mittelpunkt. Hier können wir schweigen oder reden, ohne die Stimme zu erheben. »Hast du dies bemerkt und dann das?« fragen wir. »Er sagte das und meinte … Sie zögerte, und ich glaube, sie schöpfte Verdacht. Jedenfalls habe ich Stimmen gehört, ein Schluchzen auf der Treppe spät nachts. Es ist das Ende ihres Verhältnisses.« So spinnen wir um uns herum unendlich feine Fäden und errichten ein System. Plato und Shakespeare werden miteinbezogen, und auch ganz unbekannte Leute, Leute ohne jedwede Bedeutung. Ich hasse Männer, die ein Kruzifix links auf ihrer Weste tragen. Ich hasse Zeremonien und Lamentationen und die traurige Gestalt Christi, die neben einer andern schwankenden und traurigen Gestalt einherschwankt. Ebenso das Pompöse und die Gleichgültigkeit und die Emphase, immer an falscher

Stelle, von Leuten, die unter Kronleuchtern in voller Abendkleidung, sternen- und ordenbespickt, ihre Weisheit verzapfen. Aber auf einen Blütenzweig in einer Hecke oder einen Sonnenuntergang über einem flachen, winterlichen Feld oder darauf, wie jene Alte, die Arme in die Seiten gestemmt, einen Korb auf dem Schoß, in einem Autobus dasitzt — auf das alles machen wir einander aufmerksam, damit der andre auch hinsehe. Und dann nicht zu reden! Den dunkeln Wegen des Geistes zu folgen und in die Vergangenheit einzutreten, Bücher zu besuchen, ihr Gezweig auseinanderzuhalten und eine Frucht zu pflücken. Und du nimmst sie und bewunderst sie, so wie ich die unbekümmerten Bewegungen deines Körpers nehme und seine Ungezwungenheit, seine Kraft bewundere — wie du Fenster aufreißt und geschickt bist mit deinen Händen. Denn, ach! mein Geist ist ein wenig behindert, er ermüdet bald; ich sinke verschwitzt, vielleicht anwidernd am Ziel zusammen.

Ach, ich könnte nicht mit einem Tropenhelm durch Indien reiten und in einen Bungalow heimkehren! Ich kann mich nicht, so wie du das tust, herumtummeln wie halbnackte Jungen auf dem Deck eines Schiffs, die einander aus Wasserschläuchen bespritzen. Ich brauche dieses Kaminfeuer, ich brauche diesen Armsessel. Ich brauche jemand, neben dem ich nach der Hetzjagd des Tages und all seiner Seelenqual sitzen kann, all dem Zuhören und Herumwarten und Argwöhnen. Nach Streit und Versöhnung brauche ich Ungestörtheit — das Alleinsein mit dir, um in dieses ganze Durcheinander Ordnung zu bringen. Denn ich bin in meinen Gewohnheiten peinlich adrett wie eine Katze. Wir müssen uns dem Ausschuß und dem Mißgestalten der Welt entgegenstellen, ihren Scharen, die, ausgespien und trampelnd rundum und rundum wirbeln. Ja man muß sogar das Papiermesser exakt durch die Seiten von Romanen gleiten lassen und Päckchen von Briefen säuberlich mit grüner Seide umschnüren und die Asche mit einem Kaminbesen zusammenfegen. Alles muß getan werden, um das Grausige des Mißgestalten zurückzuweisen. Wir wollen Schriftsteller von römischer Strenge und Tugend lesen; wir wollen durch den Wüstensand nach Vollkommenheit streben. Ja, aber ich liebe es, die Tugend und Strenge edler Römer unter das graue Licht deiner Augen zu schieben und auch schwankende Grashalme und Sommerlüftchen und das Lachen und Lärmen spielender Jungen — nackter Schiffsjungen, die einander aus Wasserschläuchen auf dem Verdeck bespritzen. Daher bin ich nicht, wie Louis, ein uninteressiert durch den Wüstensand nach Vollkommenheit Strebender. Immer flekken Farben die Buchseite; Wolken ziehen darüber hin. Und das Gedicht, glaube ich, ist bloß deine Stimme, die spricht. Alkibiades, Ajax, Hektor und Percival sind auch du. Sie ritten gern, sie setzten ihr Leben mutwillig aufs Spiel, sie waren auch keine großen Leser. Aber du bist weder Ajax noch Percival. Sie verzogen nicht die Nase und kratzten sich nicht die Stirn mit deiner entschiedenen Gebärde. Du bist du. Das ist's, was mich für den Mangel an vielem tröstet — ich bin häßlich, ich bin schwächlich — und für die Verderbtheit der Welt und das Verfliegen der Jugend und Percivals Tod und Bitterkeit und Groll und ungezähltes Beneiden.

Aber wenn du eines Tags nach dem Frühstück nicht kommen wirst, wenn ich eines Tags in einem Spiegel sehen werde, wie du nach einem andern blickst, wenn das Telephon in deinem leeren Zimmer klingelt und klingelt, dann werde ich, nach unaussprechlichen Seelenqualen, dann werde ich — denn der Torheit des menschlichen Herzens ist kein Ende — ein andres Du suchen, ein andres Du finden. Bis dahin wollen wir das Ticken der Zeit mit einem einzigen Schlag zum Schweigen bringen. Komm näher!

Die Sonne war nun tiefer gesunken. Die Wolkeninseln hatten an Dichte zugenommen und schoben sich vor die Sonne, so daß die Felsen sich plötzlich schwarz färbten, die schwankende Stranddistel ihre Bläue verlor und sich in Silber verwandelte und Schatten wie graue Tücher übers Meer geweht wurden. Die Wellen besuchten nicht mehr die entfernteren Tümpel und erreichten auch nicht die schwarzpunktierte Linie, die sich, unregelmäßig bezeichnet, den Strand entlangzog. Der Sand war geglättet und schimmerte perlenweiß.

Vögel schwuppten und kreisten hoch oben in der Luft. Einige sausten in den Furchen des Windes dahin, wendeten dann und kreuzten sie, als wären sie ein einziger, in tausend Schnitzel zerschnittener Körper. Vögel fielen wie ein herabsinkendes Netz auf die Baumwipfel. Hier flog ein einzelner, allein seinen Weg nehmend, der Marsch zu und saß dann einsam, die Flügel öffnend und schließend, auf einem weißen Pfahl.

Im Garten waren einige Blütenblätter abgefallen. Sie lagen muschelförmig auf der Erde. Das dürre Blatt stand nicht mehr auf seiner Kante, sondern war, bald laufend, bald innehaltend, gegen einen Stengel geweht worden. Durch alle Blumen ging mit einem jähen Prunken und Blinken dieselbe Welle von Licht, als durchschnitte eine Flosse den Spiegel eines Sees. Von Zeit zu Zeit blies ein flacher, herrischer Windstoß die zahlreichen Blätter auf und nieder, und dann, sobald der Wind abflaute, gewann ein jedes seine Identität zurück. Die Blumen, die ihre bunten Scheiben in der Sonne brennen ließen, warfen das Sonnenlicht beiseite, wenn der Wind sie schüttelte, und einige ließen dann die Köpfe, die zu schwer waren, um sich wieder aufzurichten, ein wenig hängen.

Die Nachmittagssonne wärmte die Felder, goß Blau in die

Schatten und rötete das Korn. Ein dunkler Firnis legte sich wie eine Lackfarbe über die Felder. Ein Karren, ein Pferd, ein Krähenschwarm — was immer sich darin bewegte, wurde in Gold eingerollt. Wenn eine Kuh ein Bein bewegte, erregte sie Wellchen von rotem Gold, und ihre Hörner schienen von Licht unterfüttert zu sein. Wische flachshaarigen Korns lagen auf den Hecken, den zottigen Karren abgestreift, die kurzbeinig und urtümlich aussehend von den Feldern kamen. Die rundköpfigen Wolken schrumpften nie, während sie dahinkugelten, sondern bewahrten jedes Atom ihrer Rundlichkeit. Nun fingen sie im Vorbeikommen ein ganzes Dorf in den Wurf ihres Netzes ein, und als sie vorüber waren, ließen sie es wieder frei fliegen. Fern am Himmelsrand, zwischen den Millionen Körnchen blaugrauen Staubs, brannte eine einzelne Fensterscheibe oder stand der einzelne Umriß eines Kirchturms oder eines Baums.

Die roten Vorhänge und die weißen Gardinen wehten ein und aus und schlappten gegen den Rand des Fensters, und das Licht, das ungleichmäßig bei solchem Erschlaffen und Schwellen eindrang, hatte eine bräunliche Tönung und etwas Hingebendes, als es stoßweise durch die wehenden Vorhänge kam. Hier bräunte es einen Schrank, dort rötete es einen Sessel, und hier ließ es das Fenster in der Wölbung eines grünen Krugs schwanken.

Einen Augenblick lang schwankte und bog sich alles ungewiß und zweideutig, als hätte ein großer, durch das Zimmer segelnder Nachtfalter die ungeheure Festigkeit von Stühlen und Tischen mit schwebenden Flügeln beschattet.

Und die Zeit, sagte Bernard, läßt ihren Tropfen fallen. Der Tropfen, der sich am Gewölbe der Seele gebildet hat, fällt herab. Von dem Gewölbe meines Geistes läßt die Zeit, die sich formende, ihren Tropfen fallen. Letzte Woche, während ich stand und mich rasierte, fiel der Tropfen. Mit dem Rasiermesser in der Hand dastehend, wurde ich mir plötzlich der bloß gewohnheitsmäßigen Natur meiner Handlung (die ist der sich formende Tropfen) bewußt und beglückwünschte ironisch meine Hände, weil sie nicht davon abließen. Rasiert nur, rasiert nur, rasiert nur! sagte ich. Rasiert nur weiter! Der Tropfen fiel. Den ganzen Tag, während ich arbeitete, begab sich mein Geist von Zeit zu Zeit an einen leeren Ort und sagte: »Was ist aus? Was ist vorbei?« Und »Aus und vorbei«, murmelte ich, »aus und vorbei«, mich mit Worten tröstend. Die Leute merkten, wie leer mein Gesicht war und wie ziellos mein Reden. Die letzten Worte meines Satzes verloren sich. Und als ich meinen Mantel zuknöpfte, um heimzugehn, sagte ich dramatischer: »Meine Jugend ist dahin.«

Es ist merkwürdig, wie bei jeder Krise irgendeine Phrase, eine unpassende, einem beharrlich zu Hilfe kommen will — die Buße, die man dafür zahlt, daß man, mit einem Merkbuch ausgerüstet, in einer alten Kultur lebt. Dieser fallende Tropfen hat nichts mit dem Verlust meiner Jugend zu tun. Dieser fallende Tropfen ist die Zeit, die sich zu einem Punkt zuspitzende. Die Zeit, die ein sonniger, von tanzendem Licht bedeckter Weidegrund ist, die weit ausgebreitet daliegt wie eine Wiese zu Mittag, wird zu einem hängenden Tropfen. Die Zeit spitzt sich zu. Wie ein von einem Bodensatz schwer gewordener Tropfen aus einem Glas, so fällt die Zeit. Dies sind die wahren Zyklen, dies sind die wahren Ereignisse. Dann sehe ich, als verflüchtigte sich die ganze Leuchtkraft der Atmosphäre, bis auf den nackten Grund. Ich sehe, was Gewohnheit zudeckt. Ich liege tagelang träge im Bett. Ich esse auswärts zu Abend und glotze mit offenem Mund wie ein Stockfisch. Ich nehme mir nicht die Mühe, meine Sätze zu beenden, und meine Handlungen, die für gewöhnlich so unsicheren, nehmen eine mechanische Präzision an. Dieses Mal trat ich, an einem Reisebureau vorbeikommend, ein und kaufte mir, mit der ganzen Gelassenheit eines Automaten, eine Fahrkarte nach Rom.

Nun sitze ich auf einer Steinbank in diesem Garten und überblicke die Ewige Stadt, und der kleine Mann, der sich vor fünf Tagen in London rasierte, sieht bereits aus wie ein Bündel abgelegter Kleider. Und auch London ist abgebröckelt. London besteht aus eingestürzten Fabriken und einigen Gasometern. Dabei aber bin ich innerlich unbeteiligt an diesem Schaugepränge hier. Ich sehe die Priester mit ihren violetten Schärpen und die malerischen Kindermädchen; ich bemerke bloß Äußerlichkeiten. Ich sitze hier wie ein Genesender, wie ein sehr simpler Mensch, der bloß die einfachsten Wörter kennt. »Die Sonne scheint heiß«, sage ich. »Der Wind ist kalt.« Ich fühle mich rundumgewirbelt wie ein Insekt auf dem Gipfel der Erde und könnte schwören, wie ich so hier sitze, ihre Härte, ihre Umdrehungen zu spüren. Ich begehre nicht, mich in der der Erde entgegengesetzten Richtung zu bewegen. Könnte ich dieses Gefühl noch um zwanzig Zentimeter verlängern, würde ich, so ahnt mir, ein wunderliches Gebiet berühren. Aber ich habe einen sehr begrenzten Rüssel. Ich wünsche mir nie, diese Zustände von Losgelöstheit zu verlängern; sie mißfallen mir; auch verachte ich sie. Ich wünsche mir nicht, ein Mensch zu sein, der fünfzig Jahre lang auf demselben Fleck sitzt und an seinen Nabel denkt. Ich möchte vor einen Karren gespannt sein, einen Gemüsekarren, der über die Pflastersteine rattert.

Die Wahrheit ist, ich bin nicht einer von denen, die in einer einzigen Person oder in der Unendlichkeit ihre Befriedigung finden. Mich langweilt mein eigenes Zimmer, und auch der Himmel langweilt mich. Mein Wesen glitzert nur, wenn alle seine Facetten vielen Leuten ausgesetzt sind. Wenn die fehlen, bin ich voller Löcher, schwinde dahin wie verbrennendes Papier. Oh, Mrs. Moffat, Mrs. Moffat, sage ich, kommen Sie und fegen Sie es alles zusammen! Manches ist von mir abgefallen. Ich habe gewisse Wünsche ausgewachsen; ich habe Freunde verloren, einige — Percival — durch den Tod, andre schier durch das Unvermögen, die Straße zu überqueren. Ich bin nicht so begabt, wie es einmal den Anschein hatte. Gewisse Dinge liegen außerhalb meiner Reichweite. Ich werde nie die schwierigeren Probleme der Philosophie verstehn. Weiter als bis Rom werde ich auf meinen Reisen nicht gelangen. Wenn ich abends einschlafe, durchfährt es mich manchmal schmerzhaft, daß ich nie sehen werde, wie Wilde in Tahiti beim Schein einer lodernden Pechpfanne Fische speeren oder ein Löwe durchs Dschungel springt oder ein nackter Mann rohes Fleisch ißt. Und ich werde auch nicht Russisch lernen oder die heiligen Bücher des Veda lesen. Ich werde nie wieder, bums! in die Briefkastensäule hineinrennen. (Aber einige Sterne fallen immer noch, als Folge der Heftigkeit jenes Zusammenstoßes, wunderschön durch meine Nacht.) Doch, wie ich glaube, ist die Wahrheit näher gekommen. Viele Jahre lang summte ich selbstzufrieden vor mich hin: »Meine Kinder ... meine Frau ... mein Haus ... mein Hund.« Wenn ich mit meinem Haustürschlüssel aufschloß und eintrat, vollzog ich stets das ganze vertraute Ritual und wickelte mich in diese warmen Hüllen. Nun ist der schöne Schleier gefallen. Ich will nun keine Besitztümer mehr. (Vermerk: Eine italienische Waschfrau steht auf derselben Stufe körperlicher Verfeinerung wie eine englische Herzogstochter.)

Aber überlegen wir einmal! Der Tropfen fällt; ein neues Stadium ist erreicht. Ein Stadium nach dem andern. Und warum sollten Stadien je zu Ende sein? Und wohin führen sie? Zu welchem Schluß? Denn sie kommen in feierlichen Gewändern einher. In solcher Ratlosigkeit wenden sich die Frommen an diese, violette Schärpen tragenden und sinnlich aussehenden Herren, die da in Trupps an mir vorbeikommen. Wir aber, wir lehnen Lehrer ab. Es braucht bloß ein Mann aufzustehn und zu sagen: »Seht, dies ist die Wahrheit«, und sogleich gewahre ich eine sandfarbene Katze, die irgendwo im Hintergrund ein Stück Fisch stibitzt. »Sehn Sie nur, Sie haben die Katze vergessen!« sage ich. Ebenso erboste sich Neville im Internat, in der dämmerigen Kapelle, beim Anblick von des Direktors Kruzifix. Ich, der ich immer abgelenkt werde, sei's durch eine Katze oder eine Biene, die den Blumenstrauß umschwirrt, den Lady Hampden so geflissentlich an ihre Nase gedrückt hält, mache sogleich eine Geschichte daraus und verwische so die Winkel des Kruzifixes. Ich habe Tausende von Geschichten erfunden; ich habe unzählige Merkbücher mit Phrasen vollgeschrieben, um sie zu benützen, wenn ich die wahre Geschichte gefunden habe, die eine Geschichte, auf die sich alle diese Phrasen beziehen. Aber diese Geschichte habe ich bis jetzt nie gefunden. Und ich beginne mich zu fragen: Gibt es Geschichten?

Schau nun von dieser Terrasse hinab auf die wimmelnde Bevölkerung dort unten! Sieh die allgemeine Geschäftigkeit und den Tumult! Diesem Mann macht sein Maultier zu schaffen. Ein halbes Dutzend gutmütiger Lungerer bietet seine Dienste an. Andre gehn ohne einen Blick vorbei. Sie haben so viele Interessen, wie Fäden in einer Garnsträhne sind. Sieh, wie der Himmel sich wölbt und runde weiße Wolken über ihn hinrollen! Stell dir die Meilen ebenen Lands vor und die Aquädukte und das geborstene Pflaster der Römerstraßen und die Grabmäler in der Campagna und hinter der Campagna das Meer und noch mehr Landschaft und wieder das Meer. Ich könnte jede beliebige Einzelheit der ganzen Aussicht — sagen wir, den Maultierkarren — herausbrechen und sie mit der größten Leichtigkeit beschreiben. Aber warum einen Mann beschreiben, dem sein Maultier zu schaffen macht? Und dann wieder könnte ich Geschichten erfinden von diesem Mädchen, das da die Stufen heraufkommt. »Sie traf ihn unter dem dunkeln Mauerbogen ... ›Es ist aus‹, sagte er, sich von dem Käfig abwendend, in dem der Porzellanpapagei hing.« Oder bloß: » ›Das war das Ganze.‹ « Doch warum meinen willkürlichen Entwurf aufzwingen? Warum dieses betonen und jenes formen und kleine Figürchen kneten, die dem Spielzeug ähneln, das in den Gassen um die Paulskathedrale Männer auf Holztabletten feilbieten? Warum grade dieses aus allem auswählen — *eine* Einzelheit?

Hier bin ich nun und streife eine meiner Lebenshäute ab, und alles, was die andern zu sagen finden werden, ist: »Bernard verbringt zehn Tage in Rom.« Hier bin ich und marschiere allein und richtungslos auf dieser Terrasse auf und ab. Aber sieh doch, wie Punkte und Striche, während ich auf und ab gehe, zu zusammenhängenden Linien ineinanderzulaufen beginnen, wie alles die kahle, die gesonderte Identität verliert, die es noch besaß, als ich diese Stufen heraufstieg. Der große rote Blumentopf ist nun ein rötlicher Fleck in einer Welle gelblichen Grüns. Die Welt beginnt, sich an mir vorbeizubewegen, wie die Böschung einer Hecke, wenn der Zug anfährt; wie die Wellen des Meeres, wenn ein Dampfer sie durchschneidet. Auch ich bewege mich, werde in die allgemeine Abfolge der Dinge hineingezogen, wie eins so aufs andre folgt und es unvermeidlich zu sein scheint, daß nun der Baum kommt, dann die Telegraphenstange, dann die Lücke in der Hecke. Und während ich mich, umringt, einbezogen und teilnehmend, bewege, beginnen die gewohnten Phrasen aufzusprudeln, und ich möchte diese Bläschen durch die Falltür in meinem Kopf hinauslassen und lenke daher meine Schritte auf diesen Mann dort zu, dessen Hinterkopf mir bekannt vorkommt. Wir waren zusammen im Internat. Wir werden einander zweifellos treffen. Wir werden bestimmt zusammen mittagessen. Wir werden plaudern. Aber warte einen Augenblick, warte!

Diese Augenblicke des Entfliehens sind nicht zu verachten. Sie kommen zu selten. Tahiti wird möglich. Über diese Brüstung gebeugt, sehe ich in der Ferne eine Wasserwüste. Eine Flosse wendet sich. Dieser nackte visuelle Eindruck ist an keinen Gedankengang gebunden, er taucht auf, wie man etwa die Flosse eines Tümmlers am Himmelsrand erblickt. Visuelle Eindrücke vermitteln uns auf diese Weise oft ganz kurz Feststellungen, welche wir später einmal aufdecken und in Worte locken werden. Ich vermerke mir daher unter F: »Flosse in einer Wasserwüste.« Ich, der ich unaufhörlich an den Rand meines Geistes Vermerke für irgendeine endgültige Aussage schreibe, vermerke dies in der Erwartung eines Winterabends.

Nun werde ich irgendwohin mittagessen gehn, ich werde mein Glas heben, werde durch den Wein hindurchsehn, werde mit einem größeren als meinem gewohnten Unbeteiligtsein beobachten, und wenn eine hübsche Frau das Restaurant betritt und zwischen den Tischen herankommt, werde ich mir sagen: »Schau, wie sie, eine Wasserwüste hinter sich, einherkommt!« Eine sinnlose Bemerkung, für mich aber eine feierliche, schieferfarbene, mit dem verhängnisvollen Beiklang von einstürzenden Welten und zerstörerisch fallenden Wassern.

Also, Bernard (ich rufe dich zurück, dich, den gewohnten Gefährten bei meinen Unternehmungen), beginnen wir dieses neue Kapitel und beobachten wir, wie sich dieses neue, dieses unbekannte, seltsame, ganz und gar unidentifizierte und erschreckende Erlebnis formt — der neue Tropfen — der sich soeben bildet. Larpent heißt der Mann.

An diesem heißen Nachmittag, sagte Susan, hier in diesem Garten, hier auf dieser Wiese, wo ich mit meinem Sohn spazierengehe, habe ich den Gipfel meiner Wünsche erreicht. Die Angel des Gatters ist eingerostet; er stemmt es hoch und öffnet es so. Die heftigen Leidenschaften der Kindheit, meine Tränen in dem Garten, als Jinny Louis küßte, mein Zorn im Schulzimmer, wo es nach Fichtenholz roch, mein Einsamsein an fremdländischen Orten, wo die Maultiere auf ihren scharfen Hufen angeklappert kamen und die Italienerinnen in ihren Schultertüchern, eine Nelke ins Haar geflochten, beim Brunnen schwatzten, sind mit Geborgenheit, Besitz, Vertrautheit belohnt worden. Ich habe friedliche, ergiebige Jahre gehabt. Mir gehört alles, soweit ich sehen kann. Ich habe Bäume aus Samenkörnern gezogen. Ich habe Teiche angelegt, in denen sich Goldfische unter den breitblätterigen Seerosen verstecken. Ich habe Netze über Erdbeer- und Salatbeete gespannt und Säckchen um Birnen und Pflaumen gebunden, um die Wespen von ihnen abzuhalten. Ich habe meine Söhne und Töchter, einst in ihren Bettchen wie Früchte von einem Netzgitter umgeben, die Maschen zerreißen und neben mir einhergehn gesehen, größer als ich und lange Schatten auf das Gras werfend.

Ich bin hier eingezäunt, hier eingepflanzt wie einer meiner

Bäume. Ich sage: »Mein Sohn«, ich sage: »Meine Tochter«, und sogar der Eisenwarenhändler hat, wenn er von seinem mit Nägeln, Farben und Drahtgitterrollen behäuften Ladentisch aufblickt, Respekt vor dem schäbigen Wagen vor seiner Tür, der voller Schmetterlingsnetze, Kricketknieschützer und Bienenkörbe ist. Wir hängen Mistelzweige über die Uhr zu Weihnachten, wiegen unsre Schwarzbeeren und Pilze, zählen die Gläser mit Eingesottenem ab und stellen uns Jahr für Jahr, um gemessen zu werden, an den Laden in der Nische des Wohnzimmerfensters. Ich mache auch Kränze aus weißen Blumen für die Toten, flechte silberblättrige Pflanzen hinein und hefte meine Karte an, voller Trauer um den verstorbenen Schäfer, voller Mitgefühl für die Witwe des verstorbenen Fuhrmanns; und sitze am Bett sterbender Frauen, die, meine Hand umklammernd, ihre letzten Ängste vor sich hinmurmeln; betrete oft Zimmer, die unerträglich sind, außer für eine, die so geboren wurde wie ich und früh vertraut war mit Pachthöfen und Düngerhaufen und den ein- und auslaufenden Hühnern und der Mutter, die mit heranwachsenden Kindern in zwei Zimmern einer Kate wohnt. Ich habe den Dunst von den Fensterscheiben rinnen gesehen, ich habe den Ausguß gerochen.

Mit der Schere zwischen meinen Blumen stehend, frage ich mich nun: Wo kann der Schatten herein? Welcher Schlag vermag mein mühsam geerntetes, unnachgiebig niedergehaltenes Leben zu lockern? Dennoch habe ich es manchmal satt, das natürliche Glück und das Obstbäumeziehen und, daß die Kinder überall im Haus Ruder, Gewehre, Tierschädel, als Preise gewonnene Bücher und andre Trophäen umherliegen lassen. Ich habe den Körper satt, ich habe meine Tüchtigkeit satt, meinen Fleiß und meine Schlauheit, die gewissenlose Art und Weise einer Mutter, einer beschützerischen, die unter ihren eifersüchtigen Augen an einem einzigen langen Tisch ihre eigenen Kinder, immer ihre eigenen, versammelt.

Aber wenn der Frühling kommt, kühl, mit Regenschauern, mit jähen gelben Blumen — wenn ich dann das Fleisch unter dem blauen Sturz ansehe und die schweren silberigen Säcke mit Tee, mit Rosinen befühle, da erinnere ich mich, wie die Sonne aufging und die Schwalben tief übers Gras hinflogen, und der Phrasen, die Bernard machte, als wir Kinder waren und die Blätter ober uns schwankten, vielgefältelt, federleicht das Blau des Himmels unterbrachen und wandernde Lichter über die Wurzelskelette der Buchen streuten, unter denen ich saß und weinte. Die Holztaube flog hervor in die Höhe. Ich sprang auf und lief den Phrasen nach, die wie die baumelnde Schnur eines Luftballons nachschleiften, höher und höher stiegen, von Ast zu Ast, und entkamen. Dann zerbricht die Festigkeit meines Vormittags wie eine gesprungene Schüssel, und den Sack mit Mehl hinstellend denke ich: Das Leben umsteht mich, wie Glas das eingeschlossene Schilfrohr.

Ich habe eine Schere in der Hand und schneide Stockrosen ab, ich, die ich nach Elvedon ging und auf verfaulte Galläpfel trat und die Dame schreiben und die Gärtner mit ihren großen Besen fegen sah. Wir liefen keuchend zurück, um nicht erschossen und wie Iltisse an die Scheunenwand genagelt zu werden. Heute wiege ich ab, siede ich ein. Abends sitze ich im Lehnstuhl und strecke den Arm nach meiner Näharbeit aus; und höre meinen Mann schnarchen; und blicke auf, wenn der Schein eines vorbeifahrenden Autos blendend auf die Fensterscheibe fällt, und fühle die Wellen meines Lebens sich aufgewühlt rings um mich brechen, die ich verwurzelt bin; und höre Schreie und sehe die Leben der andern gleich Strohhalmen um Brückenpfeiler wirbeln, während ich mit der Nähnadel ein- und ausfahre und den Faden durch den Kattun ziehe.

Ich denke manchmal an Percival, der mich liebte. Er ritt und stürzte in Indien. Ich denke manchmal an Rhoda. Ängstliche Rufe wecken mich in tiefer Nacht. Meist aber gehe ich zufrieden neben meinen Söhnen einher. Ich schnippe die verwelkten Blüten von den Stockrosen. Ziemlich untersetzt, frühzeitig ergraut, aber mit klaren Augen, birnenförmigen Augen, schreite ich über mein Land.

Hier stehe ich, sagte Jinny, in der Station der Untergrundbahn, wo alles Begehrenswerte zusammentrifft — Piccadilly Südseite, Piccadilly Nordseite, die Regent Street und der Haymarket. Ich stehe einen Augenblick lang unter dem Pflaster im Herzen Londons. Unzählige Räder rollen und Füße eilen dicht über meinem Kopf dahin. Die großen Straßen der Zivilisation treffen hier zusammen und strahlen hierhin und dorthin aus. Ich bin im Mittelpunkt des Lebens. Aber schau, dort in jenem Spiegel ist mein Körper! Wie einsam, wie geschrumpft, wie gealtert! Ich bin nicht mehr jung. Ich bin nicht mehr ein Teil der unendlichen Prozession. Millionen gehn diese Treppen in schrecklichem Abstieg hinab. Riesige Räder drehen sich unerbittlich und treiben sie abwärts. Millionen sind gestorben. Percival ist gestorben. Ich rühre mich noch immer. Ich bin noch immer am Leben. Aber wer wird kommen, wenn ich das Zeichen gebe?

Armes Tierchen, das ich bin, mit furchtsam fliegenden Flanken stehe ich hier, zitternd und klopfenden Herzens. Aber ich will mich nicht fürchten. Ich werde die Peitsche auf meine Flanken sausen lassen. Ich bin kein winselndes Tierchen, das sich im Schatten verkriecht. Nur einen Augenblick lang verzagte ich, als ich mich erblickte, bevor ich Zeit hatte, mich vorzubereiten, wie ich mich immer auf meinen Anblick vorbereite. Es ist wahr: ich bin nicht mehr jung — ich werde bald vergebens meinen Arm heben, und mein Schal wird sich senken, ohne ein Zeichen gegeben zu haben. Ich werde nachts nicht mehr das jähe Atemanhalten hören und durch das Dunkel jemand näher kommen spüren. Es werden in dunkeln Tunnels keine Spiegelungen mehr in der Fensterscheibe erscheinen. Ich werde in Gesichter blikken und sie ein andres Gesicht suchen sehen. Ich gestehe, daß einen Augenblick lang die lautlose Flucht aufrechter Körper die Rolltreppe hinunter, gleich dem gefesselten und schrecklichen Hinabsteigen einer Armee von Toten, und das Mahlen der riesigen Maschinen, die uns alle unbarmherzig vorwärtsbefördern, weiter und weiter, mich so ängstigten, daß ich mich duckte und eine Zuflucht suchte.

Doch nun, bedächtig vor dem Spiegel diese kleinen Vorbereitungen treffend, die mich rüsten, gelobe ich mir, mich nicht zu fürchten. Denk an die prächtigen Autobusse, sage ich mir, die rot und gelben, die pünktlich, ordnungsgemäß anhalten und losfahren! Denk an die starken, schönen Wagen, die nun langsamer als im Schritt einher- und nun wieder jäh anfahren; denk an die Männer, an die Frauen, die gerüstet, vorbereitet sich vorwärtsbewegen! Dies ist der Triumphzug; diese sind das siegreiche Heer mit Bannern und Messingadlern und von Schlachtenlorbeeren gekrönten Köpfen. Sie sind mir lieber als Wilde im Lendenschurz und Frauen mit feuchtschlaffem Haar und langen Hängebrüsten und Kindern, die an ihnen zerren. Diese breiten Verkehrsadern — Piccadilly Südseite, Piccadilly Nordseite, Regent Street und Haymarket — sie sind sandbestreute, durch das Dschungel vorgetriebene Siegesalleen. Auch ich, mit meinen Lackschühchen, meinem Taschentüchlein, das bloß ein Fetzchen Flor ist, meinen rotgeschminkten Lippen und meinen zartgestrichelten Augenbrauen marschiere mit der Musikkapelle zum Sieg.

Schau, wie hier Kleider zur Schau gestellt werden, sogar hier, unter der Erde, in einem immerwährenden Strahlen! Die Menschen lassen nicht einmal mehr die Erde wurmig und durchnäßt daliegen. Hier gibt es Gaze- und Seidenkleider, in Glaskästen angeleuchtete, und Unterwäsche, aufgeputzt mit Millionen enger Stiche feinster Stickerei. Rote, grüne, violette — in allen Tönungen sind sie gefärbt. Denk nur, wie die Menschen organisieren, auswalzen, glätten, in Farbe tauchen und Tunnels durch den gesprengten Fels bohren! Aufzüge steigen und sinken; Züge halten, Züge fahren an, so regelmäßig wie die Meereswellen. Hierher fühle ich mich zugehörig. Ich bin eine Eingeborene dieser Welt, ich folge ihren Fahnen. Wie könnte ich davonlaufen und Zuflucht suchen, wenn die andern alle so großartig abenteuerlustig, so wagemutig und auch neugierig sind, und stark genug, um mitten in ihren Bemühungen innezuhalten und mit der freien Hand einen Witz an die Wand zu kritzeln? Darum will ich mir das Gesicht pudern und die Lippen rotschminken. Ich will den Winkel meiner Augenbrauen spitzer als sonst ziehen. Ich will zur Oberfläche hinaufsteigen und mit den andern aufrecht auf dem Piccadilly Circus stehn. Ich will mit einer scharfen Gebärde ein Taxi heranwinken, dessen Lenker durch eine unbeschreibliche Munterkeit anzeigen wird, daß er mein Zeichen verstanden hat. Denn ich errege noch immer Eifrigkeit. Ich empfinde noch immer ein Kopfneigen von Männern auf der Straße wie das stumme Sichneigen des Getreides, wenn der leichte Wind weht und es rötlich aufwühlt.

Ich will zu meinem eigenen Haus fahren. Ich will die Vasen verschwenderisch mit Blumen füllen, mit üppigen, mit extravaganten, in großen Sträußen nickenden Blumen. Ich will einen Sessel hierhin, einen andern dahin rücken. Ich will Zigaretten und Gläser bereitstellen und ein paar neue, noch ungelesene Bücher mit bunten Umschlägen hinlegen für den Fall, daß Bernard käme oder Neville oder Louis. Aber vielleicht wird es nicht Bernard, Neville oder Louis sein sondern ein Neuer, Unbekannter, jemand, dem ich auf einer Treppe begegnete, dem ich, grade als wir aneinander vorbeigingen, mich hinwendend zumurmelte: »Komm!« Er wird heute nachmittag kommen; einer, den ich nicht kenne, ein Neuer. Mag das stumme Heer der Toten hinabsteigen! Ich marschiere vorwärts.

Ich brauche nun kein Zimmer mehr, sagte Neville, oder Wände oder Feuerschein. Ich bin nicht mehr so jung. Ich gehe neidlos an Jinnys Haus vorüber und lächle über den jungen Mann, der auf den Türstufen seinen Schlips ein wenig nervös zurechtzupft. Mag der geschniegelte junge Mann klingeln; mag er sie zu Hause finden! Ich werde sie finden, wenn ich will; wenn nicht, gehe ich vorbei. Das Ätzende von einst hat seine Schärfe verloren — Neid, Ränke und Bitterkeit sind herausgewaschen. Wir haben auch unsre Herrlichkeit verloren. Als wir jung waren, saßen wir, wo immer es sein mochte: auf harten Bänken in zugigen Sälen, wo die Türen fortwährend aufgingen und zuschlugen. Wir tummelten uns halbnackt umher wie Knaben auf einem Schiffsdeck, die einander aus Wasserschläuchen bespritzen. Heute könnte ich beschwören, daß es mir gefällt, wenn die Leute nach getanem Tagewerk in Massen aus der Untergrundbahn quellen, einhellig, unterschiedslos, unzählbar. Ich habe meine Frucht gepflückt. Ich sehe leidenschaftslos zu.

Schließlich sind wir nicht verantwortlich. Wir sind nicht Richter. Wir sind nicht dazu berufen, unsre Mitmenschen mit Daumschrauben und Halseisen zu foltern; wir sind nicht dazu berufen, auf Rednertribünen zu steigen und ihnen an fahlen Sonntagnachmittagen belehrende Vorträge zu halten. Besser, eine Rose anzusehen oder Shakespeare zu lesen, wie ich ihn hier in der Shaftesbury Avenue lese. Hier geht der Narr, hier der Bösewicht, hier kommt in einer Limousine Kleopatra, auf ihrer Barke brennend. Hier gibt es auch Gestalten Verdammter, nasenlose Männer, die an der Mauer des Polizeigerichts stehn, die Füße im Feuer, und heulen. Dies ist Poesie, wenn wir sie nicht niederschreiben. Sie alle spielen ihre Rollen unfehlbar, und fast noch bevor sie die Lippen öffnen, weiß ich, was sie sagen werden, und warte auf den göttlichen Augenblick, wo sie das Wort aussprechen, das geschrieben worden sein muß. Wär's auch nur um dieses Schauspiels willen, ich könnte ewiglich die Shaftesbury Avenue auf und ab gehn.

Wenn man dann von der Straße kommt und ein Zimmer betritt, reden da Leute oder bemühen sich kaum, zu reden. Er sagt, sie sagt, jemand anders sagt Dinge, die so oft gesagt worden sind, daß ein einziges Wort genügt, eine ganze Last zu heben. Meinungsstreit, Gelächter, alte Querelen — sie purzeln durch die Luft und machen sie stickig. Ich greife nach einem Buch und lese eine halbe Seite von irgendwas. Sie haben den Schnabel der Teekanne noch immer nicht repariert. Das Kind, angetan mit einem Kleid seiner Mutter, tanzt.

Doch dann kommt Rhoda oder, es mag sein, Louis, ein fastender, gequälter Geist, durch das Zimmer und verläßt es wieder. Sie wollen eine Handlung, so? Sie wollen eine vernünftige Begründung? Sie genügt ihnen nicht, diese alltägliche Szene. Es genügt ihnen nicht, auf das zu warten, was gesagt werden wird, als wäre es geschrieben worden; zu sehen, wie der Satz sein Lehmklümpchen genau an die richtige Stelle tut und zur Charakterisierung beiträgt; plötzlich wahrzunehmen, wie eine Gruppe von Leuten sich vom Himmel abhebt. Doch wenn sie Gewalttätigkeit wollen —

ich habe Tod und Mord und Selbstmord in ein und demselben Zimmer gesehen. Einer kommt herein, einer geht hinaus; ein Schluchzen auf der Treppe. Ich habe Fäden zerreißen und Knoten knüpfen gehört und das geruhige Säumen feinen weißen Batists, Stich um Stich, auf einem Frauenschoß. Warum, wie Louis, nach einer Begründung fragen oder, wie Rhoda, zu einem fernen Hain fliehen und die Blätter des Lorbeergebüsches teilen und nach Statuen spähen? Sie sagen, man müsse sich flügelschlagend gegen diesen Sturm behaupten, in dem Glauben, daß jenseits des Tumults die Sonne scheine; die Sonne klar auf von Weiden umfiederte Teiche falle. (Hier ist es November; die Armen halten einem mit windgebissenen Fingern Streichholzschachteln entgegen.) Sie sagen, die ganze Wahrheit sei dort zu finden, und Tugend, die hier dahinschlurrt, in Sackgassen hinein, sei dort vollkommen zu erlangen. Rhoda fliegt mit vorgestrecktem Hals und blinden, fanatischen Augen an uns vorbei. Louis, der nun so wohlhabende, tritt an sein Mansardenfenster zwischen den blasigen Dächern und blickt dorthin, wo sie verschwunden ist, muß sich aber in sein Kontor setzen, zwischen die Schreibmaschinen und das Telephon, und es alles ausrechnen, zu unsrer Belehrung, zu unsrer Wiedergeburt und zur Verbesserung einer noch unerschaffenen Welt.

Jetzt aber, in diesem Zimmer, das ich ohne anzuklopfen betrete, werden Dinge gesagt, als wären sie geschrieben worden. Ich gehe zum Bücherregal. Wenn ich Lust habe, lese ich eine halbe Seite von irgendwas. Ich brauche nicht zu sprechen. Aber ich höre zu. Meine Aufmerksamkeit ist wundervoll wach. Gewiß, man kann dieses Gedicht nicht ohne Anstrengung lesen. Die Seiten sind oft verdorben und schlammbefleckt und eingerissen und von verblaßten Blumen verklebt, Schnipseln von Verbenen oder Geranien. Um dieses Gedicht lesen zu können, muß man vertausendfachte Augen haben gleich einem dieser Scheinwerfer, die sich um Mitternacht im Atlantik auf Schollen dahinjagenden Wassers richten, wo vielleicht bloß ein Zweig von Seetang die Oberfläche durchsticht oder die Wellen plötzlich klaffen und ein Ungeheuer sich heraufschultert. Man muß jede Abneigung und Eifersucht beiseitetun und darf nicht unterbrechen. Man muß Geduld und unendliche Sorgfalt aufbringen und den leisesten Klang, ob von zarten Spinnenfüßen auf einem Blatt oder das Gurgeln von Wasser in einem belanglosen Abflußrohr, sich entfalten lassen. Nichts darf aus Furcht oder Entsetzen abgelehnt werden. Der Dichter, der diese Seite geschrieben hat (die ich lese, während Leute reden), hat sich zurückgezogen. Es sind keine Beistriche und keine Strichpunkte da. Die Zeilen sind nicht von gewohnter Länge. Vieles ist barer Unsinn. Man muß skeptisch sein, aber Vorsicht in den Wind schlagen und, sobald sich die Pforte öffnet, bedingungslos hinnehmen. Auch manchmal weinen; auch mit einem einzigen Klingenhieb rücksichtslos Ruß, Borke und allerlei verhärtete Auswüchse wegschneiden. Und so (während die Leute reden) sein Netz tiefer und tiefer hinablassen und es sacht einziehen und, was er sagte und was sie sagte, an die Oberfläche bringen und Dichtung daraus machen.

Nun habe ich ihrem Reden zugehört. Sie sind jetzt weggegangen. Ich bin allein. Ich könnte es zufrieden sein, auf ewig zuzusehen, wie das Kaminfeuer brennt gleich einer Kuppel, gleich einem Schmelzofen; nun nimmt ein Holzspan das Aussehen eines Blutgerüsts an oder eines Höllenrachens oder eines Gefildes der Seligen; nun ist er eine Schlange, die sich feuerrot mit weißen Schuppen ringelt. Die Frucht auf dem Vorhang schwillt unter dem Schnabel des Papageis. Ziep, ziep, knistert das Feuer, wie das Zirpen von Insekten mitten in einem Wald. Ziep, ziep, knistert es, während dort draußen die Äste die Luft peitschen und jetzt, gleich einer Schrotsalve, ein Baum fällt. Dies sind die Geräusche einer Londoner Nacht. Dann höre ich das eine Geräusch, auf das ich warte. Höher und höher kommt es herauf, nähert sich, zögert, hält vor meiner Tür inne. Ich rufe: »Komm herein! Setz dich zu mir! Setz dich auf den Rand des Lehnstuhls!« Hingerissen von der alten Sinnestäuschung rufe ich: »Komm näher, näher!«

Ich komme aus dem Kontor zurück, sagte Louis. Ich hänge meinen Mantel hierher, stelle meinen Stock dorthin — ich bilde mir gern ein, daß Richelieu mit einem solchen Stock umherging. So entkleide ich mich meiner Autorität. Ich bin zur Rechten eines Direktors an einem gefirnißten Tisch gesessen. Die Landkarten unsrer erfolgreichen Unternehmungen blickten uns von der Wand entgegen. Wir haben die Welt mit unsern Schiffen zusammengeschnürt. Der Erdball ist von unsern Linien umwickelt. Ich bin ungeheuer geachtet. Alle die jungen Damen im Kontor nehmen mein Hereinkommen zur Kenntnis. Ich kann nun, wo es mir gefällt, zu Abend essen und darf ohne Eitelkeit annehmen, daß ich mir bald ein Landhaus in Surrey, zwei Autos, einen Wintergarten und einige seltene Sorten Melonen anschaffen werde. Doch ich kehre zurück, ich kehre noch immer zurück in meine Dachkammer, hänge meinen Hut auf und beginne abermals in Einsamkeit diesen seltsamen Versuch, den ich machte, seit ich mit der Faust an die gemaserte Eichentür meines Lehrers schlug. Ich öffne ein kleines Buch. Ich lese ein Gedicht. Ein einziges Gedicht genügt.

O Westerwind . . .

O Westerwind, du verträgst dich nicht mit meinem Mahagonischreibtisch und meinen grauen Tuchgamaschen und leider auch nicht mit der Gewöhnlichkeit meiner Mätresse, der kleinen Schauspielerin, die bis heute nicht imstande ist, ein korrektes Englisch zu sprechen —

O Westerwind, wann wirst du wehn ...

Rhoda, mit ihrer tiefen Abgezogenheit, ihren nichts wahrnehmenden Augen von der Farbe des Schneckenfleisches, vernichtet dich nicht, Westerwind, komme sie um Mitternacht, wenn die Sterne funkeln, oder um die höchst prosaische Mittagsstunde. Sie steht am Fenster und blickt auf die Rauchfänge und die gebrochenen Fensterscheiben in den Häusern armer Leute —

O Westerwind, wann wirst du wehn ...

Meine Aufgabe, meine Bürde, war immer schwerer als die andrer Menschen. Eine Pyramide ist auf meine Schultern gestellt worden. Ich habe versucht, eine riesige Arbeit zu vollbringen. Ich habe ein ungestümes, ein unbotmäßiges, ein bösartiges Gespann gelenkt. Mit meiner australischen Aussprache saß ich in Speisehäusern und versuchte, die Kontoristen zu zwingen, mich für ihresgleichen zu halten, vergaß aber nie meine feierlichen und festen Überzeugungen und die Widersprüche und Zusammenhanglosigkeiten, die behoben werden müssen. Als Knabe träumte ich vom Nil, wollte nicht aufwachen und schlug dann doch mit der Faust an die gemaserte Eichentür. Es wäre ein größeres Glück gewesen, ohne eine Bestimmung geboren worden zu sein, wie Susan, wie Percival, den ich am meisten bewundere.

O Westerwind, wann wirst du wehn,
Daß es kleinweis regnen tät?

Das Leben war eine schreckliche Sache für mich. Ich bin wie ein riesiger Saugnapf; ein gefräßiger, ein klebenbleibender, ein unersättlicher Mund. Ich habe versucht, aus dem lebendigen Fruchtfleisch den im Mittelpunkt sitzenden Kern zu ziehen. Ich habe wenig natürliches Glücklichsein gekannt, obwohl ich mir meine Mätresse gewählt habe, damit sie mit ihrer vulgären Londoner Aussprache mir das Gefühl der Unbefangenheit gebe. Aber sie hat bloß unsaubere Unterwäsche auf dem Fußboden verstreut. Und die Scheuerfrauen und die Ladenjungen riefen mir ein dutzendmal im Tag nach und verspotteten meinen steifen und überheblichen Gang.

O Westerwind, wann wirst du wehn,
Daß es kleinweis regnen tät?

Was war meine Bestimmung, was war die scharf zugespitzte Pyramide, die während dieser vielen Jahre auf meine Rippen drückte? Daß ich mich an den Nil erinnere und an die Frauen, die Krüge auf dem Kopf trugen; daß ich mich eingewoben fühle in die langen Sommer und Winter, die das Korn wellten und die Bäche vereisten. Ich bin nicht ein einziges und vergängliches Wesen. Mein Leben ist nicht ein augenblicklanger heller Funke wie der auf der Oberfläche eines Diamanten. Ich gehe unter der Erdoberfläche durch gewundene Gänge, als trüge ein Wärter eine Lampe von Zelle zu Zelle. Meine Bestimmung ist es gewesen, mich zu erinnern und die vielen Fäden, die dünnen, die dicken, die abgerissenen, die dauerhaften unsrer langen Geschichte, unsres tumultuösen und wechselvollen Tags verweben und zu einem Tau verflechten zu müssen. Es gibt immer noch mehr zu verstehn; auf einen Mißklang zu lauschen; eine Falschheit zu rügen. Schadhaft und verrußt sind sie, diese Dächer mit ihren Rauchfanghauben, ihren lockeren Schieferplatten, ihren schleichenden Katzen und Mansardenfenstern. Ich suche mir meinen Weg über Glasscherben, zwischen blasigen Dachziegeln, und sehe nur gemeine und ausgehungerte Gesichter.

Nehmen wir an, ich mache etwas Vernünftiges aus alledem — ein einziges Gedicht auf einer Seite, und sterbe dann. Ich kann euch versichern, nicht unwillig. Percival ist gestorben. Rhoda hat mich verlassen. Ich aber werde leben, um dürr und hager und hochgeachtet mit meinem goldknaufigen Spazierstock auf den Gehsteigen der City meines Wegs zu tappen. Vielleicht werde ich nie sterben, werde nie auch nur diese Kontinuität und Fortdauer erlangen —

O Westerwind, wann wirst du wehn,
Daß es kleinweis regnen tät?

Percival grünte und blühte und wurde in die Erde gelegt, während alle seine Äste noch im Sommerwind seufzten. Rhoda, mit der ich ein Schweigen teilte, wenn die andern sprachen, sie, die zurückblieb und zur Seite schwenkte, wenn sich die Herde sammelte und mit säuberlichen, wohlgeglätteten Rücken über die üppigen Weidegründe galoppierte, ist nun dahin wie die Wüstenglut. Wenn die Sonne auf den Dächern der Stadt Blasen zieht, denke ich an sie; wenn die dürren Blätter zu Boden rascheln, wenn die alten Männer mit ihren Stöcken kommen und mit den eisernen Spitzen kleine Papierschnitzel durchbohren, wie wir sie, Rhoda, durchbohrten —

O Westerwind, wann wirst du wehn,
Daß es kleinweis regnen tät?
Herrje, daß mein Lieb im Arm mir läg
Und ich wieder in mei'm Bett!

Ich wende mich nun wieder meinem Buch zu; ich kehre nun zu meinem Versuch zurück.

O Leben, wie ich dich fürchtete! sagte Rhoda. O ihr Menschen, wie ich euch haßte! Wie ihr euch heimlich angestoßen, wie ihr mich gestört, wie scheußlich ihr in der

Oxford Street ausgesehn habt, wie jämmerlich, wenn ihr, euch anstarrend, einander in der Untergrundbahn gegenüber saßet! Jetzt, während ich diesen Berg ersteige, von dessen Gipfel ich Afrika sehen werde, trägt mein Geist noch die Abdrücke von Paketen in braunem Papier und von euern Gesichtern. Ich bin von euch verfärbt und verderbt worden. Ihr habt auch so unangenehm gerochen, wenn ihr euch vor Schaltern um Fahrkarten anstelltet. Alle wart ihr in unbestimmte Tönungen von Grau und Braun gekleidet, nie auch nur eine blaue Feder an einen Hut gesteckt. Keins hatte den Mut, lieber das eine als das andre zu sein. Was für eine Auflösung der Seele ihr verlangtet, damit man einen einzigen Tag überstehe, welche Lügen, Verneigungen, Kratzfüße, welche Zungenfertigkeit und Unterwürfigkeit! Wie ihr mich an eine Stelle, an eine Stunde, einen Stuhl gekettet und euch dann mir gegenüber hingesetzt habt! Wie ihr mir die weißen Zeiträume weggerissen habt, die zwischen einer Stunde und der nächsten liegen, und sie zu schmutzigen Kügelchen gerollt und sie mit euern fettigen Pfoten in den Papierkorb geworfen habt! Doch sie waren mein Leben.

Aber ich gab nach. Spotten und Gähnen wurden von meiner Hand verdeckt. Ich bin nicht auf die Straße hinaus und habe keine Flasche als Zeichen der Wut im Rinnstein zerschmissen. Zitternd vor Eifer benahm ich mich, als wäre ich nicht überrascht. Was ihr tatet, das tat auch ich. Wenn Susan und Jinny sich so die Strümpfe heraufzogen, zog ich die meinen auch so herauf. Das Leben war so schrecklich, daß ich mir einen Filter nach dem andern vorhielt. Blick auf das Leben durch den hier, nein, blick durch den da! Streu Rosenblätter, streu Weinblätter — ich bedeckte die ganze Straße, die Oxford Street, den Piccadilly Circus mit dem Lodern und Rieseln meiner Seele, mit Weinblättern und mit Rosenblättern. Und Koffer standen im Flur des

Pensionats, wenn die Ferien begannen. Ich stahl mich heimlich hin, um die Zettel zu lesen und von Namen und Gesichtern zu träumen. Harrogate vielleicht, Edinburgh vielleicht war mit einem goldenen Glorienschein bekraust, wo ein Mädchen, dessen Namen ich vergessen habe, auf dem Gehsteig stand. Doch es war nur der Name. Ich habe Louis verlassen; ich hatte Angst vor Umarmungen. Mit Vliesen, mit Altartüchern versuchte ich, die blauschwarze Klinge zu verhüllen. Ich flehte den Tag an, zur Nacht zu werden. Ich sehnte mich danach, den Schrank schrumpfen zu sehen, das Bett weicher werden zu spüren, schwebend dahinzugleiten, verlängerte Bäume, verlängerte Gesichter wahrzunehmen, eine grüne Böschung auf einer Höhe und zwei bekümmerte Gestalten, die voneinander Abschied nehmen. Ich warf Wörter in Fächern aus gleich denen, die der Sämann über die gepflügten Felder streut, wenn die Erde kahl ist. Ich wünschte immer, die Nacht auszudehnen und sie mehr und mehr mit Träumen zu füllen.

Dann, in irgendeinem Saal, teilte ich das Gezweig der Musik und sah das Haus, das wir gemacht haben; das Quadrat stand auf dem Rechteck. »Das Haus, das alles enthält«, sagte ich, in einem Omnibus gegen andrer Leute Schultern taumelnd, nachdem Percival gestorben war; dennoch fuhr ich nach Greenwich. Den Flußkai entlanggehend betete ich, ich möge immerdar am Rande der Welt dahinwandern, wo es keinen Pflanzenwuchs gibt, sondern nur hie und da eine Marmorsäule. Ich warf mein Sträußchen in die sich ausbreitende Welle. Ich sagte: »Verzehre mich, trage mich an die äußerste Grenze!« Die Welle ist zerronnen; das Sträußchen ist verwelkt. Ich denke nun selten an Percival.

Nun besteige ich diesen Berg in Spanien; und ich will mir vorstellen, daß dieser Maultierrücken mein Bett ist und ich im Sterben liege. Es ist jetzt nur ein dünnes Laken zwischen mir und der unendlichen Tiefe. Die Buckel in der Matratze werden weicher unter mir. Wir stolpern bergan — wir stolpern weiter. Mein Weg ging aufwärts, immer aufwärts, einem einzelnen Baum entgegen, neben einem Teich ganz oben auf dem Gipfel. Ich habe die Wasser der Schönheit durchschnitten, des Abends, wenn die Berge sich gleich gefalteten Vogelschwingen zusammenschließen. Ich habe manchmal eine rote Nelke gepflückt und manchmal einen Heuwisch abgezupft. Ich bin allein auf den kurzen Rasen hingesunken und habe einen alten Knochen befingert und gedacht: Wenn der Wind herabfährt und über diese Höhe fegt, möge nichts gefunden werden als ein Häufchen Staub!

Das Maultier stolpert weiter aufwärts. Der Bergrücken steigt wie Nebel, aber vom Gipfel werde ich Afrika sehen. Nun gibt das Bett unter mir nach. Die von gelben Löchern gefleckten Laken lassen mich hindurchfallen. Die gute Frau mit dem Gesicht eines Schimmels am Fußende des Betts macht eine abschiednehmende Gebärde und wendet sich zum Gehn. Wer also kommt mit mir? Nur Blumen, die Zaunwinde und die mondscheinfarbene Hagedornblüte. Sie lose zu einer Garbe sammelnd, wand ich aus ihnen eine Girlande und reichte sie — oh, wem nur? Nun geht's über den Abgrund hinaus. Unter uns sind die Lichter der Heringsflotte. Die Klippen verschwinden. Klein gekräuselt, grau gekräuselt — so breiten sich unzählige Wellen unter uns aus. Ich berühre nichts. Ich sehe nichts Vielleicht geht es hinab und auf die Wellen hinunter. Das Meer wird mir in die Ohren trommeln. Die weißen Blütenblätter werden vom Meerwasser dunkel werden. Sie werden für einen Augenblick schwimmen und dann versinken. Die Wellen werden mich wälzen und hinunterschultern. Alles stürzt in einem ungeheuern Schauer, löst mich auf.

Doch dieser Baum hat stachelige Zweige; das dort ist der harte Umriß eines Hüttendachs. Diese blasenförmigen, rot und gelb bemalten Dinger sind Gesichter. Den Fuß auf den Boden setzend, mache ich ein paar vorsichtige Schritte und drücke die Hand gegen die harte Tür eines spanischen Gasthofs.

Die Sonne war im Untergehn. Der harte Stein des Tags war zersprungen, und Licht ergoß sich zwischen seine Splitter. Rot und Gold durchschossen die Wellen in eilenden, von Dunkelheit befiederten Pfeilen. Lichtstrahlen blitzten auf und irrten umher wie Signale von versunkenen Inseln oder wie Wurfspeere, die schamlose, lachende Knaben durch Lorbeerhaine schleudern. Aber die Wellen wurden, während sie sich dem Ufer näherten, des Lichts beraubt und brachen sich in einer langgezogenen Erschütterung wie eine stürzende Mauer, eine Mauer aus grauem Stein, von keinem Lichtspalt durchdrungen.

Eine Brise sprang auf; ein Schauern durchlief die Blätter; und so bewegt, verloren sie ihre braune Dichte und wurden grau oder weiß, je nachdem der Baum seine Masse verschob, schwankte und sein kuppeliges Gleichmaß verlor. Der Habicht, aufgebäumt auf dem höchsten Ast, zuckte mit den Lidern, hob sich in die Luft und segelte in die Ferne. Der Regenpfeifer, der in den Marschen rief, wich aus und kreiste und rief weiter weg in Einsamkeit. Der Rauch von Eisenbahnzügen und Schornsteinen streckte sich und zerriß und wurde ein Teil des flockigen Baldachins, der über dem Meer und den Feldern hing.

Nun war das Getreide gemäht. Nun waren nur starre Stoppeln übrig von all seinem Fließen und Wogen. Langsam ließ sich eine große Eule von der Ulme gleiten, und wie an einer sackenden Schnur schwang sie abwärts und stieg dann zu dem Wipfel der Zeder auf. Auf den Bergen verbreiterten sich die langsamen Schatten, und nun schrumpften sie wieder im Dahinziehen. Der Tümpel oben auf dem Hochmoor lag blank da. Kein pelziges Gesicht beäugte sich, kein Huf planschte, keine heiße Schnauze schnob im Wasser. Ein Vogel auf einem aschenfarbenen Zweig nippte einen Schnabelvoll kalten Wassers. Es war kein Laut von grasenden Mäulern zu hören und kein Laut von Rädern; nur das jähe Brüllen des Winds, der seine Segel sich füllen ließ und die Spitzen der Grashalme streifte. Ein Knochen lag regengenarbt und sonnengebleicht, bis er leuchtete wie ein Zweig, den das Meer poliert hat. Der Baum, der im Frühjahr fuchsrot geflammt und im Mittsommer biegsame Blätter vor dem Südwind gewendet hatte, war nun schwarz wie Eisen und ebenso kahl.

Das Land dehnte sich so weit, daß kein schimmerndes Dach oder glitzerndes Fenster mehr zu erblicken war. Der mit gewaltiger Wucht auf der Erde liegende Schatten hatte solche gebrechliche Fesseln verschlungen, solche schneckenhausartige Lasten. Nun waren da nur noch der flüssige Schatten der Wolke, die Böen von Wind, ein einzelner flitzender Speer von Sonnenlicht oder die jähe Peitsche des Regengusses. Vereinzelte Bäume kennzeichneten gleich Obelisken ferne Hügel.

Die Abendsonne, aus der alle Hitze geschwunden und deren Brennpunkt von Heftigkeit zerstreut worden war, gab Stühlen und Tischen eine reifere Färbung und legte sie mit Rauten von Braun und Gelb ein. Wo Schatten sie überzogen, schien ihr Gewicht schwerer zu sein, als wäre durch Kippen Farbe nach der einen Seite geronnen. Hier lagen Messer und Gabeln, hier standen Gläser, aber verlängert, geschwellt und bedeutungsvoll gemacht. Von einem goldenen Kreis eingefaßt, behielt der Spiegel die Szene unbeweglich, wie etwas ewig Dauerndes im Auge.

Unterdessen verlängerten sich die Schatten auf dem Strand; ihre Schwärze vertiefte sich. Der eisenschwarze Schuh wurde zu einem Tümpel tiefen Blaus. Die Felsen verloren ihre Härte. Das Wasser, das um das alte Boot stand, war dunkel, als wären Pfahlmuscheln dareingetaucht worden. Der Schaum war fahl geworden und hinterließ hier und da einen weißen Perlenschimmer auf dem dunstigen Sand.

Hampton Court, sagte Bernard, Hampton Court. Dies ist unser Treffpunkt. Da sind die gewundenen roten Rauchfänge, die quadratischen Zinnen von Hampton Court! Mein Tonfall, wenn ich »Hampton Court« sage, beweist, daß ich mittleren Alters bin. Vor zehn Jahren, vor fünfzehn Jahren hätte ich »Hampton Court« fragend ausgesprochen — wie es dort aussehen werde? Werden dort Teiche sein? Irrgärten? Oder erwartungsvoll: Was werde ich dort erleben? Wem werde ich begegnen? Nun schlagen die Wörter — Hampton Court — Hampton Court — auf ein Gong in dem Raum, den ich so mühevoll mit einem halben Dutzend telephonischer Benachrichtigungen und Postkarten freigemacht habe; sie senden einen Klangring nach dem andern aus, dröhnend, volltönend; und Bilder steigen auf — Sommernachmittage, Boote, alte, den Saum ihres Kleids raffende Damen, eine Sandsteinurne im Winter, ein paar Narzissen im März — diese alle steigen an die Oberfläche der tiefen Wasser, die nun über jeder Szene lagern.

Dort, an der Tür des Gasthofs, unseres Treffpunkts, stehn sie bereits — Susan, Louis, Rhoda, Jinny und Neville. Sie sind schon zusammengekommen. Im nächsten Augenblick, sobald ich mich ihnen gesellt habe, wird sich eine andre Gruppierung bilden, ein andres Muster. Was jetzt vergeudet abrinnt und dabei Szenen in Fülle bildet, wird angehalten, wird ausgesagt werden. Es widerstrebt mir, diesen Zwang zu erleiden. Schon auf fünfzig Schritt Entfernung fühle ich die Ordnung meines Wesens sich verändern. Die magnetische Anziehungskraft ihrer Gesellschaft wirkt auf mich ein. Ich gehe näher. Sie sehen mich nicht. Nun hat mich Rhoda erblickt, aber weil sie sich vor dem Schock des Zusammentreffens fürchtet, tut sie, als wäre ich ein Unbekannter. Nun wendet sich Neville nach mir um. Plötzlich hebe ich, ihn begrüßend, die Hand und rufe: »Auch ich habe Blumen zwischen den Seiten von Shakespeares Sonetten gepreßt«, und bin aufgewühlt. Mein kleines Boot schaukelt unsicher auf dem wilden Wellengetümmel. Es gibt kein Wundermittel (möchte ich hier vermerken) gegen den Schock des Wiedersehens.

Es ist auch unbehaglich, fügt zackige Ränder, wunde Ränder aneinander. Nur allmählich, während wir in den Gasthof schlurren und trampeln, Mäntel und Hüte ablegen, wird die Zusammenkunft angenehm. Nun versammeln wir uns in dem langen, kahlen Speisesaal mit der Aussicht auf einen Park, eine grüne Weite, die noch von der untergehenden Sonne phantastisch beleuchtet ist, so daß sich ein Goldbalken zwischen die Bäume schiebt, und setzen uns.

Nun, sagte Neville, da wir nebeneinander an diesem schmalen Tisch sitzen, nun, bevor die erste Gemütsbewegung sich glattgerieben hat, was empfinden wir? Ehrlich jetzt, offen und geradeheraus, wie es alten Freunden geziemt, für die es schwierig ist, zusammenzukommen, was empfinden wir, wenn wir beisammen sind? Trauer. Die Tür wird sich nicht öffnen; er wird nicht kommen. Und wir sind belastet. Nun, da wir alle in mittleren Jahren stehn, liegen Bürden auf uns. Laden wir unsre Lasten ab! Was haben wir, du und ich, aus dem Leben gemacht? fragen wir. Du, Bernard; du, Susan; du, Jinny; und Rhoda und Louis? Die Listen sind an der Tür angeschlagen worden. Bevor wir diese Brötchen entzweibrechen und uns zu Fisch und Salat verhelfen, greife ich in meine Geheimtasche und finde meine Beglaubigungsschreiben — alles, was ich bei mir trage, um meine Überlegenheit zu beweisen. Ich bin durchgekommen. Ich habe Zeugnisse in meiner Geheimtasche, die das beweisen. Aber deine

Augen, Susan, voller Rüben- und Kornfelder, beunruhigen mich. Diese Papiere in meiner Tasche — das Beifallsgeschrei, das beweist, daß ich durchgekommen bin — machen ein schwaches Geräusch, wie ein Mann es macht, der auf einem leeren Feld in die Hände klatscht, um die Krähen zu verscheuchen. Nun ist es unter Susans starrem Blick völlig verstummt (das Händeklatschen, der Widerhall, den ich hervorgerufen habe), und ich höre nur den Wind über das gepflügte Land fegen und einen Vogel singen — eine berauschte Lerche vielleicht. Hat der Kellner von mir gehört oder jene verstohlenen ewigen Paare, die sich nun verweilen, die nun zögern und zu den Bäumen aufblicken, welche noch nicht dunkel genug sind, um ihre ins Gras gestreckten Körper zu schirmen? Nein; das Geräusch des Händeklatschens hat nichts genützt.

Was also bleibt übrig, wenn ich nicht meine Papiere hervorzuziehen vermag und euch durch Vorlesen meiner Zeugnisse nicht glauben machen kann, daß ich durchgekommen bin? Was übrig bleibt, ist, was Susan unter dem ätzenden Blick ihrer grünen, ihrer kristallenen, birnenförmigen Augen ans Licht bringt. Da ist immer eins von uns, das sich, wenn wir zusammenkommen und die Ränder des Wiedersehens noch scharf sind, nicht untertauchen lassen will; dessen Identität man daher unter die eigene geduckt sehen möchte. Für mich ist es heute Susan. Ich spreche, um auf Susan Eindruck zu machen. Hör mich an, Susan!

Wenn jemand hereinkommt, während ich beim Frühstück sitze, schwillt sogar die gestickte Frucht auf meinem Vorhang, so daß Papageien an ihr picken können; man kann sie mit Daumen und Zeigefinger abpflücken. Die dünne, abgerahmte Milch des frühen Morgens wird opalfarben, blau, rosig. Um diese Stunde pflegt dein Gatte — der Mann, der mit der Reitgerte auf die Galtkuh wies und dann an seine

Ledergamaschen klatschte — zu brummen. Du sagst nichts. Du siehst nichts. Gewohnheit macht deine Augen blind. Um diese Stunde ist eure Beziehung stumm, fahl, null. Meine ist um diese Stunde warm und mannigfaltig. Bei mir gibt es keine Wiederholungen. Jeder Tag ist gefährlich. Oberflächlich glatt, sind wir darunter ganz Knochen wie sich ringelnde Schlangen. Angenommen, wir lesen die *Times;* angenommen, wir haben einen Meinungsstreit. Es ist ein Erlebnis. Angenommen, es ist Winter. Der fallende Schnee drückt auf das Dach und versiegelt uns beide in einer roten Höhle. Die Rohre sind geborsten. Wir stellen eine gelbe Blechwanne in die Mitte des Zimmers. Wir rennen Hals über Kopf Waschschüsseln holen. Schau dorthin — das über dem Bücherkasten ist wieder geplatzt. Wir brüllen vor Lachen beim Anblick der Zerstörung. So mag denn alles Festgefügte zerstört werden! Wir wollen keine Besitztümer haben. Oder ist es Sommer? Wir wandern vielleicht zu einem Teich und sehen chinesische Gänse plattfüßig zum Rand des Wassers watscheln oder betrachten in der City eine knochenbleiche Kirche, vor der junges Grün flimmert. (Ich wähle aufs Geratewohl; ich wähle das Augenfällige.) Jeder Anblick ist eine Arabeske, eine plötzlich hingekritzelte, um den Zufall und das Wunder einer sich plötzlich ergebenden Vertrautheit zu veranschaulichen. Der Schnee, das geplatzte Rohr, die Blechwanne, die chinesische Gans — sie sind hoch in der Luft schwingende Zeichen, aus denen ich, zurückblickend, die Wesensart jeder meiner Liebschaften lese; wie verschieden eine jede war.

Du hingegen, Susan, — denn ich möchte die Wirkung deiner Feindseligkeit abschwächen, deiner grünen, auf mich gerichteten Augen und deiner schäbigen Kleidung, deiner rauhen Hände und aller der andern Embleme deiner mütterlichen Herrlichkeit — bist wie eine Napfschnecke auf demselben Fels kleben geblieben. Dennoch ist es wahr, daß ich dir nicht wehtun will; ich will nur meinen Glauben an mich selbst auffrischen und aufputzen, der mich bei deinem Eintreten im Stich ließ. Veränderung ist nicht mehr möglich. Wir haben uns festgelegt. Früher, wenn wir uns mit Percival in einem Londoner Restaurant trafen, wallte und wogte alles; wir hätten Gott weiß was werden können. Wir haben nun gewählt, oder manchmal sieht es so aus, als wäre die Wahl für uns getroffen worden — als hätte eine Feuerzange uns zwischen den Schultern gepackt. Ich wählte. Ich empfing den Stempel des Lebens nicht äußerlich sondern innerlich, auf die bloßen, die weißen, die ungeschützten Fasern. Ich bin umwölkt und wundgeschlagen von den Stempeln vieler Geister und Gesichter und mancher Dinge, die so subtil sind, daß sie Geruch, Farbe, Struktur, Substanz aber keinen Namen haben. Für euch, die ihr die engen Grenzen meines Lebens seht und die Linie, über die es nicht hinauskann, bin ich bloß »Neville«. Mir selbst aber bin ich unermeßlich; ein Netz, dessen Fäden sich unmerklich unterhalb der Welt erstrecken. Mein Netz ist fast ununterscheidbar von dem, was es umfaßt. Es holt Wale herauf — riesige Leviathane und weiße gallertige Geschöpfe und, was gestaltlos ist und was umherschweift; ich entdecke; ich gewahre. Vor meinen Augen öffnet sich — ein Buch; ich sehe bis auf den Grund, ins Herz — ich sehe in die Tiefe. Ich weiß, welche Arten von Liebe mit Zittern entbrennen; wie Eifersucht ihre grünen Blitze hierhin und dorthin schießt; wie unentwirrbar eine Liebe die andre durchkreuzt; wie Liebe Knoten knüpft; Liebe sie brutal zerreißt. Auch ich bin verknüpft worden; auch ich bin weggerissen worden.

Aber früher einmal gab es etwas andres, Herrliches, als wir warteten, daß sich die Tür öffne und Percival hereinkomme; als wir uns unverknüpft auf den harten Rand einer Bank in einem öffentlichen Warteraum fallen ließen.

Früher einmal, sagte Susan, waren da der Buchenwald, Elvedon und die goldenen, durch die Bäume funkelnden Zeiger der Uhr. Die Tauben brachen durch das Laub. Die wechselnden, wandernden Lichter glitten über mich hin. Sie entzogen sich mir. Dennoch blick du, Neville, dem ich, um ich selbst zu bleiben, keinen Glauben schenke, blick auf meine Hand da auf dem Tisch! Blick auf die Tönungen gesunder Farbe hier auf meinen Fingerknöcheln, hier auf meiner Handfläche! Mein Körper ist täglich auf die richtige Weise, wie ein Werkzeug von einem guten Handwerker, und von Kopf bis Fuß benützt worden. Die Klinge ist blank, scharf und in der Mitte abgenützt. (Wir kämpfen miteinander wie Tiere auf einer Wiese, wie Hirsche, die ihre Geweihe aufeinanderkrachen lassen.) Durch dein fahles, nachgiebiges Fleisch erblickt, müssen sogar Äpfel und Fruchtbüschel aussehen wie mit einer Lasur überzogen, als lägen sie unter Glas. Tief in den Armsessel zurückgelehnt, neben einem Menschen, einem einzigen bloß, aber einem, der sich verändert, siehst du immer nur einen Zoll von Fleisch; die Nerven, die Fasern, das träge oder schnelle Fließen des Bluts darin; aber nichts siehst du ganz. Du siehst nicht ein Haus in einem Garten; ein Pferd auf einer Wiese; eine hingebreitete Stadt, während du dich vorbeugst wie eine alte, angestrengt auf ihr Stopfzeug blickende Frau. Ich aber habe das Leben in ganzen Blöcken gesehen, massig, riesenhaft; seine Zinnen und Türme, Fabriken und Gasometer; eine Wohnstätte, eine nach einem seit unvordenklichen Zeiten weitervererbten Muster gebaute. Diese Dinge bleiben vierkantig, hochragend, unaufgelöst in meiner Seele bestehn. Ich bin nicht geschmeidig, nicht beredt; ich sitze unter euch und schürfe eure Weichheit mit meiner Härte, lösche das silbergraue, flackernde Falterflügelgeflatter von Worten mit dem grünen Spritzstrahl meiner klaren Augen.

Nun haben wir unsre Geweihe aufeinanderkrachen lassen. Dies ist das notwendige Vorspiel, die Begrüßung alter Freunde.

Das Gold zwischen den Bäumen ist verblaßt, sagte Rhoda, und ein Streifen Grün liegt hinter ihnen, langgezogen wie die Klinge eines in Träumen geschauten Messers oder eine spitz zulaufende Insel, auf die niemand den Fuß setzt. Nun beginnen die Autos, die die Allee entlangkommen, zu blinken und zu blinzeln. Liebespaare können sich jetzt ins Dunkel zurückziehen; die Stämme der Bäume sind geschwellt, sind obszön geworden von Liebespaaren.

Es war einmal anders, sagte Bernard. Früher einmal konnten wir die Strömung durchschneiden, wie wir wollten. Wieviele Telephongespräche, wieviele Postkarten sind jetzt nötig, um diese Bresche zu schlagen, durch die wir in Hampton Court vereint zusammenkommen! Wie schnell das Leben vom Januar bis zum Dezember läuft! Wir werden alle von diesem Wildbach von Dingen mitgerissen, die so vertraut geworden sind, daß sie keinen Schatten werfen; wir ziehen keine Vergleiche; denken kaum jemals an »ich« oder »du«; und erlangen so, in dieser Unbewußtheit, das größtmögliche Befreitsein von Reibungen und teilen die Schlingpflanzen, die die Mündungen eingeschnittener Kanäle überwachsen haben. Wir müssen gleich Fischen hoch in die Luft springen, um unsern Zug auf dem Waterloo-Bahnhof zu erreichen. Aber wie hoch wir auch springen, wir fallen immer wieder in die Strömung zurück. Ich werde mich nun nie nach den Südseeinseln einschiffen. Eine Fahrt nach Rom ist jetzt die Grenze meines Reisens. Ich habe Söhne und Töchter. Ich bin in meinen Platz in dem Zusammensetzspiel eingepaßt.

Es ist jedoch bloß mein Körper — dieser ältliche Mann hier, der sich Bernard nennt — der unwiderruflich festgelegt ist — so möchte ich gern glauben. Ich denke jetzt uninteressierter, als ich es in der Jugend konnte und wild drauflosstochern mußte wie ein Kind in seinen Wunderknäuel, um mein Selbst zu entdecken. »Schau, was ist das? Und das? Wird das Nächste etwas Schönes sein? Ist das alles?« und so weiter. Nun weiß ich, was in dem Knäuel drin ist; und es liegt mir nicht viel daran. Ich streue meinen Geist in die Luft, wie ein Mann Saatkörner in großen Fächerwürfen ausstreut, daß sie durch den purpurnen Sonnenuntergang fallen, auf den platten, fettig glänzenden Sturzacker fallen, der kahl daliegt.

Eine Phrase. Eine nicht sehr treffende Phrase. Und was sind schon Phrasen? Sie haben mir sehr wenig gelassen, was ich neben Susans Hand auf den Tisch legen könnte; was ich, zusammen mit Nevilles Zeugnissen, aus der Tasche ziehen könnte. Ich bin keine Autorität der Rechtswissenschaft oder der Medizin oder der Geldwirtschaft. Ich bin mit Phrasen wie mit feuchtem Stroh umwickelt. Ich glühe phosphoreszierend. Und wenn ich spreche, fühlt jedes von euch: »Ich bin entzündet. Ich glühe.« Die kleinen Jungen dachten immer: »Gut gesagt, gut gesagt«, wenn die Phrasen von meinen Lippen aufsprudelten, unter den Ulmen auf dem Spielplatz. Auch sie sprudelten auf; auch sie entwischten mit meinen Phrasen. In Einsamkeit aber verschmachtete ich. Einsamkeit ist mein Verhängnis.

Ich gehe von Haus zu Haus wie die Wandermönche im Mittelalter, die die Frauen und Mädchen mit Romanzen und Rosenkränzen köderten. Ich bin ein Reisender, ein Hausierer, der für sein Obdach mit einem Bänkel bezahlt; ich bin ein nachsichtiger, ein leicht zufriedenzustellender Gast, der oft im besten Zimmer in einem Himmelbett übernachtet, dann wieder in einer Scheune auf einem Fuder Heu schläft. Mich stören die Flöhe nicht, und an Seide habe ich auch nichts auszusetzen. Ich bin sehr duldsam. Ich bin kein Moralprediger. Ich habe zusehr ein Gefühl von der Kürze des Lebens und seinen Versuchungen, um rote Linien vorzuzeichnen. Doch besitze ich nicht so wenig Unterscheidungsvermögen, wie ihr glaubt, daß ich mich — wie ihr es tut — nach meiner Redegewandtheit beurteile. Ich habe einen kleinen Dolch von Verachtung und Strenge in meinem Ärmel verborgen. Aber ich lasse mich leicht ablenken. Ich erfinde Geschichten. Ich drehe, aus was es auch sei, Spielzeug zusammen. Ein Mädchen sitzt vor der Tür eines Häuschens; sie wartet; auf wen? Verführt oder nicht verführt? Der Schuldirektor sieht das Loch im Teppich. Er seufzt. Seine Frau fährt sich mit den Fingern durch die Wellen ihres immer noch üppigen Haars und überlegt — und so weiter. Ein Winken mit der Hand, ein Zaudern an einer Straßenecke, jemand, der eine Zigarette in den Rinnstein fallen läßt, — das alles sind Geschichten. Aber welche ist die wahre Geschichte? Das weiß ich nicht. Daher verwahre ich meine Phrasen, nebeneinandergehängt wie Kleider in einem Wandschrank, die darauf warten, daß jemand sie trage. So warte ich, stelle Vermutungen an, vermerke dies und vermerke jenes und klammere mich nicht an das Leben. Ich werde wie eine Biene von einer Sonnenblume abgestreift werden. Meine Philosophie, die sich stets aufspeichernde, in einem Augenblick nach dem andern aufquellende, läuft wie Quecksilber in einem Dutzend verschiedener Richtungen auf einmal. Doch Louis, der scheu blickende aber gestrenge, hat in seiner Dachkammer, in seinem Kontor unabänderliche Schlüsse über die wahre Natur dessen, was wir wissen können, gezogen.

Er reißt, sagte Louis, der Faden, den ich zu spinnen versuche; euer Lachen zerreißt ihn, eure Gleichgültigkeit und auch eure Schönheit. Jinny hat den Faden zerrissen, als sie mich vor Jahren in dem Garten küßte. Die prahlenden Jungen verspotteten mich in der Schule meiner australischen Aussprache wegen und zerrissen ihn. »Dies ist der Sinn«, sage ich; und fahre schuldbewußt zusammen: Eitelkeit! »Hört der Nachtigall zu«, sage ich, »die während des Getrampels singt; während der Eroberungszüge und Völkerwanderungen. Glaubt —« sage ich und werde entzweigerissen. Über zerbrochene Ziegelsteine und Glassplitter suche ich mir meinen Weg. Verschiedene Lichter fallen auf das Alltägliche, flecken es leopardenartig und machen es seltsam. Dieser Augenblick der Versöhnung, wenn wir zusammenkommen und vereint sind, dieser abendliche Augenblick mit seinem Wein und den schwankenden Blättern und den jungen Leuten, die in weißen Flanellanzügen mit den Bootkissen vom Fluß heraufkommen, ist für mich schwarz von den Schatten von Kerkern, von den Schatten der Folterungen und Schurkereien, die die Menschen einander antun. So unvollkommen sind meine Sinne, daß sie nie mit einem einzigen Purpurrot die ernsten Anklagen überdecken, die meine Vernunft, sogar während wir hier sitzen, gegen uns aufhäuft. Was ist die Lösung, frage ich mich, und was die Brücke? Wie kann ich diese blendenden, diese tanzenden Erscheinungen auf eine und dieselbe Linie bringen, die imstande wäre, alle miteinander zu verbinden? So grüble ich; und ihr beobachtet indessen boshaft meine verkniffenen Lippen, meine fahlen Wangen und mein ständiges Stirnrunzeln.

Aber ich bitte euch, auch meinen Spazierstock und meine Weste zu bemerken. Ich habe einen Schreibtisch aus solidem Mahagoniholz in einem mit Landkarten behängten Zimmer übernommen. Unsre Ozeandampfer haben sich einen beneidenswerten Ruf erworben, daß ihre Kabinen aufs luxuriöseste ausgestattet sind. Wir bieten Schwimmbäder und Turnsäle. Ich trage nun eine weiße Weste und ziehe ein kleines Vormerkbüchlein zu Rate, bevor ich eine Verabredung treffe.

Dies ist die schelmische, ironische Manier, mit der ich euch abzulenken hoffe von meiner fröstelnden, meiner zarten und unendlich jungen und schutzlosen Seele. Denn ich bin immer das Jüngste; das am naivsten Erstaunte, dasjenige, das immer voraus ist in bangendem Mitgefühl mit Unbehagen oder Lächerlichkeit — wenn sich ein Rußfleck auf einer Nase zeigt oder ein Knopf aufgesprungen ist. Ich erleide Demütigungen für alle. Dennoch bin ich auch unbarmherzig, marmorhart. Ich verstehe nicht, wie ihr sagen könnt, es sei ein Glück, gelebt zu haben. Eure kleinen aufregenden Erlebnisse, eure kindlichen Entzückungen, wenn der Teekessel kocht, wenn ein linder Luftzug Jinnys getupften Schal lüpft und der wie ein Gespinst in der Luft zu schweben scheint, sind für mich wie seidene, dem anstürmenden Stier in die Augen geworfene Bänder. Ich verurteile euch. Und doch sehnt sich mein Herz zu euch hin. Ich ginge mit euch durch die Feuer des Todes. Und doch bin ich am glücklichsten allein. Ich schwelge in goldenen und purpurnen Gewändern. Und doch ziehe ich eine Aussicht auf Rauchfänge vor; auf Katzen, die ihre räudigen Flanken an abblätternden Schornsteinkästen reiben; auf gebrochene Fensterscheiben; und das heisere Glockengeschepper vom Türmchen einer Backsteinkapelle.

Ich sehe, was vor mir ist, sagte Jinny. Diesen Schal, diese weinroten Tupfen. Dieses Stengelglas. Diesen Senftiegel. Diese Blume. Ich habe alles gern, was man berühren, was man schmecken kann. Ich habe den Regen gern, sobald er sich in Schnee verwandelt und greifbar geworden ist. Und weil ich vorschnell und viel mutiger bin als ihr, verwässere ich meine Schönheit nicht durch Knauserigkeit, damit sie mich nicht brenne. Ich schlucke sie, wie sie ist, herunter. Sie ist Fleisch; sie ist Stoff. Meine Vorstellungskraft ist die des Körpers. Ihre Visionen sind nicht feingesponnen und weiß vor Reinheit wie die Louis'. Ich mag deine mageren Katzen und deine abblätternden Rauchfänge nicht. Die erbärmliche Schönheit deiner Dachfirste stößt mich ab. Männer und Frauen, in Uniform, Perücken und Talaren, in Melonenhüten und Tennishemden, schön offen am Hals, und die unendliche Verschiedenheit von Frauengewändern (ich bemerke immer alle Kleider) entzücken mich. Ich wirble mit ihnen ein und aus, ein und aus in Zimmer, in Säle, hierhin, dorthin, überallhin, wo immer sie hingehn mögen. Dieser Mann da hebt den Huf eines Pferds. Dieser Mann dort öffnet und schließt die Laden seiner Privatsammlung. Ich bin nie allein. Ich werde von einem Regiment meiner Mitmenschen begleitet. Meine Mutter muß dem Ruf der Trommel gefolgt sein, mein Vater dem Ruf der See. Ich bin wie ein Hündchen, das der Regimentskapelle die Straße entlang nachtrabt, aber stehnbleibt, um einen Baumstamm zu beschnüffeln, einen bräunlichen Fleck zu beschnuppern, und plötzlich quer über die Fahrbahn einem Straßenköter nachgaloppiert und dann, eine Pfote in der Luft, innehält, weil es ein verführerisches aus dem Metzgerladen hergewehtes Fleischrüchlein wittert. Meine Affären haben mich an seltsame Orte geführt. Männer — und wie viele von ihnen! — sind von der Wand weg auf mich zugekommen. Ich brauche nur die Hand zu heben. Pfeilgerade sind sie zu dem Ort des Stelldicheins gekommen — etwa einem Stuhl auf einem Balkon, etwa einem Laden an einer Straßenecke. Die Qualen, die Zwiespältigkeiten eurer Leben sind Nacht für Nacht für mich gelöst worden, manchmal durch die bloße Berührung eines Fingers unter dem Tisch, wenn wir beim Abendessen saßen, — so flüssig ist mein Körper geworden, daß er sich sogar bei der bloßen Berührung durch einen Finger zu einem vollen Tropfen formt, der sich füllt, der zittert, der funkelt, der in Ekstase herabfällt.

Ich bin vor einem Spiegel gesessen, so wie ihr am Schreibtisch sitzt und schreibt oder Zahlen zusammenzählt. So habe ich, vor dem Spiegel in dem Tempel meines Schlafzimmers, meine Nase und mein Kinn kritisch betrachtet; meine Lippen, die sich zu weit öffnen und zuviel Zahnfleisch sehen lassen. Ich habe hingesehen. Ich habe vermerkt. Ich habe gewählt, was zu Gelb oder Weiß, zu Glänzendem oder Mattem, zu gebauscht oder gerade Fallendem paßt. Ich bin flatterhaft für den einen, steif für den andern, spröde wie ein Eiszapfen aus Silber oder wollüstig wie eine Kerzenflamme aus Gold. Ich bin, ungestüm wie eine geschnellte Peitsche, bis zum Äußersten gegangen. Seine Hemdbrust, dort in der Ecke, ist weiß gewesen; dann purpurrot; Rauch und Flammen haben uns eingehüllt; nach einem rasenden Brand — doch wir hoben, auf dem Kaminteppich sitzend, kaum die Stimme, während wir die ganzen Geheimnisse unsrer Herzen wie in Muscheln murmelten, damit niemand in dem schlafenden Haus sie vernehme, aber ich hörte die Köchin sich einmal bewegen, und ein andermal glaubten wir, das Ticken der Uhr seien Schritte, — sind wir zu Asche zerfallen, ohne Überbleibsel zu hinterlassen, keine unverbrannten Knochen, keine in Medaillons aufzubewahrenden Haarsträhnen, wie eure Vertraulichkeiten sie hinterlassen. Nun wird mein Haar grau; nun werde ich hager; aber ich blicke mein Gesicht an, um Mittag, im hellen Tageslicht, vor dem Spiegel sitzend, und betrachte sehr genau meine Nase, mein Kinn, meine Lippen, die sich zu weit öffnen und zuviel vom Zahnfleisch sehen lassen. Doch ich fürchte mich nicht.

Lichtmasten standen auf dem Weg vom Bahnhof, sagte Rhoda, und Bäume, die ihre Blätter noch nicht verloren hatten. Die Blätter hätten mich noch verbergen können. Aber ich verbarg mich nicht hinter ihnen. Ich ging gradenwegs auf euch zu, statt einen Umweg zu machen und, wie ich es früher immer tat, dem Schock der Gemütsbewegung auszuweichen. Doch habe ich bloß meinen Körper einen gewissen Trick gelehrt. Mein Inneres ist nichts gelehrt worden; ich fürchte, ich hasse, ich liebe, ich beneide und verachte euch, aber niemals geselle ich mich euch freudig. Als ich vom Bahnhof kam und mich weigerte, den Schatten, den die Bäume und die Briefkastensäulen boten, auszunützen, erkannte ich an euern Mänteln und Schirmen, sogar schon aus der Ferne, wie ihr in eine Substanz aus sich wiederholenden, ineinandergeronnenen Augenblicken eingebettet steht; wie ihr festgelegt seid, eine Haltung habt gegenüber euern Kindern, den Behörden, dem Ruhm, der Liebe, der Gesellschaft; während ich nichts habe. Ich habe kein Gesicht.

Hier in diesem Speisesaal seht ihr die Geweihe und die Gläser; die Salzfässer; die gelben Flecke auf dem Tischtuch. »Kellner!« ruft Bernard. »Brot!« ruft Susan. Und der Kellner kommt; er bringt Brot. Ich aber sehe mit Staunen und Schrecken die Wandung einer Kaffeetasse als einen Berg und nur Stücke von Geweihen und den hellen Glanz auf jener Kanne als einen Riß in der Dunkelheit. Eure Stimmen klingen, wie Bäume im Wald knarren. So ist es auch mit euern Gesichtern und ihren Vorsprüngen und Vertiefungen. Wie schön sie sind, wenn ihr in einiger Entfernung regungslos um Mitternacht am Gitterzaun der Gartenanlage eines Platzes steht! Hinter euch ist ein weißer Halbmond von Gischt, und Fischer am Rande der Welt ziehen Netze ein und werfen sie aus. Ein Wind kräuselt die obersten Blätter urweltlicher Bäume. (Und doch sitzen wir hier in Hampton Court.) Kreischende Papageien unterbrechen die tiefe Stille des Dschungels. (Hier fahren Trambahnen ab.) Die Schwalbe taucht ihre Schwinge in mitternächtige Teiche. (Hier sprechen wir miteinander.) Das ist der Umkreis, den ich zu umfassen trachte, während wir beieinandersitzen. So mußte ich mich also punkt sieben Uhr dreißig der Buße von Hampton Court unterziehen.

Doch weil diese Brötchen und Weinflaschen von mir benötigt werden und eure Gesichter mit ihren Höhlungen und Vorsprüngen schön sind, und auch das Tischtuch mit seinen gelben Flecken, muß ich, weit davon, mich in immer größeren Kreisen des Verstehens ausbreiten zu dürfen, die vielleicht (so träume ich nachts, wenn mein Bett frei im Raum schwebt, vom Rand der Welt hinabfallend) am Ende die ganze Welt umschlössen, — da muß ich nun diese Possen des Individuums vollführen. Ich muß aufschrecken, wenn ihr mit euern Kindern, euern Gedichten, euern Frostbeulen oder was immer es ist, was ihr treibt oder woran ihr leidet, an mir zupft und zerrt. Aber ich bin nicht getäuscht. Nach allem diesem Hin- und Hergerufenwerden, diesem Zupfen und Zerren werde ich allein durch dieses dünne Laken in feurige Abgründe fallen. Und ihr werdet mir nicht beistehn. Grausamer als die einstigen Folterknechte werdet ihr mich hinabfallen lassen und mich in Stücke reißen, sobald ich unten bin. Doch es gibt Augenblicke, wo die Wände des Geistes dünn werden; wo nichts uneingesogen bleibt und wir, so könnte ich mir vorstellen, imstande wären, eine so riesige Seifenblase in die Luft zu senden, daß die Sonne darin auf- und unterginge und wir uns die Bläue des Mittags und die Schwärze der Mitternacht nehmen könnten und schon vom Ufer abgestoßen und dem Hier und Heute entflohen wären.

Tropfen auf Tropfen, sagte Bernard, fällt das Schweigen. Ein jeder bildet sich am Dachrand des Geistes und fällt in kleine Pfützen hinab. Auf immer allein, allein, allein — hör

Schweigen fallen und seine Ringe bis an die äußersten Ränder senden! Angegessen und vollgestopft, erfüllt von der Zufriedenheit mittleren Alters, lasse ich, den Einsamkeit vernichtet, es geschehn, daß Schweigen Tropfen auf Tropfen herabfällt.

Nun aber narbt das herabtropfende Schweigen mein Gesicht, zehrt meine Nase wie die eines Schneemanns, der im Regen im Hof stehngelassen wurde. Während Schweigen herabtropft, löse ich mich völlig auf, verliere meine Züge und bin kaum von einem andern zu unterscheiden. Es liegt nichts daran. Woran liegt etwas? Wir haben gut zu Abend gegessen. Der Fisch, die Kalbskoteletten, der Wein haben den scharfen Zahn der Ichsucht abgestumpft. Beängstigung hat sich beruhigt. Der eitelste von uns, Louis vielleicht, kümmert sich nicht mehr darum, was sich die Leute denken. Nevilles Qualen fanden Ruhe. Mögen andre blühen und gedeihen — das ist's, was er sich denkt. Susan hört das Atmen aller ihrer Kinder, die wohlgeborgen schlafen. »Schlaft, schlaft«, murmelt sie. Rhoda hat ihre Schiffchen ans Ufer geschaukelt. Ob sie gestrandet sind, ob sie Anker geworfen haben, ist ihr jetzt gleich. Wir sind bereit, jeden Vorschlag ganz unparteilich zu erwägen, den die Welt uns machen mag. Ich überlege nun, daß die Erde bloß ein Steinchen ist, zufällig vom Angesicht der Sonne weggeschnellt, und daß es nirgends in den Abgründen des Weltraums Leben gibt.

In diesem Schweigen, sagte Susan, scheint es, daß nie wieder ein Blatt fallen, nie wieder ein Vogel fliegen wird.

Als hätte sich das Wunder ereignet, sagte Jinny, und das Leben wäre hier und heute zum Stillstand gebracht.

Und wir brauchten nicht mehr zu leben, sagte Rhoda.

Doch horcht, sagte Louis, wie die Welt sich durch Abgründe unendlichen Raums bewegt! Sie braust dahin; der erhellte Streifen Geschichte ist vorbei, und unsre Könige und Königinnen sind verschwunden; wir sind verschwunden; unsre Zivilisation; der Nil; und alles Leben. Unsre gesonderten Tropfen haben sich aufgelöst; wir sind ausgestorben, verlorengegangen in den Abgründen der Zeit, in der Finsternis.

Schweigen sinkt herab, Schweigen sinkt herab, sagte Bernard. Doch horcht jetzt! Tick-tack, töff-töff; die Welt hat uns zu sich zurückgerufen. Ich hörte einen Augenblick lang die heulenden Winde der Finsternis, als wir über das Leben hinauskamen. Dann tick-tack (die Uhr); dann töff-töff (die Autos). Wir sind gelandet; wir sind auf dem Ufer; wir sitzen alle sechs von uns um einen Tisch. Es ist die Erinnerung an meine Nase, was mich zurückruft. Ich stehe auf. »Kämpft!« rufe ich, »kämpft!«, mich der Form meiner Nase erinnernd, und schlage streitlustig mit diesem Löffel auf diese Tischplatte.

Uns diesem grenzenlosen Chaos entgegenstellen, sagte Neville, diesem gestaltlosen Schwachsinn? Mit einem Kindermädchen hinter einem Baum liebelnd ist jener Soldat bewundernswerter als alle Sterne. Doch manchmal erscheint ein flimmernder Stern am klaren Himmel und macht mich glauben, daß die Welt schön ist und wir Maden sogar die Bäume mit unsrer Lust verunstalten.

(Und doch, Louis, sagte Rhoda, eine wie kurze Zeit Stille dauert! Die andern beginnen schon alle, ihre Servietten neben ihren Tellern glattzustreichen. »Wer kommt?« fragt Jinny; und Neville seufzt bei der Erinnerung, daß Percival nicht mehr kommt. Jinny hat ihr Spiegelchen hervorgezogen. Ihr Gesicht wie eine Malerin betrachtend fährt sie sich mit der Puderquaste die Nase entlang und hat nach einem Augenblick der Überlegung ihren Lippen grade so viel Rot aufgelegt, wie sie benötigen. Susan, die Angst und Verachtung empfindet beim Anblick dieser Vorbereitungen, knöpft den obersten Knopf ihrer Jacke zu und dann wieder auf. Wofür macht sie sich fertig? Für irgend etwas, aber etwas andres.

Sie sagen sich, sagte Louis: »Es wird Zeit. Ich bin immer noch rüstig«, sagen sie sich. »Mein Gesicht wird sich von der Schwärze des unendlichen Weltraums abheben.« Sie beenden ihre Sätze nicht. »Es wird Zeit«, sagen sie immerzu. »Der Garten wird geschlossen werden.« Und wenn wir mit ihnen gehn, Rhoda, von ihrer Strömung mitgerissen, werden wir vielleicht ein wenig zurückbleiben.

Wie Verschwörer, die etwas miteinander zu flüstern haben, sagte Rhoda.)

Es ist wahr, sagte Bernard, und während wir durch diese Allee gehn, weiß ich es als eine Tatsache, daß ein König beim Reiten hier über einen Maulwurfshügel stürzte. Doch als wie seltsam es einem erscheint, vor die strudelnden Abgründe des unendlichen Raums eine kleine Gestalt mit einer goldenen Teekanne auf dem Kopf hinzustellen. Bald zwar gewinnt man den Glauben an Gestalten wieder; aber nicht sogleich an das, was sie sich auf den Kopf setzen. Die Vergangenheit unsres England — eine Daumenlänge von Helligkeit. Da setzen sich Leute eine Teekanne auf den Kopf und sagen: »Ich bin ein König!« Nein, ich versuche, während wir hier spazierengehn, meinen Zeitsinn wiederzuerlangen, aber diese strömende Dunkelheit vor Augen, habe ich meinen Halt verloren. Dieser Palast scheint für einen Augenblick schwerelos wie eine Wolke an den Himmel gesetzt zu sein. Es ist ein Gauklerstückchen des Geistes — Könige auf Throne zu setzen, einen nach dem andern, mit einer Krone auf dem Kopf. Und wir selbst, zu sechst nebeneinander hergehend, wogegen stemmen wir uns? Was hat Dauer? Auch unser Leben verrinnt unidentifiziert durch die unbeleuchteten Alleen, an dem Streifen Zeit vorbei. Einmal warf mir

Neville ein Gedicht an den Kopf. Mit einem jähen Überzeugtsein von Unsterblichkeit sagte ich: »Auch ich weiß, was Shakespeare wußte.« Aber damit ist es vorbei.

Unverständlicherweise, lächerlicherweise, sagte Neville, kehrt, während wir hier gehn, die Zeit wieder. Ein Hund vermag das mit seinen Sprüngen zu bewirken. Die Maschine arbeitet. Jahrhunderte machen diesen Torweg altersgrau. Verglichen mit diesem Hund, scheinen uns heute dreihundert Jahre mehr als ein entschwundener Augenblick. König Wilhelm III., eine Perücke auf dem Kopf, besteigt sein Pferd, und die bestickten Reifröcke der Hofdamen fegen raschelnd über den Rasen. Ich beginne, während wir hier gehn, davon überzeugt zu sein, daß das Schicksal Europas von ungeheurer Bedeutung ist und daß, so lächerlich das immer noch zu sein scheint, es alles von der Schlacht von Höchstädt abhängt. Ja; ich behaupte, während wir diesen Torweg durchschreiten, ist das der gegenwärtige Augenblick; ich bin ein Untertan König Georgs I. geworden.

Während wir durch diese Allee gehn, sagte Louis, ich ein wenig an Jinny gelehnt, Bernard Arm in Arm mit Neville, und Susan, ihre Hand in der meinen, fällt es schwer, nicht zu weinen, uns nicht als kleine Kinder zu fühlen, Gott nicht zu bitten, er möge uns beschützen, während wir schlafen. Es tut wohl, miteinander zu singen, einander aus Angst vor der Dunkelheit an der Hand zu halten, während Miss Curry auf dem Harmonium spielt.

Die eisernen Torflügel haben sich geöffnet, sagte Jinny. Der Rachen der Zeit hat aufgehört mit seinem Zuschnappen. Wir haben mit roter Schminke, mit Puder, mit hauchdünnen Taschentüchlein die Abgründe des Weltraums besiegt.

Ich ergreife, ich halte fest, sagte Susan. Ich halte diese Hand fest, irgend jemands Hand, aus Liebe, aus Haß; es ist gleich, warum.

Eine Stimmung von Stille, von Entkörperung ist über uns gekommen, sagte Rhoda, und wir genießen diese augenblicklange Entlastung (es geschieht nicht oft, daß man keine Angst empfindet), bei der die Wände der Seele durchsichtig werden. Wrens Palast bildet, ebenso wie das Quartett, das den auf dem Trockenen gestrandeten Leuten im Parkett vorgespielt wurde, ein Rechteck. Ein Quadrat wird auf das Rechteck gestellt, und wir sagen: »Dies ist unsre Wohnstätte. Die Struktur ist nun sichtbar. Sehr wenig ist außerhalb verblieben.«

Die Blume, sagte Bernard, die rote Nelke, die in der Vase auf dem Tisch in dem Restaurant stand, als wir mit Percival zusammen dort zu Abend saßen, ist zu einer sechsseitigen Blume geworden; zu einer aus sechs Leben gemachten.

Zu einer geheimnisvollen Illumination, sagte Louis, einer gegen diese Eiben dort sichtbaren.

Zu einer mit vieler Mühe, mit vielen Pinselstrichen aufgebauten, sagte Jinny.

Heirat, Tod, Reisen, Freundschaften, sagte Bernard; Stadt und Land; Kinder und das alles; eine vielseitige Substanz, aus diesem Dunkel herausgeschnitten; eine Blume mit vielen Facetten. Bleiben wir einen Augenblick stehn; besehen wir, was wir daraus gemacht haben! Es soll vor den Eiben dort auflodern. *Ein* Leben. So! Und schon ist es vorbei, ist es erloschen.

Nun verschwinden sie, sagte Louis. Susan mit Bernard. Neville mit Jinny. Du und ich, Rhoda, wir bleiben einen Augenblick bei dieser steinernen Urne stehn. Welches Lied werden wir nun hören, da diese Paare die Haine aufgesucht haben und Jinny, mit ihrem behandschuhten Finger weisend, so tut, als bemerkte sie die Seerosen, und Susan, die stets Bernard geliebt hat, zu ihm sagt: »Mein zerstörtes Leben, mein vergeudetes Leben«; und Neville, der dort neben dem

Teich, neben dem mondbeschienenen Wasser Jinnys kleine Hand mit den kirschroten Fingernägeln ergreift, ausruft: »Liebe, Liebe!«, und sie, die, den Vogel nachahmend, antwortet: »Liebe, Liebe?« — welches Lied hören wir?

Sie verschwinden gegen den Teich hin, sagte Rhoda. Sie schleichen sich über das Gras hinweg, verstohlen und doch voll Selbstsicherheit, als verlangten sie von unserm Mitgefühl ihr altes Vorrecht — nicht gestört zu werden. Das Fluten in der Seele, der gekippten, fließt dorthin; sie können nicht anders, als uns verlassen. Das Dunkel hat sich über ihren Körpern geschlossen. Welches Lied hören wir — das der Eule, der Nachtigall, des Zaunkönigs? Der Flußdampfer tutet; Lichtfunken blitzen auf den elektrischen Schienen; die Bäume neigen und beugen sich feierlich. Die Leuchtrakete schwebt über London. Hier geht eine alte, gelassen heimkehrende Frau, und ein spät vom Fischen heimkehrender Mann kommt mit seiner Angelrute über die Terrasse. Kein Laut, keine Bewegung darf uns entgehn.

Ein Vogel fliegt heimwärts, sagte Louis. Der Abend schlägt die Augen auf und wirft einen schnellen Blick zwischen die Büsche, bevor er einschläft. Wie sollen wir sie zusammensetzen, die wirre, vielfältige Botschaft, die sie alle uns hinterlassen, und nicht nur sie, sondern viele Tote, Jünglinge und Mädchen, erwachsene Männer und Frauen, die hier wandelten, unter dem einen oder andern König?

Etwas Schweres ist in die Nacht gefallen, sagte Rhoda, und hat sie herabgezogen. Jeder Baum ist trächtig von einem Schatten, der nicht der Schatten des Baums hinter ihm ist. Wir hören ein Trommeln auf den Dächern einer hungernden Stadt, wenn die Türken gierig und unberechenbarer Laune sind. Wir hören sie mit scharfem, röhrendem Bellen rufen: »Öffnet, öffnet!« Horch, wie die Trambahnen kreischen und die Funken auf den elektrischen Schienen knattern! Wir hören die Buchen und die Birken ihre Zweige heben, als hätte die Braut ihr seidenes Nachtgewand fallen lassen und wäre an die Türschwelle gekommen und sagte: »Öffne, öffne!«

Alles scheint lebendig zu sein, sagte Louis. Ich kann heute abend den Tod nirgends hören. Die Dummheit auf dem Gesicht dieses Mannes, das Alter auf dem jener Frau wären stark genug, sollte man meinen, der Beschwörung zu widerstehn und den Tod einzulassen. Aber wo ist er heute abend? Alles Krasse, aller Krimskrams und dies und das ist wie Glassplitter in die blaue, die rotbesäumte Flut zermalmt worden, die von zahllosen Fischen trächtig ans Ufer rollt und sich zu unsern Füßen bricht.

Wenn wir beide hochsteigen könnten, wenn wir von einer genügenden Höhe hinabsehen könnten, sagte Rhoda, wenn wir ohne jede Stütze unberührt bleiben könnten — aber du, der du von dem leisen Klatschen des Lobens und Lachens beunruhigt wirst, und ich, die ich Kompromisse und die Wörter Recht und Unrecht auf Menschenlippen verabscheue, wir haben einzig und allein zu Einsamkeit und der Gewalt des Todes Vertrauen und sind so voneinander geschieden.

Geschieden auf immerdar, sagte Louis. Wir haben die Umarmung zwischen den Farnkräutern geopfert und Liebe, Liebe, Liebe dort neben dem Teich, und stehn bei dieser Urne gleich Verschwörern, die sich abseits halten, um ein Geheimnis miteinander zu teilen. Aber sieh nun, während wir hier stehn, beginnt sich der Himmelsrand zu wellen. Das Netz wird höher und höher gezogen. Es kommt bis zum Wasserspiegel. Das Wasser ist von silberigen, zappelnden Fischchen gekräuselt. Nun emporschnellend, nun mit dem Schwanz schlagend, werden sie aufs Ufer geworfen. Das Leben leert seinen Fang auf das Gras. Dort kommen

Gestalten auf uns zu. Sind es Männer oder sind es Frauen? Es umgibt sie noch immer wie ein zweideutiges Gewand etwas von der strömenden Flut, in die sie untergetaucht waren.

Nun, sagte Rhoda, nehmen sie, bei jenem Baum vorbeikommend, wieder ihre natürliche Größe an. Sie sind bloß Männer, bloß Frauen. Staunen und Ehrfurcht verwandeln sich, sobald sie ablegen, was sie von der strömenden Flut umgibt. Mitleid kehrt zurück, da sie, gleich den Überresten einer Heerschar, ins Mondlicht hinaustreten, unsre Stellvertreter, die allnächtlich (hier oder in Griechenland) in den Kampf ziehen und allnächtlich mit ihren Wunden, ihren verwüsteten Gesichtern zurückkehren. Sie werden wieder zu Susan und Bernard, Jinny und Neville, zu Leuten, die wir kennen. Was für ein Schrumpfen nun vor sich geht! Was für ein Verfall nun, was für eine Erniedrigung! Die alten Schauer durchlaufen mich, Haß und Schrecken, während ich mich von diesen Enterhaken, die sie auf uns schleudern, gepackt und festgeklammert fühle; von diesem Begrüßen und Erkennen, diesem Zerren an den Fingern und Forschen in den Augen. Aber sie brauchen nur zu sprechen, und schon ihre ersten Worte mit dem erinnerten Tonfall und dem beständigen Abweichen von dem, was man erwartet, und ihre Handbewegungen, die ein Tausend vergangener Tage in der Dunkelheit heraufbeschwören, erschüttern meinen Vorsatz.

Etwas flackert und flimmert, sagte Louis. Illusion kehrt wieder, während die vier durch die Allee herankommen. Geriesel und Gefrage beginnen. Was denke ich von dir — was denkst du von mir? Wer bist du? Wer bin ich? — das alles läßt wieder sein Unbehagen über uns hinzittern, und der Puls beschleunigt sich, und das Auge leuchtet auf, und der ganze Wahnsinn persönlichen Daseins, ohne den das

Leben schal werden und sterben würde, beginnt von neuem. Nun sind sie schon hier. Südliche Sonne huscht über diese Urne; wir aber stoßen ab in die Flut des gewalttätigen, grausamen Meers. Gott helfe uns, unsre Rollen zu spielen, sobald wir die Zurückgekehrten — Susan und Bernard, Neville und Jinny — begrüßen!

Wir haben durch unsre Gegenwart etwas zerstört, sagte Bernard; eine Welt vielleicht.

Und doch atmen wir kaum, sagte Neville, so ermattet, wie wir sind. Wir befinden uns in dem passiven, erschöpften Gemütszustand, in dem wir uns einzig wünschen, uns wieder mit dem Körper unsrer Mutter zu vereinigen, von dem wir losgetrennt worden sind. Alles andre ist widerwärtig, erzwungen und ermüdend. Jinnys gelber Schal sieht fahl aus bei dieser Beleuchtung. Susans Augen sind gelöscht. Wir sind kaum vom Fluß zu unterscheiden. Ein Zigarettenende ist der einzige betonte Punkt unter uns, und unsre Zufriedenheit ist von Wehmut gefärbt, daß wir euch verlassen, daß wir das Gewebe zerrissen haben; dem Verlangen nachgegeben haben, für uns allein einen bittereren, einen schwärzeren Saft herauszupressen, der aber auch süß war. Doch jetzt sind wir todmüde.

Nach unserm Brand, sagte Jinny, ist nichts übrig geblieben, um es in Berlocken zu tun.

Immerzu starre ich offenen Mundes, sagte Susan, wie ein junger Vogel, ein unbefriedigter, auf etwas, das mir entgangen ist.

Bleiben wir noch einen Augenblick, sagte Bernard, bevor wir aufbrechen! Gehn wir auf der Terrasse am Fluß auf und ab, wo wir nun fast allein sind. Es ist bald Schlafenszeit. Die Leute sind heimgegangen. Wie tröstlich, nun zu beobachten, wie am andern Ufer in den Schlafzimmern kleiner Ladenbesitzer die Lichter aufscheinen. Dort eins — dort wieder eins. Wieviel, meint ihr, haben sie heute eingenommen? Nur eben genug, um Miete, Beleuchtung und Essen und die Kleider der Kinder zu bezahlen. Aber eben genug. Was für ein Gefühl von der Erträglichkeit des Daseins geben uns die Lichter in den Schlafzimmern kleiner Ladenbesitzer! Der Samstag kommt, und es ist vielleicht grade genug da für Kinositze. Vielleicht gehn sie, bevor sie das Licht löschen, in den kleinen Garten hinaus und werfen einen Blick auf das Riesenkaninchen, das in seinem Holzverschlag hockt; das Kaninchen, das sie als Sonntagsbraten verzehren werden. Dann löschen sie das Licht. Dann schlafen sie. Und für Tausende ist Schlaf nichts als Wärme und Schweigen und ein Augenblick des Sichvergnügens mit einem phantastischen Traum. »Ich habe den Brief an die Sonntagszeitung abgesendet«, denkt der Grünzeughändler. »Angenommen, ich gewinne fünfhundert Pfund im Fußballtoto? Und wir werden das Kaninchen schlachten. Das Leben ist angenehm. Das Leben ist gut. Ich habe den Brief abgesendet. Ja, wir werden das Kaninchen schlachten.« Und er schläft ein.

Das geht so weiter. Horcht! Ein Klang wie das Aneinanderstoßen von Güterwagen auf einem Verschubgeleise. Das ist die glückliche Verkettung der auf einander folgenden Ereignisse in unserm Leben. Klack-klack-klack! Muß, muß, muß! Muß schlafen, muß aufwachen, muß aufstehn — nüchternes, gnadenvolles Wort, das wir zu schmähen vorgeben, das wir eng ans Herz drücken, ohne das wir verloren wären! Wie wir diesen Klang, der wie das Aneinanderstoßen von Güterwagen auf einem Verschubgeleise klingt, anbeten!

Jetzt höre ich weit weg flußabwärts den Chorgesang; den Gesang der prahlerischen Jungen, die in großen Gesellschaftswagen von einem Tagesausflug auf dem Verdeck eines überfüllten Dampfers heimkehren. Sie singen noch immer, wie sie damals über dem Hof drüben zu singen pflegten, an Winterabenden oder bei offenen Fenstern im Sommer, sich betranken, Stühle und Tische zerdroschen; alle wendeten sie die Köpfe mit ihren kleinen gestreiften Mützen nach derselben Seite, sobald der Wagen um die Ecke bog; und ich wünschte mir, mit ihnen zu sein.

Und so, begleitet von dem Chorgesang, dem wirbelnden Wasser und der grade noch spürbaren Brise, schlüpfen wir davon. Kleine Stückchen von uns bröckeln ab. Da! Etwas sehr Wichtiges ist soeben abgefallen. Ich kann mich nicht zusammenhalten. Ich werde gleich einschlafen. Aber ich muß gehn; muß unsern Zug erreichen; muß zum Bahnhof zurück — muß, muß, muß. Wir sind bloß Leiber, die nebeneinander dahintrotten. Ich existiere nur noch als die Sohlen meiner Füße und als müde Muskeln meiner Schenkel. Wir sind, scheint's, stundenlang gegangen. Aber wohin? Ich kann mich nicht erinnern. Ich bin wie ein Stück Holz, das glatt über einen Wasserfall hinweggleitet. Ich kann nichts beurteilen. Ich bin nicht aufgerufen, meine Meinung abzugeben. Häuser und Bäume sind alle gleich in diesem grauen Licht. Ist das ein Lichtmast? Ist das eine Frau, die da vorbeigeht? Hier ist der Bahnhof, und wenn der Zug mich entzweischnitte, käme ich, da ich ein Einziges, da ich unteilbar bin, auf der andern Seite wieder zusammen. Aber das Merkwürdige ist, daß ich immer noch die Hälfte meiner Rückfahrkarte nach London zwischen den Fingern meiner rechten Hand festhalte, sogar jetzt noch, sogar im Schlaf.

Nun war die Sonne untergegangen. Himmel und Meer waren von einander nicht zu unterscheiden. Die sich brechenden Wellen breiteten ihre weißen Fächer weit über das Ufer, sandten weiße Schatten in die Vertiefungen klangvoller Höhlen und rollten dann seufzend über den Kieselstrand zurück.

Der Baum schüttelte seine Äste, und ein Schauer von Blättern fiel zu Boden. Da ließen sie sich mit völliger Gefaßtheit genau an der Stelle nieder, wo sie ihr Vermodern erwarten würden. Schwarz und Grau kamen in den Garten geschossen aus dem zersprungenen Gefäß, das vorher rotes Licht enthalten hatte. Dunkle Schatten brachten Schwarz in die Stollen zwischen den Stengeln. Die Drossel war verstummt, und der Wurm saugte sich zurück in sein enges Loch. Dann und wann wurde ein gebleichter, hohler Strohhalm aus einem alten Nest geweht und fiel in das dunkle Gras, zwischen die verfaulten Äpfel. Von der Wand des Geräteschuppens war das Licht geschwunden, und die Vipernhaut hing leer von dem Nagel. Alle Farben im Zimmer hatten ihre Ufer überflutet. Der genaue Pinselstrich war einseitig gequollen; Schränke und Stühle verschmolzen ihre braunen Massen zu etwas Riesengroßem, Undeutlichem. Die Wände waren vom Fußboden bis zur Decke mit mächtigen Vorhängen schwankender Dunkelheit verhangen. Der Spiegel war bleich wie die Mündung einer von Schlingpflanzen überschatteten Höhle.

Alles Stoffliche war aus der Festigkeit der Berge geschwunden. Wandernde Lichter trieben fiederige Keile zwischen die Böschungen unsichtbarer Hohlwege, aber keine Lichter erschienen zwischen den gefalteten Schwingen der Hügel, und kein Laut war zu hören außer dem Ruf eines Vogels, der einen einsameren Baum suchte. Am Klippenrand kam das Gemurmel der von Wäldern gebürsteten Luft dem des Wassers gleich, das in einem Tausend glasiger Mulden der hohen See gekühlt worden war.

Als wanderte die Dunkelheit in Wellen durch die Luft, so breitete sie sich weiter aus, bedeckte Häuser, Hügel, Bäume, wie Wellen von Wasser die Seiten eines gesunkenen Schiffs umspülen. Dunkelheit schwemmte Straßen entlang, wirbelte um einzelne Gestalten, verschlang sie; machte Paare unsichtbar, die sich in der von sommerlich vollbelaubten Ulmen herabrieselnden Finsternis umschlungen hielten. Dunkelheit rollte ihre Wellen durch begraste Schneisen und über die runzelige Haut von Rasenflächen, umhüllte den einsamen Dornbusch und die leeren Schneckengehäuse an seinem Fuß. Höher steigend wehte sie über die kahlen Berghänge und traf auf die Zacken und Schründe der Kämme, wo sich der Schnee ewig auf dem harten Fels hält, auch wenn die Täler voller rieselnder Bäche und gelber Weinblätter sind und Mädchen, die auf Veranden sitzen und zu den Schneefeldern hinaufblicken, das Gesicht mit dem Fächer beschatten. Auch sie bedeckte die Dunkelheit.

Um nun zusammenzufassen, sagte Bernard, um Ihnen nun den Sinn meines Lebens zu erklären, so können wir, die wir einander nicht kennen (obgleich ich Sie, mein Herr, glaube ich, einmal auf einem Schiff traf, das nach Afrika fuhr), ganz offen reden. Mich überkommt die Illusion, daß etwas für einen Augenblick Zusammenhang hat, Umfang, Gewicht, Volumen hat, vollrund wird. Das scheint für den Augenblick mein Leben zu sein. Wenn es möglich wäre, würde ich es Ihnen als ein Ganzes hinreichen. Ich würde es abpflücken, wie man eine Traube pflückt. Ich würde sagen: »Nehmen Sie! Dies ist mein Leben.«

Aber, was ich sehe (diese Kugel voller Gestalten), das sehen Sie leider nicht. Sie sehen mich, wie ich Ihnen an einem Tisch gegenübersitze, ein ziemlich beleibter, ältlicher, an den Schläfen ergrauter Mann. Sie sehen mich die Serviette ergreifen und entfalten. Sie sehen, wie ich mir ein Glas Rotwein einschenke. Und sie sehen hinter mir die Tür sich öffnen und Leute draußen vorbeigehn. Aber um Ihr Verständnis zu wecken, um Ihnen mein Leben darzustellen, muß ich Ihnen eine Geschichte erzählen — und es gibt so viele, so unendlich viele: Geschichten aus der Kindheit, Geschichten aus der Schule, Geschichten von Liebe, Ehe, Tod und so weiter; und keine von ihnen allen ist wahr. Und doch erzählen wir einander wie Kinder Geschichten, und um sie auszuschmükken, erfinden wir diese lächerlichen, schillernden schönen Phrasen. Wie satt ich Geschichten habe, wie satt ich Phrasen habe, die wunderschön mit allen vier Füßen auf dem Boden landen! Und wiesehr ich säuberlichen Lebensplänen mißtraue, die auf halben Briefbogen entworfen sind! Ich beginne, mich nach einer Art von Kleinkindersprache zu sehnen, nach einer Sprache, wie Liebesleute sie gebrauchen, nach abgerissenen Wörtern, unartikulierten Wörtern gleich dem Schlurren von Füßen auf dem Pflaster. Ich beginne nach einem vorgezeichneten Plan zu suchen, der besser mit jenen Augenblicken der Demütigung und des Triumphs übereinstimmt, die unleugbar dann und wann kommen. In einem Graben zu liegen an einem stürmischen Tag, wenn es geregnet hat und dann riesige Wolken über den Himmel marschieren, zerfetzte Wolken, Wische von Wolken — was mich da entzückt, ist der Wirrwarr, ist die Höhe, die Gleichgültigkeit und die Raserei, in der sie dahinziehen. Große Wolken, unaufhörlich sich verändernd, sich bewegend; etwas Schwefeliges, Unheimliches, durcheinandergewälzt, hochgetürmt, sich nachschleppend, abreißend, sich verlierend — und ich vergessen, winzig klein in einem Graben. Von einer Geschichte, einem vorgezeichneten Plan sehe ich dann keine Spur.

Mittlerweile aber, während wir essen, wollen wir in diesen Szenen blättern, wie Kinder die Seiten eines Bilderbuchs umwenden, wobei die Kinderfrau hinweisend sagt: »Das ist eine Kuh. Das ist ein Boot.« Wir wollen blättern, und ich werde zu Ihrer Belustigung Randbemerkungen hinzufügen.

Im Anfang war da das Kinderzimmer mit Fenstern, die auf einen Garten gingen, und hinter dem das Meer. Ich sah etwas aufglänzen — zweifellos den messingnen Ringgriff eines Schranks. Dann hob Mrs. Constable den Schwamm hoch, drückte ihn aus, und hervor schossen nach rechts, nach links, das ganze Rückgrat hinab, Pfeile von Empfindung. Und seitdem werden wir, solange wir atmen, bis ans Ende unsrer Tage, sobald wir an einen Stuhl, einen Tisch oder ein Weib stoßen, von Pfeilen von Empfindung durchbohrt — oder wenn wir in einem Garten wandeln, wenn wir diesen Wein hier trinken. Manchmal könnte ich wahrhaftig, wenn ich an einem Häuschen mit einem Licht im Fenster vorbeigehe, wo grade ein Kind geboren wurde, die Leute beschwören, den Schwamm über diesem neuen Leib nicht auszudrücken.

Dann war da der Garten und der Baldachin der Johannisbeerblätter, die alles einzuschließen schienen; und Blumen, die wie Funken auf den Tiefen von Grün brannten; eine von Maden wimmelnde Ratte unter einem Rhabarberblatt; die Fliege, die an der Decke des Kinderzimmers summ-summ-summ, im Kreis herum flog, und Teller und Teller voll unschuldiger Butterbrote. Das alles geschieht in einer Sekunde und dauert für immer. Gesichter tauchen auf. Um die Ecke stürmend ruft man: »Hallo, da ist Jinny. Und das ist Neville. Das ist Louis, in grauem Flanellanzug mit einem Schlangengürtel. Und das ist Rhoda.« Sie hielt eine Teigschüssel, worin sie weiße Blütenblätter schwimmen ließ. Es war Susan, die weinte an jenem Tag, als ich mit Neville im Geräteschuppen war; und meine Gleichgültigkeit schmelzen fühlte. Neville schmolz nicht. »Daher«, sagte ich, »bin ich ich selbst und nicht Neville«; eine wundervolle Entdeckung. Susan weinte, und ich ging ihr nach. Ihr nasses Taschentuch und der Anblick ihres kleinen, wie ein Pumpenschwengel auf und nieder zuckenden Rückens, als sie um das, was ihr versagt war, schluchzte, spannten meine Nerven. »Das ist nicht zu ertragen«, sagte ich, als ich mich neben sie auf die Baumwurzeln setzte, die hart wie Skelette waren. Damals wurde ich mir zum erstenmal der Anwesenheit jener Feinde bewußt, die ihre Gestalt wechseln, aber immer da sind; der Mächte, gegen die wir ankämpfen. Sich untätig weitertragen zu lassen, ist undenkbar. »Das ist dein Lauf, Welt«, sagt man, »der meine ist dieser.« Also rief ich: »Wir wollen auf Entdeckungsreisen gehn!« und sprang auf und lief mit Susan bergab und sah den Stallburschen in hohen Stiefeln im Hof umherklattern. Dort unten, durch die dichten Blätter sichtbar, fegten die Gärtner die Rasenflächen mit großen Besen; die Dame saß und schrieb. Gebannt, stockstill dastehend dachte ich: »Ich vermag nichts auch nur gegen einen einzigen Schwung dieser Besen. Sie fegen und fegen. Und auch nichts gegen die Regungslosigkeit dieser schreibenden Dame.« Es ist seltsam, daß man Gärtner, die fegen, nicht innehalten machen und eine schreibende Dame nicht von ihrem Platz rücken kann. Sie sind mein Leben lang dort geblieben. Es ist so, als wäre man in Stonehenge erwacht, umgeben von einem Kreis uralter riesiger Druidensteine, dieser Feinde, dieser geisterhaften Anwesenheiten. Dann flog eine Holztaube aus den Bäumen auf. Und als ich zum erstenmal verliebt war, machte ich eine Phrase — ein Gedicht über eine Holztaube — eine einzelne Phrase, denn ein Loch war in meinen Geist geschlagen worden, eine dieser plötzlich durchsichtig gewordenen Stellen, durch die man alles sieht. Dann noch mehr Butterbrote und noch mehr Fliegen, die an der Decke des Kinderzimmers rundumsummten, auf der Inseln von Licht schwankten, gekräuselte, opalisierende, während die spitzen Finger des Lüsters blaue Tümpel auf die Kante des Kaminsimses tropfen ließen. Tag für Tag, während wir beim Tee saßen, gewahrten wir diese Anblicke.

Aber wir waren alle verschieden. Das Wachs — das jungfräuliche Wachs, welches das Rückgrat überzieht, schmolz bei jedem von uns zu andern Flecken. Wie der »Putz« gleich einem Truthahn kollerte, als er zwischen den Stachelbeerbüschen dem Küchenmensch zusetzte; wie die Wäschestücke prallgebläht an der Leine flatterten; der Tote im Rinnstein; der Apfelbaum überdeutlich im Mondlicht; die von Maden wimmelnde Ratte; der Lüster, der Blau herabtropfen ließ — unser weißes Wachs erhielt von jedem dieser Erlebnisse ganz verschiedene Streifen und Flecke eingeprägt. Louis war angeekelt von unsrer fleischlichen Natur; Rhoda abgestoßen von unsrer Grausamkeit; Susan vermochte nicht teilzuhaben; Neville wollte Ordnung; Jinny Liebe; und so weiter. Wir litten schrecklich, während wir zu gesonderten Körpern wurden.

Doch ich blieb bewahrt von diesen Übertreibungen und habe viele meiner Freunde überlebt, bin ein wenig korpulent, angegraut, ein wenig abgescheuert an der Brust, sozusagen, denn das Panorama des Lebens, nicht vom Dach aus gesehen sondern von einem Drittenstockfenster, entzückt mich, und nicht, was ein Mädchen einem Mann sagt, auch wenn dieser Mann ich selbst bin. Wie nur konnte ich mich also in der Schule so einschüchtern lassen? Wie nur konnten sie mir dort das Leben zur Hölle machen? Da war der Direktor, der in die Kapelle torkelte, als ginge er bei Sturm über das Deck eines Schlachtschiffs, und seine Befehle durch ein Sprachrohr brüllte, weil Leute in Machtstellungen immer theatralisch werden — ich haßte ihn nicht, wie Neville ihn haßte, und verehrte ihn auch nicht, wie Louis das tat. Ich beobachtete und vermerkte, während wir in der Kapelle saßen. Da waren Pfeiler, Schatten, messingene Gedächtnistafeln, Knaben, die einander pufften und hinter Gebetbüchern Briefmarken tauschten; das Geräusch einer rostigen Pumpe; der Direktor, der dröhnend von Unsterblichkeit schwadronierte und davon, sich wie Männer zu betragen; und da war Percival, der sich am Schenkel kratzte. Ich machte mir Notizen für Geschichten; skizzierte Porträts an den Rand meines Merkbuchs, und das sonderte mich noch mehr ab. Hier sind ein paar von den Gestalten, die ich sah.

Percival saß an jenem Tag in der Kapelle geradeaus vor sich hinblickend da. Er hatte auch eine Gewohnheit, sich schnell mit der Hand übers Genick zu fahren. Seine Bewegungen waren immer bemerkenswert. Wir alle fuhren uns schnell mit der Hand übers Genick — aber es gelang uns nicht recht. Er besaß die Art von Schönheit, die jede Liebkosung verwehrt. Da er nicht im geringsten frühreif war, las er, was zu unsrer Erbauung aufgeschrieben wurde, ohne jede Bemerkung dazu und dachte mit dieser prachtvollen Äquanimität (lateinische Wörter kommen einem dabei ganz natürlich auf die Zunge), die ihn vor so vielen kleinen Gemeinheiten und Demütigungen bewahren sollte, daß Lucys flachsblonde Zöpfe und rosige Wangen das Höchste an weiblicher Schönheit seien. So bewahrt, war sein Geschmack später von äußerster Feinheit. Nun aber sollte Musik ertönen, ein wilder Gesang. Durchs Fenster sollte ein Jagdlied kommen, aus einem heftigen, nicht wahrgenommenen Leben — ein Klang, der zwischen den Hügeln erschallt und erstirbt. Was überraschend, was unerwartet ist, was wir nicht erklären können, was Gleichmaß in Unsinn verkehrt — das kommt mir plötzlich in den Sinn, sobald ich an Percival denke. Der kleine Beobachtungsapparat gerät aus den Angeln. Pfeiler stürzen; der Schuldirektor schwebt davon; ein plötzliches Hochgefühl ergreift mich. Percival wurde abgeworfen, als er ein Rennen ritt, und als ich heute abend durch die Shaftesbury Avenue ging, schien es mir, daß alle diese nichtssagenden und kaum formulierten Gesichter, die aus den Ausgängen der Untergrundbahn hervorquellen, und viele unbekannte Inder und Leute, die an Krankheiten und Hungers sterben, und betrogene Frauen und verprügelte Hunde und weinende Kinder — es schien mir, daß sie alle einen Verlust erlitten hatten. Er hätte Gerechtigkeit walten lassen. Er wäre ihnen allen ein Beschützer gewesen. Mit etwa vierzig Jahren hätte er die Behörden schockiert. Kein Schlummerlied ist mir je eingefallen, das imstande wäre, ihn zur Ruhe zu singen.

Aber lassen Sie mich abermals eintauchen, mein Herr, und

in meinem Schöpflöffel ein andres dieser winzigen Dinge heraufholen, die wir mit schöner Zuversicht »die Charaktere unsrer Freunde« nennen, — Louis. Er saß und blickte unentwegt den Prediger an. Sein Wesen schien in seiner Stirn zusammengeballt zu sein, seine Lippen waren aufeinandergepreßt; seine Augen blickten starr, aber plötzlich blitzten sie lachend auf. Auch litt er an Frostbeulen, die Strafe für einen ungenügenden Blutkreislauf. Unglücklich, freundlos, ein Verbannter, beschrieb er manchmal in vertraulichen Augenblicken, wie der Wellenschaum über die Gestade seiner Heimat hinschwemmte. Die erbarmungslosen Augen der Jugend richteten sich auf seine geschwollenen Gelenke. Ja, doch gewahrten wir auch schnell, wie schneidend, wie treffend, wie streng sein Urteil war, wie selbstverständlich wir, wenn wir unter den Ulmen lagen und so taten, als sähen wir dem Kricketspiel zu, auf seinen selten gespendeten Beifall warteten. Seine Überlegenheit wurde ebenso übelgenommen, wie die Percivals angebetet. Steif, korrekt, mißtrauisch einherstelzend wie ein Kranich, war er dennoch von einer Legende umwoben, er habe einmal eine Tür mit der bloßen Faust zertrümmert. Doch sein Gipfel war zu kahl, zu steinig, als daß diese Art von Nebel daran haften geblieben wäre. Er besaß keine dieser simpeln Anhänglichkeiten, durch die ein Mensch mit dem andern verbunden ist. Er hielt sich abseits; blieb rätselhaft; ein Gelehrter, zu jener inspirierten Genauigkeit befähigt, die fast etwas Furchteinflößendes hat. Meine Phrasen (wie den Mond schildern?) fanden nicht seine Billigung. Andrerseits beneidete er mich bis an den Rand der Verzweiflung, daß ich unbefangen mit Dienerschaft umgehn konnte. Er hatte nicht etwa kein Gefühl für seine eigenen Verdienste. Das stand im Verhältnis zu seinem Respekt für Disziplin. Daher, letztlich, sein Erfolg. Sein Leben war allerdings nicht glücklich. Doch sehen Sie — sein Auge wird weiß, während er auf meiner Handfläche liegt. Plötzlich verläßt einen der Sinn dafür, was Menschen sind. Ich gebe ihn dem Teich zurück, wo er Glanz bekommen wird.

Dann Neville — wie er auf dem Rücken liegt und zum Sommerhimmel aufblickt. Er schwebte zwischen uns wie eine Distelflocke, trieb sich müßig in dem sonnigen Winkel des Spielplatzes herum, ohne zuzuhören, doch auch ohne sich fernzuhalten. Es geschah durch ihn, daß ich die lateinischen Klassiker beschnupperte, ohne mich je richtig mit ihnen zu befassen, und auch einige dieser hartnäckigen Denkgewohnheiten überliefert bekam, die uns unverbesserlich einseitig machen — zum Beispiel, was Kruzifixe betrifft, daß sie das Zeichen des Teufels seien. All unser laues Lieben und Hassen und unser ganzes zweideutiges Verhalten dabei waren für ihn unverzeihliche Verrätereien. Der torkelnde, sonore Schuldirektor, den ich vor den Gasofen hinsetzte und seinen Hosenträger schwenken ließ, war ihm nichts andres als ein Werkzeug der Inquisition. So wandte er sich mit einer Leidenschaft, die seine Trägheit aufwog, Catull, Horaz, Lukrez zu, lag faul dösend da, ja, aber beobachtend, und nahm mit Entzücken die Kricketspieler wahr, während er mit einem Geist, der der Zunge eines Ameisenbären glich, einer behenden, geschickten, klebrigen, jeden Schnörkel, jede Wendung der römischen Sätze erforschte und sich einen Menschen erkor, immer nur einen einzigen, um sich neben ihn zu setzen.

Und wenn dann die langen Röcke der Lehrersfrauen gebirgig, dräuend vorbeirauschten, flogen unsre Hände an den Mützenrand. Und ungeheure Öde, eine ununterbrochene, eintönige, senkte sich herab. Nichts, nichts, nichts unterbrach mit seiner Flosse die bleierne Wasserwüste. Nichts ereignete sich, die Last unerträglicher Langweile zu heben. Die Trimester folgten einander. Wir wuchsen; wir veränderten uns; denn wir sind selbstverständlich Tiere. Wir sind uns unser selbst keineswegs immer bewußt. Wir atmen, essen, schlafen auf eine automatische Weise. Wir existieren nicht bloß gesondert sondern auch als ununterscheidbare Klümpchen von Materie. Wie mit einem Schöpflöffel wird ein ganzer Gesellschaftswagen voller Schuljungen heraufgeholt und fährt Kricketspielen, fährt Fußballspielen. Eine Armee marschiert durch Europa. Wir kommen in Gärten und Sälen zusammen und widersetzen uns unverdrossen allen Renegaten (Neville, Louis, Rhoda), die sich ein Sonderdasein schaffen. Und ich bin so veranlagt, daß ich, während ich ein oder zwei gesonderte Melodien höre, wie Louis oder Neville sie singen, auch unwiderstehlich von den Klängen des Chors angezogen werde, der seine alten, seine beinahe wortlosen, beinahe sinnlosen Lieder leiert, die des Abends über die Höfe der Universitätscolleges tönen; die wir jetzt um uns erschallen hören, während Autos und Omnibusse Leute ins Theater bringen. Horchen Sie! Die Autos sausen an diesem Restaurant vorbei; dann und wann heult flußabwärts eine Sirene, wenn ein Dampfer Kurs aufs offene Meer nimmt. Sobald ein Handlungsreisender mir in der Eisenbahn eine Prise Schnupftabak anbietet, nehme ich sie. Ich habe die üppige, formlose, warme, nicht grade gescheite aber äußerst ungezwungene und ziemlich ordinäre Seite der Dinge gern; mir gefallen die Gespräche von Männern in Klubs und Schenken, von Bergleuten, halbnackten, in Unterhosen, — die unumwegigen, völlig unanmaßlichen Gespräche, die auf nichts andres zielen als auf das Abendessen, die Liebe, das Geldverdienen und halbwegs erträgliches Weiterwursteln; mir gefällt, was keine großen Erwartungen, keine Ideale oder irgend etwas dergleichen hegt; was keine Ansprüche stellt außer, erträglich mit allem zurechtzukommen. Das alles gefällt mir. Darum gesellte ich mich ihnen, den prahlerischen Jungen, und Neville schmollte dann und Louis wandte sich, ich will es gern zugeben, hocherhaben auf der Stelle ab.

So schmolz, keinesfalls gleichmäßig oder in irgendwelcher Ordnung sondern in langen Rinnsalen, hier ein Tropfen, dort wieder einer, meine Weste aus Wachs. Nun wurden, durch diese Durchsichtigkeit erblickt, jene wunderbaren Weidegründe sichtbar, die anfangs so mondweißen, strahlenden, die noch kein Fuß betreten hatte; Wiesen mit Rosen, mit Krokussen, aber auch mit Felsen und Schlangen; mit Geflecktem und Schwärzlichem; mit Verlegenmachendem, Umgarnendem und zu-Fall-Bringendem. Man springt aus dem Bett, reißt das Fenster auf; mit was für einem Geschwirr die Vögel auffliegen! Dieses jähe Aufschwirren von Flügeln kennen Sie doch, dieses jähe Rufen und Tirilieren, dieses ganze Durcheinander; den Aufruhr und Wirrwarr von Stimmen; und alle Tropfen glitzern, beben, als wäre der Garten ein zersplittertes Mosaik, ein verschwindendes, funkelndes; noch nicht zu einem Ganzen geformt; und ein einzelner Vogel singt dicht am Fenster. Ich hörte diese Lieder, ich folgte diesen Phantomen. Ich sah viele Joans, Dorothys, Miriams — ich habe ihre Namen vergessen — Alleen entlanggehn, auf dem Scheitel gewölbter Brücken stehnbleiben, um in den Fluß hinabzuschauen. Und aus ihnen stechen ein paar deutliche Gestalten hervor, Vögel, die mit der verzückten Ichsucht der Jugend vor dem Fenster singen; Schneckengehäuse an Steinen zerschlagen, mit dem Schnabel in eine zähe, klebrige Masse fahren; hart, gierig, unbarmherzig; Jinny, Susan, Rhoda. Sie waren an der Ostküste oder an der Südküste im Pensionat gewesen. Sie hatten sich lange Zöpfe wachsen lassen und hatten dieses Aussehen erstaunter Füllen bekommen, welches das Merkmal des Jungmädchentums ist.

Jinny war die erste, die sich ans Gatter heranschob, um ein Stück Zucker zu naschen. Sie lutschte es einem sehr geschickt und zart von der Handfläche, aber sie hatte die Ohren zurückgelegt, als könnte sie auch beißen. Rhoda war scheu — Rhoda, die konnte man nie einfangen. Sie war zugleich furchtsam und linkisch. Es war Susan, die als erste ganz Frau, ganz weiblich wurde. Sie war es, die jene brennenden Tränen auf mein Gesicht fallen ließ, die schrecklich sind, die schön sind; beides; keines. Sie war dazu geboren, die von Dichtern Angebetete zu werden, da Dichter Geborgenheit brauchen; eine, die dasitzt und näht; die sagt: »Ich liebe, ich hasse«; die weder anheimelnd noch wohlhabend ist, jedoch etwas der hohen aber unbetonten Schönheit reinen Stils Entsprechendes besitzt, welche die dichterisch Schaffenden so besonders bewundern. Ihr Vater schlurrte in seinem schlotternden Schlafrock und ausgetretenen Pantoffeln von Zimmer zu Zimmer und durch fliesenbelegte Gänge. An stillen Abenden überstürzte sich, eine Meile weit weg, dröhnend ein Wall von Wasser. Der uralte Hund vermochte kaum, auf seinen Sessel hinaufzukriechen. Und oben im Haus konnte man ein doofes Dienstmädchen vor sich hin lachen hören, während es das Rad der Nähmaschine rundum und rundum schwirren ließ.

Das vernahm ich sogar mitten in meiner Seelenangst, als Susan, ihr Taschentuch zusammendrehend, ausrief: »Ich liebe! Ich hasse!« »Ein nichtsnutziges Dienstmädchen«, bemerkte ich, »lacht oben in der Dachkammer«, und dieses Stückchen Dramatisierung zeigt, wie unvollständig wir mit unsern Erlebnissen verschmolzen sind. Am Außenrand jeder Seelenangst sitzt ein aufmerksamer Beobachter, der mit der Hand weist; der einem zuflüstert, wie er mir an jenem Sommermorgen in dem Haus, wo das Korn fast bis ans Fenster reichte, zuflüsterte: »Die Weide wächst auf dem Rasen am

Fluß. Die Gärtner fegen mit riesigen Besen, und die Dame sitzt und schreibt.« So wies er mir das, was außerhalb und jenseits unsrer eigenen fatalen Lage liegt; das, was symbolisch ist und daher vielleicht von Dauer, wenn es etwas Dauerndes in unserm schlafenden, essenden, atmenden, so animalischen, so spirituellen und stürmischen Leben gibt.

Die Weide wuchs am Flußufer. Ich saß auf dem glatten kurzen Rasen mit Neville, mit Larpent, mit Baker, Romsey, Hughes, Percival und Jinny. Durch das zarte Gefieder, im Frühling mit kleinen aufgestellten Ohren von Grün, im Herbst von Orangerot gesprenkelt, sah ich Boote; Gebäude; ich sah vorbeihastende hinfällige Frauen. Ein Streichholz nach dem andern steckte ich in den Rasen, um mit Sicherheit dieses oder jenes Stadium im Vorgang des Verstehens zu bezeichnen (es mochte sich um Philosophie, um Naturwissenschaft, es mochte sich um mich selbst handeln), während die Fransen meines frei schwebenden Verstands jene fernher kommenden Sinnesempfindungen abfingen, welche der Geist nach einer Weile einbezieht und mitverarbeitet: Glokkengeläute; allgemeines Gemurmel; entschwindende Gestalten; ein Mädchen auf einem Fahrrad, das im Fahren den Zipfel eines Vorhangs zu lüpfen schien, der das dichtbevölkerte, ununterschiedliche Chaos des hinter den Umrissen meiner Freunde und der Weide wogenden Lebens verbarg.

Der Baum allein widerstand unserm ewigen Fließen. Denn ich veränderte mich unaufhörlich; ich war Hamlet, war Shelley, war der Held, dessen Namen ich nun vergessen habe, eines Romans von Dostojewskij; war, unglaublicherweise, ein ganzes Trimester lang Napoleon; war aber vor allem Byron. Viele Wochen lang spielte ich jeweils die Rolle, mit ein wenig finstrer Miene ins Zimmer stelzend und Mantel und Handschuhe über eine Stuhllehne werfend. Ich ging immer wieder zum Bücherschrank, um noch einen Schluck von dem göttlichen Elixier zu tun. Daher bombardierte ich mit meiner ungeheuern Batterie von Phrasen irgend jemand gänzlich Ungeeigneten — ein Mädchen, nun begattet, nun bestattet; jedes Buch, jede Fensternische war übersät mit den Blättern meiner unbeendeten Briefe an die Frau, die mich zu Byron gemacht hatte. Denn es ist schwierig, einen Brief im Stil eines andern zu beenden. Ich kam schaumbedeckt vor ihrem Haus an; tauschte Liebespfänder; heiratete sie aber nicht, weil ich zweifellos noch nicht reif für solche Intensität war.

Hier sollte abermals Musik ertönen. Nicht jenes wilde Jagdlied, Percivals Lied; sondern ein schmerzlicher, gutturaler, viszeraler, aber auch sich aufschwingender, lerchengleicher, glockenreiner Sang, der an die Stelle dieser flügellahmen, albernen Transkriptionen — der allzu bewußten, der allzu vernünftigen — träte, die versuchen, den flüchtigen Augenblick erster Liebe zu beschreiben. Ein purpurroter Filter ist vor den Tag geschoben worden. Sieh, wie ein Zimmer aussieht, bevor sie hereinkommt, und nachher! Sieh die Einfältigen draußen ihres Wegs gehn! Sie sehen nicht, sie hören nicht; doch sie gehn ihn weiter. Wenn man sich in dieser leuchtenden, aber klebrigen Atmosphäre bewegt, wie sehr ist man sich da jeder Bewegung bewußt! Etwas bleibt haften, etwas bleibt einem an den Händen kleben, auch wenn man bloß eine Zeitung ergreift. Dann dieses Ausgeweidetwerden — wie ein Spinnenfaden langgesponnen und qualvoll um einen Dorn gewickelt zu werden! Dann ein Donnerschlag völliger Gleichgültigkeit; das Licht ausgeblasen; dann die Wiederkehr unermeßlicher, reiner, unbeschwerter Freude; gewisse Wiesen scheinen auf immerdar grün zu leuchten, und Landschaften sehen unschuldig aus wie im Licht der ersten Morgenröte — etwa ein Fleck Grün oben in Hampstead; und alle Gesichter sind erhellt, haben sich alle zu einer Verschwiegenheit zärtlicher Freude verschworen; und dann das mystische Gefühl von Erfüllung und dann die raspelnde, der Haut eines Katzenhais ähnliche Rauheit — jene schwarzen Pfeile fröstelnden Schauderns, wenn sie die Post versäumt hat, wenn sie nicht kommt. Ein Stachel hornigen Verdachts schnellt hervor, grauenhaft, grauenhaft, grauenhaft — doch wozu diese folgerichtigen Sätze mühsam ausarbeiten, wenn alles, was man braucht, nichts Folgerichtiges ist sondern ein Bellen, ein Stöhnen? Und Jahre später sieht man eine Frau mittleren Alters in einem Restaurant ihren Mantel ablegen!

Um aber zurückzukommen! Tun wir wieder so, als wäre das Leben eine feste Substanz, wie ein Globus geformt, den wir zwischen den Händen drehn. Tun wir, als könnten wir eine einfache und logische Geschichte wahrnehmen, so daß wir, sobald die eine Sache — etwa Liebe — erledigt ist, schön ordentlich zur nächsten weitergehn. Ich sagte, es habe da eine Weide gestanden. Das Herabschauern ihrer Zweige, ihre rissige, knorrige Rinde wirkten wie etwas, das außerhalb unsrer Illusionen verharrt, sie aber doch nicht aufhalten kann, von ihnen für einen Augenblick verändert wird und doch stetig und still und mit einem strengen Ernst, der unserm Leben mangelt, durch sie hindurchscheint. Daher ihr stummer Kommentar; und der Maßstab, den sie liefert, und der Grund, warum sie, während wir in Fluß sind und uns verändern, ihn anzulegen scheint. Neville zum Beispiel saß neben mir auf dem Rasen. Aber kann etwas klarer sein als dies alles? sagte ich mir dann etwa, seinem Blick durch die Zweige zu einem Boot auf dem Fluß folgend und zu einem jungen Mann, der aus einer Papiertüte Bananen aß. Die Szene war mit solcher Intensität umrissen und so durchdrungen von der Eigenart seiner Vision, daß ich einen Augenblick lang es alles auch sehen konnte: das Boot, die Bananen, den jungen Mann, durch die Zweige der Weide hindurch. Dann verblaßte es alles.

Rhoda kam ziellos einhergewandert. Sie nutzte jeden Studenten in wehendem Talar, jeden Esel, der mit gummibeschuhten Hufen die Rasenwalze zog, dazu, sich hinter ihm zu verstecken. Welche Furcht schwankte und verbarg sich und flammte auf in den Tiefen ihrer grauen, ihrer erschrokkenen, ihrer verträumten Augen? Grausam und rachsüchtig, wie wir sind, sind wir doch nicht in diesem Ausmaß schlecht. Gewiß sind wir doch im Grunde gut — sonst wäre es ganz unmöglich, mit jemand kaum Bekanntem ungezwungen zu sprechen, so wie ich es tue, — wir würden davon ablassen. Die Weide, wie Rhoda sie sah, wuchs am Rand einer grauen Wüste, wo kein Vogel sang. Die Blätter verdorrten, sobald sie sie ansah, schüttelten sich vor Qual, wenn sie vorüberging. Die Trambahnwagen und Omnibusse dröhnten heiser in den Straßen, rollten über Felsen und enteilten schnaubend. Vielleicht stand eine Säule, eine einzige, sonnenbeleuchtete, in ihrer Wüste neben einem Teich, zu dem wilde Tiere sich hinabstahlen, um zu trinken.

Dann kam Jinny. Sie ließ ihr Feuer über den Baum züngeln. Sie glich einer feingerunzelten Mohnblüte, die fieberisch danach dürstet, trockenen Staub zu trinken. Flackernd, eckig und nicht im geringsten impulsiv, kam sie vorbereitet. So laufen kleine Flämmchen im Zickzack über Rissen der ausgedörrten Erde hin. Sie brachte die Weide zum Tanzen, aber nicht durch Einbildung; denn sie sah nichts, was nicht da war. Die Weide war ein Baum; dort war der Fluß; es war Nachmittag; hier saßen wir; ich in meinem Sergeanzug, sie in Grün. Es gab keine Vergangenheit, keine Zukunft; bloß den Augenblick in seinem Kreis von Licht und unsre Körper; und den unvermeidlichen Höhepunkt: die Ekstase.

Louis wieder zwang einen, sobald er vorsorglich (ich übertreibe nicht) ein Viereck aus seinem Regenmantel auf den Rasen breitete und sich darauf setzte, seine Gegenwart anzuerkennen. Sie flößt einem Furcht ein. Ich hatte Verstand genug, den Hut zu ziehen vor seiner Integrität, davor, wie er mit knochigen, der Frostbeulen wegen von Lappen umwickelten Fingern nach einem Diamanten von unlöslicher Wahrhaftigkeit forschte. Ich vergrub ganze Schächtelchen abgebrannter Streichhölzer im Rasen zu seinen Füßen. Er warf mir mit grimmiger, ätzender Zunge meine Indolenz vor. Er fesselte mich mit seiner niedrigen Phantasie. Seine Helden trugen steife Hüte und redeten davon, Klaviere um einen Zehner zu verkaufen. Durch seine Landschaft kreischte die Trambahn; verbreitete die Fabrik ihre beizenden Schwaden. Er trieb sich in verwahrlosten Gassen und Städten herum, wo am Weihnachtstag Frauen betrunken und nackt auf der Bettdecke lagen. Seine von einem Schrotturm herabfallenden Worte klatschten auf das Wasser, und es spritzte hoch auf. Er fand ein Wort, nur ein einziges, für den Mond. Dann stand er auf und ging; wir alle standen auf; wir alle gingen. Ich aber blieb stehn und sah die Weide an, und ebenso wie damals, als ich im Herbst auf die brennroten und gelben Zweige blickte, bildete sich eine Ablagerung; ich selbst bildete mich; ein Tropfen fiel; ich selbst fiel — das heißt, ich war aus einem vollständig gewordenen Erlebnis hervorgegangen.

Ich stand auf und ging weg — ich, ich, ich; nicht Byron Shelley, Dostojewskij, sondern ich, Bernard. Ich sagte mir sogar ein paarmal meinen eignen Namen vor. Ich betrat, meinen Stock schwingend, einen Laden und kaufte — nicht etwa, weil ich die Musik liebe — ein Bild Beethovens in einem Silberrahmen. Nicht weil ich die Musik liebe, sondern weil das ganze Leben, seine Meister, seine Abenteurer, damals in langen Reihen großartiger Menschen hinter mir erschien; und ich war der Erbe; ich der Fortsetzer; ich derjenige, der wunderbarerweise beauftragt war, es weiterzuführen. So schritt ich, meinen Stock schwingend, mit nicht von Stolz sondern eher von Demut verschleierten Augen die Straße entlang. Das erste Flügelschwirren hatte sich erhoben, das Tirilieren, der Morgenruf; und nun tritt man ein, man geht ins Haus, in das nüchterne, keine Zugeständnisse machende, bewohnte Haus mit allen seinen Überlieferungen, seinen Gegenständen, seinen Ansammlungen von Kram und auf den Tischchen zur Schau gestellten Kostbarkeiten. Ich suchte den Schneider unsrer Familie auf, der sich meines Onkels erinnerte. Leute erschienen in großer Menge, nicht klar umrissen wie die ersten Gesichter (Neville, Louis, Jinny, Susan, Rhoda) sondern verworren, ohne Züge, oder sie veränderten ihre Züge so schnell, daß sie keine zu haben schienen. Und errötend und doch verachtungsvoll, in dem sonderbarsten Zustand krassen Entzückens und Zweifelns nahm ich den Schlag hin; die gemischten Empfindungen; die vielfältigen und beunruhigenden; ganz unvorbereitet auf den Ansturm des Lebens im allgemeinen und gleichzeitig an allen Stellen. Wie verstörend! Wie demütigend, nie sicher zu sein, was als nächstes sagen, und diese peinlichen Stillschweigen, grell wie ausgedörrte Wüsten, wo jeder Kieselstein sichtbar ist! Und dann zu sagen, was man nicht hätte sagen sollen, und sich dann eines verschluckten Ladestocks unbestechlicher Aufrichtigkeit bewußt zu sein, den man gern für einen Schauer glatter Pennystücke eingetauscht hätte, das aber nicht konnte, dort, auf jener Gesellschaft, wo Jinny ganz unbefangen auf einem vergoldeten Sessel saß und sich selbst ausstrahlte.

Dann sagt eine Dame mit einer eindrucksvollen Gebärde: »Kommen Sie mit mir!« Sie führt einen in eine ungestörte

Nische und gewährt einem die Ehre ihrer Vertraulichkeit. Familiennamen werden zu Vornamen; Vornamen zu Kosenamen. Was solle man mit Indien machen, mit Irland oder Marokko? Alte, ordengeschmückt unter Kristallüstern stehende Herren beantworten die Frage. Man findet sich überraschenderweise mit belehrenden Auskünften beliefert. Draußen tosen die ununterschiedenen Kräfte; hier innen sind wir sehr persönlich, sehr ausführlich, haben wahrhaftig ein Gefühl, daß wir hier, in diesem kleinen Raum, den Tag der Woche machen, der es grade sein mag. Freitag oder Samstag. Eine Muschelschale bildet sich um die weiche Seele herum, eine perlmutterartige, schillernde, auf die Empfindungen ihre Schnäbel vergebens loshacken lassen. Um mich herum bildete sie sich früher als um die meisten. Bald konnte ich ruhig meine Birne schälen, wenn die andern schon mit dem Dessert fertig waren. Ich vermochte meinen Satz inmitten völligen Stillschweigens zu beenden. In diesem Lebensalter hat auch Vervollkommnung ihren Reiz. Man wäre, so denkt man, imstande, Spanisch zu lernen, indem man sich einen Bindfaden um die rechte große Zehe bände, damit man zeitig aufwache. Man schreibt die kleinen Felder seines Vormerkbuchs voll mit »Abendessen um acht«; »Mittagessen um halb zwei.« Man hat Hemd, Socken, Halsbinde auf seinem Bett bereitgelegt.

Doch sie ist ein Fehler, diese äußerste Genauigkeit, dieses ordentliche, militärische Vorgehn; eine Bequemlichkeit, eine Lüge. Immer fließt tief darunter, auch wenn man pünktlich zur festgesetzten Stunde in weißer Weste und mit höflichen Förmlichkeiten eintrifft, ein wilder Strom von Traumbruchstücken, Kinderreimen, Rufen von Straßenverkäufern, halb vollendeten Sätzen und von Gesehenem — Ulmen, Weiden, Gärtnern, die fegen, Damen, die schreiben, — allesamt steigend und sinkend, sogar während wir unsre Tischnachbarin ins Eßzimmer führen. Während man die Gabel so peinlich genau auf dem Tischtuch zurechtrückt, wallen und weben tausend Gesichter. Es ist nichts da, was man mit einem Löffel herausfischen könnte; nichts, was man ein Erlebnis nennen könnte. Doch er ist auch lebendig und tief, dieser Strom. In ihn eingetaucht, halte ich dann etwa zwischen zwei Bissen inne und betrachte aufmerksam eine Vase, in der vielleicht eine rote Blume steckt, während mir eine Begründung einfällt, eine plötzliche Offenbarung. Oder ich sage, etwa durch den »Strand« gehend, wenn ein schönes, phantastisches Fabelwesen, Fisch, Vogel oder Wolke mit feurigen Rändern einhergeschwommen kommt: »Das ist die Phrase, die ich brauche«, um ein für allemal eine Idee, die mich verfolgt, einzuschließen; worauf ich dann weitertrotte und mit erneutem Entzücken die Krawatten und andern Dinge in den Schaufenstern mustere.

Die Kristallkugel, der Globus des Lebens, wie man es nennen könnte, weit davon, sich kalt und hart anzufühlen, hat eine Wand von dünnster Luft. Drücke ich sie, wird alles zerplatzen. Was für einen Satz immer ich ganz und vollständig aus diesem Kessel hervorhole, er ist bloß eine Kette von sechs kleinen Fischchen, die sich fangen lassen, während eine Million andrer zappeln und zischen, den Kessel gleich siedendem Silber brodeln machen und mir durch die Finger schlüpfen. Gesichter tauchen auf, immer wieder Gesichter und Gesichter — sie drücken ihre Schönheit an die Wandung meiner Kristallkugel — Neville, Susan, Louis, Jinny, Rhoda und tausend andre. Ausgeschlossen, sie richtig zu ordnen; ein einzelnes herauszulösen oder die Wirkung des Ganzen zu vermitteln — die wiederum Musik gleicht. Was für eine Symphonie mit ihren Harmonien und Disharmonien und ihren Melodien in der Höhe und ihrem komplizierten Baß in der Tiefe da erwuchs! Jedes spielte seine eigene Melodie:

auf Fiedel, Flöte, Trompete, Trommel oder was immer das Instrument sein mochte. Bei Neville war sie: »Sprechen wir über *Hamlet*!« Bei Louis die Wissenschaft. Bei Jinny die Liebe. Dann plötzlich, in einem Augenblick erschöpfter Geduld, weg nach Cumberland mit einem ruhigen Menschen, eine ganze Woche in einem Gasthof, wo der Regen an den Fensterscheiben herablief und es nichts als Schöpsernes und wieder Schöpsernes zur Hauptmahlzeit gab. Doch jene Woche verbleibt als ein fester Stein in dem Durcheinander unverzeichneter Empfindungen. Damals war es, daß wir Domino spielten; damals stritten wir wegen des zähen Hammelbratens. Damals machten wir Bergwanderungen. Und ein kleines, zur Tür hereinguckendes Mädchen übergab mir jenen auf blaues Papier geschriebenen Brief, aus dem ich erfuhr, daß sie, die mich zu Byron gemacht hatte, einen Landjunker heiraten solle. »Einen Mann in Ledergamaschen, einen Mann mit einer Reitgerte, einen Mann, der bei Tisch Reden über fette Ochsen hielt«, rief ich spöttisch aus und blickte auf die jagenden Wolken und empfand meinen Mißerfolg; mein Verlangen, frei zu sein; zu entkommen; gebunden zu sein; Schluß zu machen; weiterzumachen; Louis zu sein; ich selbst zu sein. Und ich ging allein im Regenmantel aus und fühlte mich verstimmt angesichts der ewigen Berge und nicht im geringsten erhaben; und kam zurück und gab dem Schöpsernen die Schuld und packte, und so also nach London, zurück in den Wirrwarr; zurück zu der Folter.

Nichtsdestoweniger ist das Leben angenehm, ist das Leben erträglich. Auf den Montag folgt der Dienstag; dann kommt der Mittwoch. Der Geist setzt Ringe an; die Persönlichkeit wird robust; Schmerz verliert sich in Wachstum. Sich ausdehnen, sich zusammenziehen, während Surren und Widerstandskraft zunehmen, werden Hast und Fieber der Jugend zum Dienst herangeholt, bis unser ganzes Wesen sich zusammenzuziehen und auszudehnen scheint wie die Spiralfeder einer Uhr. Wie schnell die Strömung von Januar bis Dezember fließt! Wir werden mitgeschwemmt vom Wildbach der Dinge, die so vertraut geworden sind, daß sie keinen Schatten werfen. Wir treiben, wir treiben ...

Jedoch, da man einen Sprung machen muß (um diese Geschichte zu erzählen), springe ich hier an dieser Stelle und lande auf einem völlig alltäglichen Gegenstand — sagen wir, auf dem Schürhaken und der Feuerzange, wie ich sie einige Zeit später, nachdem jene junge Dame, die mich zu Byron machte, geheiratet hatte, beim Licht einer andern Flamme sah, die ich die dritte Miss Jones nennen will. Sie ist diejenige, die ein bestimmtes Kleid trägt, wenn sie einen zum Abendessen erwartet; die eine bestimmte Rose pflückt, um sie sich anzustecken; die einen empfinden läßt: »Gemach, gemach, dies ist eine Sache von einiger Bedeutung!« Dann fragt man sich: »Wie ist sie zu Kindern?« Man beobachtet, daß sie ein wenig ungeschickt mit ihrem Schirm umgeht; es sich aber zu Herzen nahm, als sich der Maulwurf in der Falle fing; und daß sie letztlich den Brotwecken beim Frühstück (ich dachte, während ich mich rasierte, an die endlos vielen Frühstücke des Ehelebens) als nicht ganz prosaisch erscheinen ließe — man wäre, säße man diesem Mädchen am Frühstückstisch gegenüber, nicht überrascht, eine Libelle sich auf den Wecken Brot niederlassen zu sehen. Sie erweckte in mir den Wunsch, in der Welt höherzukommen; sie bewirkte auch, daß ich die mich bis dahin abstoßenden Gesichter neugeborener Kinder forschend betrachtete. Und der wilde kleine Pulsschlag — tick-tack, tick-tack — des eigenen Geistes nahm einen majestätischeren Rhythmus an. Ich durchstreifte die Oxford Street. Wir sind diejenigen, die es fortsetzen, wir sind die Erben, sagte ich mir, an meine Söhne und Töchter denkend; und wenn das auch ein so grandioses Gefühl ist, daß es fast absurd erscheint, und man es vertuscht, indem man auf einen Autobus aufspringt oder ein Abendblatt kauft, bildet es noch immer ein merkwürdiges Element in dem Eifer, mit dem man sich die Schuhe zuschnürt, mit dem man jetzt alte Freunde, auf andern Laufbahnen festgelegte, anspricht: Louis, den Mansardenbewohner; Rhoda, die Brunnennymphe, die stets feuchte; beide verneinten sie, was mir damals so bejahenswert erschien; beide boten sie die andre Seite dessen, was mir so offenkundig zu sein schien (daß wir heiraten, daß wir häuslich werden); wofür ich die beiden liebte, sie bemitleidete und sie ihres andersartigen Schicksals wegen auch zutiefst beneidete.

Einst hatte ich einen Biographen, der nun schon lange tot ist, aber würde er meinen Schritten noch immer mit dem alten, schmeichelhaften Eifer folgen, würde er hier sagen: »Um diese Zeit heiratete Bernard und kaufte ein Haus ... Seine Freunde beobachteten an ihm einen wachsenden Hang zur Häuslichkeit ... Die Geburt von Kindern machte es höchst wünschenswert, daß er sein E nkommen steigere.« Das ist der biographische Stil, und er genügt, um abgerissene Stückchen Stoff zusammenzuheften, Stückchen mit ungeglätteten Rändern. Schließlich kann man nicht gut an dem biographischen Stil etwas aussetzen, wenn man selber seine Briefe mit »Werter Herr« beginnt und mit »Ihr ergebener« schließt; man kann diese Phrasen, die wie Römerstraßen über den Tumult unsres Lebens gezogen sind, nicht verachten, denn sie zwingen uns, im Gleichschritt zu gehn wie zivilisierte Leute, mit dem bedächtigen, gemessenen Schreiten von Polizisten, auch wenn man dabei mit unterdrückter Stimme irgendwelches Zeug summt — »Horch in die Runde, es bellen die Hunde« oder »Komm hinweg, komm hinweg, Tod« oder »Kein Hindernis der Hochzeit wahrer Seelen laßt mich ...« — und so weiter. »Er hatte einigen Erfolg in seinem Beruf ... Er erbte eine kleine Summe Geldes von seinem Onkel« — so fährt der Biograph fort, und wenn man Hosen trägt und sie an Hosenträgern befestigt, so muß auch das gesagt werden, obwohl es verlockend ist, dann und wann in die Brombeeren zu gehn; verlockend, Hüpfsteine zu werfen mit allen diesen Phrasen. Doch jenes muß gesagt werden.

Ich wurde, meine ich, eine gewisse Art von Mensch, trat meinen Weg durchs Leben aus, wie man einen Weg durch die Felder austritt. Meine Schuhe traten sich links ein wenig stärker ab. Wenn ich in ein Zimmer kam, vollzogen sich gewisse Umgruppierungen. »Hier ist Bernard!« Wie verschieden Leute das sagen! Es gibt viele Zimmer — viele Bernarde. Da war der bezaubernde aber willensschwache; der starke aber hochnäsige; der glänzend begabte aber gewissenlose; der sehr gute Kumpan aber auch der, wie ich nicht bezweifle, gräßliche Ödian; der mitfühlende aber kalte; der schäbige aber auch — geh bloß ins Nebenzimmer! — geckenhafte, weltliche und allzu elegant gekleidete. Als was ich mir selbst vorkam, war etwas andres; war keins von alledem. Ich bin geneigt, mich selbst am entschiedensten dort, vor dem Brotwecken beim Frühstück mit meiner Frau, festzunageln, welche, da sie nun völlig meine Frau und gar nicht mehr das Mädchen war, das, wenn es mit mir zusammenzukommen hoffte, eine bestimmte Rose angesteckt trug, mir jenes Gefühl, inmitten von Unbewußtheit zu existieren, gab, wie es der Laubfrosch haben muß, wenn er auf das richtig getönte grüne Blatt gebettet ist. »Reich mir doch, bitte ...« sagte ich etwa. »Die Milch ...« mochte sie darauf sagen oder »Mary kommt her ...« Simple Worte für diejenigen, die die Kostbarkeiten aller Zeiten geerbt haben, aber nicht simpel, so wie damals gesagt, Tag auf

Tag, im vollen Fluten des Lebens, wenn man sich beim Frühstück vollständig und ganz fühlt. Muskeln, Nerven, Eingeweide, Blutgefäße, alles, was die aufgewundene Triebfeder unsres Seins ausmacht, das unbewußte Surren der Maschine ebenso wie das Schnellen und Schlüpfen der Zunge, alles funktionierte aufs prächtigste. Aus, ein; ein, aus; essen, trinken; manchmal sprechen — der ganze Mechanismus schien sich auszudehnen und sich einzuziehen wie eine Uhrfeder. Röstbrot und Butter, Kaffee und Bratspeck, die *Times* und die Post — plötzlich klingelte dringlich das Telephon, und ich stand bedächtig auf und ging zum Apparat. Ich ergriff den schwarzen Mund. Ich merkte die Leichtigkeit, mit der mein Geist sich darauf einstellte, die Mitteilung zu assimilieren — es hätte sich etwa (man hat solche Einbildungen) darum handeln können, die Leitung des Britischen Weltreichs zu übernehmen; ich beobachtete meine Gefaßtheit; ich vermerkte, mit welcher großartigen Vitalität sich die Atome meiner Aufmerksamkeit verteilten, die Störung umschwärmten, die Mitteilung verarbeiteten, sich der veränderten Sachlage anpaßten und, bis ich dann den Hörer auflegte, eine reichere, eine stärkere, eine kompliziertere Welt geschaffen hatten, in der meine Rolle zu spielen ich aufgerufen war und nicht den leisesten Zweifel hegte, sie auch spielen zu können. Mir den Hut auf den Kopf stülpend schritt ich hinaus in eine Welt, welche von riesigen Scharen von Männern bewohnt war, die sich ebenfalls den Hut auf den Kopf gestülpt hatten, und sobald wir im Zug oder der Untergrundbahn einander streiften und begegneten, tauschten wir das verständnisinnige Zublinzeln von Konkurrenten und Kameraden, mit tausenderlei Listen und Kniffen gerüsteten, um dasselbe Ziel zu erreichen: uns unsern Lebensunterhalt zu verdienen.

Das Leben ist angenehm. Das Leben ist gut. Schon der

bloße Vorgang des Lebens ist befriedigend. Nehmen wir den sich guter Gesundheit erfreuenden Durchschnittsmenschen. Er ißt gern und schläft gern. Er hat gern eine Nasevoll frischer Luft und geht gern flotten Schritts durch den »Strand«. Oder auf dem Land kräht ein Hahn auf einem Gatter; ein Füllen galoppiert auf einer Koppel im Kreis herum. Immer gibt es etwas, das als nächstes getan werden muß. Der Dienstag folgt auf den Montag; der Mittwoch auf den Dienstag. Ein jeder Tag verbreitet dasselbe Wellengekräusel von Wohlbehagen, wiederholt denselben rhythmischen Verlauf; bedeckt einen neuen Streifen Sand mit Kühle oder verebbt ein wenig schwächlich schon außerhalb. So setzt das Sein Ringe an; die Identität wird robust. Was feurig und verstohlen geschah, wie ein Wurf von Saatkörnern in die Luft, hin und her geweht von wilden Lebensstößen aus allen Richtungen, geschieht nun methodisch und ordentlich und zweckvoll — so scheint es.

Gott, wie angenehm! Gott, wie gut! Wie erträglich ist das Leben kleiner Ladenbesitzer, sagte ich mir gern, wenn der Frühzug die Vororte durchfuhr und man Lichter in Schlafzimmerfenstern sah. Tätig, energisch wie ein Ameisenschwarm, sagte ich, wenn ich da am Fenster stand und Arbeiter, Henkeltasche in der Hand, stadtwärts strömen sah. Welche Abgehärtetheit, welche Energie und Heftigkeit der Glieder! dachte ich, Männern in kurzen weißen Hosen zusehend, die im Januar auf einem Schneefleck einem Fußball nachjagten.

Also, durch irgendeine Kleinigkeit verdrossen — es mochte das Bratenfleisch gewesen sein — erschien es mir als ein köstlicher Luxus, mit einem kleinen Gekräusel die ungeheure Standfestigkeit unsres Ehelebens zu stören, dessen leises Erbeben — denn unser Kind würde bald geboren werden — seine Wonne erhöhte. Ich war unwirsch beim Abendessen. Ich sagte etwas Unvernünftiges, als könnte ich, ein Millionär, es mir leisten, fünf Schilling hinauszuwerfen; oder als stolperte ich, ein perfekter Dachdecker, absichtlich über einen Fußschemel. Auf der Treppe, beim Schlafengehn, schlichteten wir unsern Zwist, und am Fenster stehend und zu einem klaren, dem Innern eines blauen Edelsteins gleichenden Himmel aufblickend sagte ich: »Dem Himmel sei's gedankt, wir brauchen diese Prosa nicht zum Schaum der Poesie zu schlagen! Unsre Kleinkindersprache genügt.« Denn die Weite des Ausblicks und seine Klarheit schienen keinerlei Hindernis zu bieten, sondern unserm Leben zu erlauben, sich immer mehr und mehr, über alles Widerborstige von Dächern und Rauchfängen hinaus, auszubreiten bis an seinen makellosen Rand.

In das alles schlug der Tod ein — Percivals Tod. »Welches ist Freude« (unser Kind war geboren worden), »welches Schmerz?« fragte ich mich, als ich die Treppe hinunterging, auf die zwei Seiten meines Körpers anspielend und eine rein physische Feststellung machend. Ich vermerkte auch den Zustand des Hauses; den wehenden Vorhang; die singende Köchin; den durch die halb offene Tür sichtbaren Schrank. Ich sagte im Hinuntergehn: »Gewähre ihm (mir selbst) noch einen Augenblick Gnadenfrist! Jetzt, in diesem Wohnzimmer hier, wird er leiden. Es gibt kein Entkommen.« Aber für Schmerz fehlt es an Worten. Es sollte Schreie geben, Risse, Sprünge, ein über Chintzhüllen hingleitendes Erbleichen, etwas das Zeitgefühl, das Raumgefühl Aufhebendes; aber auch das Gefühl äußerster Ortsgebundenheit beim Vorübergehn an Gegenständen; und sehr ferne und dann sehr nahe Laute; Schnitte ins Fleisch und aufspritzendes Blut, ein jäh verrenktes Gelenk — wobei unter alledem etwas sehr Wichtiges, jedoch Entlegenes zum Vorschein kommt, das sich in Einsamkeit grade noch festhalten läßt. Also ging ich aus. Ich sah den ersten Morgen, den er nicht sähe — die Sperlinge waren wie Spielsachen, die ein Kind an einer Schnur baumeln läßt. Dinge unbeteiligt, von außen her, zu sehen und ihre Schönheit an sich zu erkennen — wie seltsam! Und dann das Gefühl, daß eine Last von einem genommen ist; Vorwände und Vorspiegelungen und Unwirklichkeit sind verschwunden, und Schwerelosigkeit hat sich eingestellt und eine Art von Durchsichtigkeit, die, während man weitergeht, einen selbst unsichtbar und alles andre durchschaubar macht — wie seltsam! »Und was noch werde ich entdecken?« sagte ich, und um es festzuhalten, schenkte ich Zeitungsplakaten keine Beachtung und ging mir Gemälde ansehen. Madonnen und Säulen, Bogengänge und Orangenbäume, noch so wie am ersten Tag ihrer Erschaffung, nun aber mit Gram vertraut, hingen sie da, und ich betrachtete sie. »Hier«, sagte ich, »sind wir ungestört beisammen.« Dieses Befreitsein von Qual, dieses Verschontbleiben schienen also eine Errungenschaft zu sein und riefen in mir ein solches Hochgefühl hervor, daß ich, auch heute noch, manchmal dorthin gehe, um mir dieses Hochgefühl und Percival zurückzurufen. Aber es war nicht von Dauer. Was einen peinigt, ist die gräßliche Tätigkeit des geistigen Auges — wie er stürzte, wie er da aussah, wohin sie ihn trugen; Männer im Lendenschurz, die an Schnüren zogen; die Verbände und der Schlamm. Dann kommt der schreckliche Ansturm der Erinnerung, der nicht vorherzusagende, der nicht abzuwehrende, — daß ich mit ihm nicht nach Hampton Court ging. Diese Pranke schlug blutig; dieser Hauer zerfleischte: ich bin nicht mitgegangen. Wenngleich er ungeduldig widersprach, daß es nichts ausmache. Warum also unterbrechen, warum unsern Augenblick ununterbrochener Gemeinsamkeit verderben? — »Immerhin«, wiederholte ich verdrossen, »ich bin nicht mitgegangen«, und von diesen beflissenen Teufeln aus der Zufluchtstätte vertrieben, begab ich mich zu Jinny, weil sie ein Zimmer hatte; ein Zimmer mit kleinen Tischen, mit kleinen Nippsachen auf kleinen Tischen. Dort gestand ich unter Tränen — daß ich damals nicht nach Hampton Court mitgegangen war. Und sie, die sich an andres erinnerte, für mich Nichtigkeiten, für sie Folterqualen, ließ mich erkennen, wie das Leben verdorrt, wenn es Dinge gibt, die wir nicht mit andern teilen können. Bald auch kam ein Dienstmädchen mit einem Brief herein, und als Jinny sich wegwandte, um ihn zu beantworten, und ich meine Neugier merkte, zu wissen, was sie schrieb und wem, sah ich das erste dürre Blatt auf sein Grab fallen. Ich sah uns über diesen Augenblick hinausstreben und ihn für immer hinter uns lassen. Und dann, als wir nebeneinander auf dem Sofa saßen, erinnerten wir uns unvermeidlich, was von andern gesagt worden war: »Die Lilie, weiß und rein, im Mai wird schöner sein«; wir verglichen Percival mit einer Lilie — Percival, von dem ich wollte, er solle die Haare verlieren, solle die Behörden schockieren, solle mit mir altern; er war schon über und über mit Lilien zugedeckt.

So ging die Aufrichtigkeit des Augenblicks vorbei; so wurde der symbolisch; und das konnte ich nicht ertragen. »Begehen wir lieber jede Blasphemie durch Lachen und Kritisieren, statt diesen liliensüßen Leim auszuschwitzen; und Percival mit Phrasen zuzudecken!« rief ich. Also unterbrach ich mich, und Jinny, die keine Zukunft und keine Vermutungen über sie hatte, sondern mit völliger Integrität den Augenblick respektierte, gab ihrem Körper eins mit der Peitsche, puderte sich das Gesicht (wofür ich sie liebte) und winkte mir nach, als sie dann auf der Türstufe stand und die Hand aufs Haar drückte, damit der Wind es nicht zerzause, eine Gebärde, die ich ihr hoch anrechnete, als bestätigte die unsre Entschlossenheit — keine Lilien wachsen zu lassen.

Ich gewahrte mit desillusionierter Klarheit das verachtenswert Nichtssagende der Straße; ihrer Portikos; ihrer Fenstervorhänge; die schlampige Kleidung, die Lüsternheit und Selbstgefälligkeit der Einkäufe machenden Frauen; und alte Männer, die in wollenen Halstüchern frische Luft schöpfen gingen; die Vorsicht der die Straße Überschreitenden; die allgemeine Entschlossenheit weiterzuleben, wenn in Wirklichkeit, ihr Gimpel und Tröpfe, sagte ich, jede Schieferplatte vom Dach fallen, jedes Auto eine jähe Schwenkung machen kann, denn es läßt sich weder Reim noch Räson draus machen, wenn ein Betrunkener mit einer Keule in der Hand umhertorkelt — das ist's. Ich war wie ein Mensch, der hinter die Szene darf; wie einer, dem gezeigt wird, wie die Bühneneffekte erzeugt werden. Ich kehrte jedoch in mein behagliches Heim zurück und wurde von dem Stubenmädchen aufmerksam gemacht, ich solle die Treppe auf Strümpfen hinaufschleichen; das Kind schlafe schon. Ich ging auf mein Zimmer.

Gab es kein Schwert, nichts, um diese Wände zu zertrümmern, diesen Schutzwall, dieses Kinderzeugen und hinter Vorhängen Leben mit Büchern und Bildern und sich täglich mehr Verwickeln und Verpflichten? Besser, sein Leben herunterzubrennen wie Louis, im Streben nach Vollkommenheit; oder wie Rhoda uns zu verlassen, an uns vorbei der Wüste zuzufliegen; oder wie Neville sich aus Millionen einen zu wählen, und nur einen; besser, wie Susan zu sein und die Sonnenglut oder das frostversengte Gras zu lieben und zu hassen; oder wie Jinny ehrlich zu sein, tierhaft zu sein. Alle hatten sie ihre Verzückung; ihr gemeinsames Gefühl dem Tod gegenüber; etwas, das ihnen zustatten kam. So ging ich der Reihe nach zu jedem Freund, jeder Freundin und versuchte mit fummelnden Fingern, ihre verschlossenen Schreine aufzusprengen. Ich ging von einem zum andern, hielt ihnen meinen Kummer — nein, nicht meinen Kummer sondern das unbegreifliche Wesen dieses unsres Lebens — zur Besichtigung hin. Manche Leute gehn zum Priester; andre zur Poesie; ich zu meinen Freunden, ich zu meinem eigenen Herzen, ich, um zwischen Phrasen und Fragmenten etwas Ungebrochenes zu suchen — ich, für den nicht genug Schönheit in Mond oder Baum ist; dem die Berührung zwischen einem Menschen und einem andern alles ist und der doch nicht einmal die erfassen kann, der ich so unvollkommen, so schwächlich, so unsagbar einsam bin. So saß ich da und dachte nach.

Sollte das das Ende der Geschichte sein? Eine Art von Seufzer? Ein letztes Sichkräuseln der Welle? Ein Wegrieseln von Wasser in eine Gosse, in der es sich gurgelnd verläuft? Ich will den Tisch berühren — so! — und auf diese Weise mein Bewußtsein des Augenblicks wiedererlangen. Eine Anrichte mit Essig- und Ölkännchen; ein Korb voll Brötchen; eine Schüssel mit Bananen — das sind tröstliche Anblicke. Aber wenn es keine Geschichten gibt, was für ein Ende kann es geben oder was für einen Anfang? Das Leben spricht vielleicht nicht auf die Behandlung an, die wir ihm zuteil werden lassen, wenn wir versuchen, es zu erzählen. Noch spät in der Nacht dasitzend, erscheint es einem seltsam, keine größere Macht darüber zu haben. Zettelkastenfächer nützen da nicht viel. Es ist seltsam, wie einem die Kraft in irgendeinen ausgetrockneten Wasserlauf wegsickert. Wenn man so allein dasitzt, scheint es einem, daß wir erschöpft sind; unsre Fluten können grade noch schwächlich dieses Reis einer Stranddistel umfließen; jenen entfernteren Kiesel dort können wir nicht mehr erreichen und so ihn benetzen. Es ist vorbei; mit uns ist es zu Ende. Aber warte! — ich hatte die ganze Nacht dagesessen und gewartet — abermals durchfährt uns ein Impuls; wir erheben uns, wir werfen eine weiße

Mähne von Schaum zurück; wir poltern ans Ufer; wir lassen uns nicht beschränken. Das heißt, ich wusch und rasierte mich; weckte meine Frau nicht und frühstückte allein; setzte den Hut auf und ging mir meinen Lebensunterhalt verdienen. Nach dem Montag kommt der Dienstag.

Doch ein Zweifel verblieb, ein Fragezeichen. Ich war überrascht, als ich eine Tür öffnete, Leute bei dieser Beschäftigung anzutreffen; ich überlegte zögernd, eine Tasse Tee entgegennehmend, ob man »Milch« oder »Zucker« sagte. Und das Sternenlicht, das, so wie jetzt, auf meine Hand fiel, nachdem es viele Jahrmillionen gereist war, — es verursachte mir einen Augenblick lang einen kalten Schock — mehr nicht, meine Einbildungskraft ist zu schwach. Aber ein Zweifel verblieb. Ein Schatten huschte durch meinen Geist wie Mottenflügel abends in einem Zimmer zwischen Stühlen und Tischen. Als ich zum Beispiel in jenem Sommer nach Lincolnshire fuhr, um Susan wiederzusehen, und sie mir mit der trägen Bewegung eines halb gefüllten Segels, mit der schwankenden Bewegung einer Schwangeren durch den Garten entgegenkam, dachte ich: »Es geht weiter; aber wozu?« Wir saßen im Garten; die Leiterwagen kamen triefend von Heu einher; das gewohnte Landgeschwätz von Krähen und Tauben war zu vernehmen; Früchte waren mit Netzen überspannt und zugedeckt; der Gärtner grub. Bienen summten die purpurnen Trichter von Blüten hinab; Bienen betteten sich in den goldenen Schild von Sonnenblumen. Zweiglein wurden über das Gras geweht. Wie rhythmisch, wie kaum bewußt und gleich etwas in Dunst Gehülltem es alles war! Für mich aber hassenswert, einengend wie ein Netz, das einem die Gliedmaßen mit seinen Maschen umschnürt. Sie, die Percival abgewiesen hatte, gab sich zu diesem da, diesem Zugedecktwerden her.

Ich setzte mich auf eine Böschung, um auf meinen Zug zu

warten, und dachte dann, wie wir uns doch ergeben, wie wir uns der Stumpfsinnigkeit der Natur unterwerfen. Wälder mit dichtem grünem Laub lagen vor mir. Und durch das Ankommen eines Geruchs oder Geräusches an einen Nerv kehrte das alte Bild zurück — die Gärtner, die fegten, die Dame, die schrieb. Ich sah diese Gestalten unter den Buchen in Elvedon. Die Gärtner fegten; die Dame saß an ihrem Schreibtisch und schrieb. Doch nun gab ich den Beitrag der Reife zu den Ahnungen der Kindheit — Überdruß und drohendes Verhängnis; das Gefühl davon, was unentrinnbar ist in unserm Schicksal; vom Tod; das Wissen von Begrenzungen und davon, um wieviel unerweichlicher das Leben ist, als man dachte. Damals, als ich ein Kind war, hatte sich die Anwesenheit von etwas Feindlichem geltend gemacht; das Bedürfnis, Widerstand zu leisten, hatte mich angestachelt. Ich war aufgesprungen und hatte ausgerufen: »Gehn wir auf Entdeckungen!« Dem Grauenvollen der Lage war ein Ende gemacht.

Nun, welcher Lage galt es jetzt ein Ende zu machen? Stumpfheit und Verhängnis. Und was zu entdecken? Das Laub und der Wald verbargen nichts. Wenn ein Vogel aufflöge, würde ich nun nicht mehr ein Gedicht machen — ich würde bloß wiederholen, was ich schon einmal sagte. So ist denn, wenn ich einen Stab hätte, um damit auf Kerben in der Lebenskurve zu weisen, diese die unterste; hier, wo keine Flut sie erreicht, ringelt sie sich unnütz auf dem Schlamm — hier, wo ich mit dem Rücken gegen eine Hecke dasaß, den Hut in die Stirn gezogen, während die Schafe sich unbarmherzig näherten, auf diese hölzerne Art, die sie haben, Schritt für Schritt auf steifen, nach unten dünner werdenden Beinen. Aber wenn man eine stumpfe Klinge lange genug an einen Schleifstein hält, sprüht etwas auf — ein zackiger Rand von Feuer; so an Zwecklosigkeit gehalten, an Ziellosigkeit, an das Gewohnte, an alles das zu einer Masse geballt, da sprühten in einer einzigen Flamme Haß und Verachtung hervor. Ich packte meinen Geist, mein Sein, das alte, niedergeschlagene, kaum noch lebendige Ding, und peitschte es umher zwischen diesem Krimskrams, diesen Stückchen von Holz und Stroh, verabscheuungswürdigen Brocken von Strandgut, angeschwemmtem Zeug, das auf der öligen Oberfläche dahintrieb. Ich sprang auf. Ich rief: »Kämpfe!« »Kämpfe!« wiederholte ich. Mühe und Plage, beständiges Kriegführen, Zertrümmern und wieder Zusammenfügen — dies ist die tägliche Schlacht, die gewonnene oder verlorene, das einen ganz in Anspruch nehmende Bestreben. Die Bäume, die verstreuten, ordneten sich; das dichte Grün der Blätter verdünnte sich zu einem flimmernden Licht. Mit einer plötzlichen Phrase warf ich ein Netz über sie alle. Mit Worten errettete ich sie aus Gestaltlosigkeit.

Der Zug fuhr ein. Sich am Bahnsteig entlangstreckend blieb er stehn. Ich erreichte meinen Zug. Und so, am Abend, nach London zurück. Wie befriedigend war diese Atmosphäre von gesundem Menschenverstand und Tabak: die alten Frauen, die mit ihren Körben in Dritteklasse-Abteile kletterten; das Paffen von Pfeifen; das »Gutenacht« und »Auf Wiedersehn morgen« von Freunden, die bei Haltestellen ausstiegen, und dann die Lichter von London — nicht die flammende Ekstase der Jugendzeit, nicht jenes zerschlissene violette Banner, aber, trotz allem, noch immer die Lichter von London; harte elektrische Lichter, hoch oben in Kontoren; Schnüre von Straßenlampen längs dürren Gehsteigen; zischende Karbidfackeln über Straßenmärkten. Ich habe das alles gern, wenn ich mir den Feind für einen Augenblick vom Hals geschafft habe.

Auch treffe ich gern die Prunkschau des Daseins in Saus und Braus an, zum Beispiel in einem Theater. Hier richtet sich das lehmfarbene, erdhafte, unansehnliche Tier der Wildnis auf und bekämpft mit unendlichem Einfallsreichtum und angestrengtem Bemühen die grünen Wälder und grünen Wiesen und die gemessenen Schritts kauend näher rückenden Schafe. Und selbstverständlich waren in den langen grauen Straßen Fenster erleuchtet; Streifen roten Teppichs unterbrachen den Gehsteig; da waren gefegte und geschmückte Räume, Kaminfeuer, Speisen, Wein, Konversation. Männer mit verkrüppelten Händen, Frauen, denen Perlenpagoden von den Ohren baumelten, gingen hinein, kamen heraus. Ich sah die Gesichter alter Männer zu Runzeln und Hohnfalten geschnitzt vom Werk der Welt; ich sah Schönheit gehegt und gepflegt, so daß sie noch im Alter neu erblüht zu sein schien; und ich sah Jugend so fürs Vergnügen geschaffen, daß es Vergnügen, so dachte man, wirklich geben mußte; Grasland sich eigens für sie zu erstrecken schien; das Meer für sie zu kleinen Wellchen gekräuselt war; und die Wälder von bunten Vögeln raschelten für die Jugend, die erwartungsvolle Jugend. Dort traf man Jinny und Hal, Tom und Betty; dort hatten wir unsern Spaß und unsre Geheimnisse miteinander; und trennten uns auf den Türstufen nie, ohne zu vereinbaren, einander in einem andern Haus abermals zu treffen, wie es die Gelegenheit, wie die Jahreszeit es ergäbe. Das Leben ist angenehm; das Leben ist gut. Nach dem Montag kommt der Dienstag, und dann folgt der Mittwoch.

Ja, aber nach einer Weile mit einem Unterschied. Es könnte sein, daß eines Abends etwas im Aussehen des Zimmers, in der Anordnung der Stühle es andeutet. Es scheint einem angenehm, sich in einem Winkel auf ein Sofa sinken zu lassen, zu lauschen. Dann geschieht es vielleicht, daß zwei Gestalten, die mit dem Rücken zum Fenster stehn, sich gegen die ausladenden Äste eines Baums abzeichnen. Mit plötzlich erschüttertem Gemüt fühlt man: »Es gibt Gestalten ohne Gesichtszüge, in Schönheit gewandete.« In der darauf folgenden Pause, während die Wellenringe sich ausbreiten, sagt sich das Mädchen, mit dem man sich unterhalten sollte: »Er ist alt.« Aber sie hat unrecht. Es ist nicht das Alter: ein Tropfen ist gefallen, wieder ein Tropfen. Die Zeit hat die Anordnung abermals durcheinander geschüttelt. Unter dem Gewölbe der Johannisbeerblätter hervor kriechen wir hinaus in eine weitere Welt. Die wahre Ordnung der Dinge — dies ist unsre immerwährende Illusion — wird nun sichtbar. So paßt sich im Augenblick, in einem Salon, unser Leben dem majestätischen Marsch des Tages über den Himmel an.

Aus diesem Grund ging ich, statt meine Lackschuhe anzuziehen und eine passable Halsbinde auszuwählen, Neville aufsuchen. Ich suchte meinen ältesten Freund auf, der mich gekannt hatte, als ich Byron war; als ich Meredith' junger Mann war und auch jener Held in einem Roman von Dostojewskij, dessen Namen ich vergessen habe. Ich traf Neville allein und beim Lesen an. Ein peinlich nett gehaltener Schreibtisch; ein methodisch gerade geschlossener Vorhang; ein Papiermesser, das ein französisches Buch aufschnitt, — niemand, dachte ich, verändert je die Haltung oder die Kleidung, in der wir ihn das erstemal erblickt haben. Hier saß er die ganze Zeit, hier in diesem Sessel, in diesem Anzug, seit wir einander das erstemal begegnet sind. Hier gab es Freiheit; hier gab es Vertraulichkeit; der Feuerschein pflückte einen runden Apfel von dem Vorhang. Hier redeten wir; saßen und redeten; schlenderten durch jene Allee, die unter den Bäumen hinführt, den dichtbelaubten, raunenden Bäumen, den mit Früchten behangenen — jene Allee, die wir so oft gemeinsam durchschritten, so daß nun der Rasen kahlgetreten ist rings um einige dieser Bäume, rings um gewisse Dramen und Gedichte, gewisse Lieblingsstücke von uns — kahlgetreten von unserm unaufhörlichen unmethodischen Hin und Her. Wann immer ich warten muß, lese ich; wenn ich nachts aufwache, taste ich das Bord entlang nach einem Buch; in meinem Kopf ist, immerzu anschwellend, immerzu vermehrt, eine riesige Ansammlung unaufgezeichneten Materials vorhanden. Dann und wann breche ich ein Stück ab, etwa Shakespeare, etwa eine alte Frau namens Peck; und sage mir, im Bett eine Zigarette rauchend: »Das ist Shakespeare. Das ist Peck« — mit einer Gewißheit und einem Schock des Wiedererkennens, die unendlich entzückend, wenn auch nicht mitteilbar sind. So teilten wir uns in unsre Peck, unsern Shakespeare; verglichen unsre Versionen miteinander; gestatteten jeder der Einsicht des andern, seine eigene Peck, seinen eigenen Shakespeare in ein besseres Licht zu rücken; und versanken danach in ein Stillschweigen, wie es dann und wann von nur wenigen Worten unterbrochen wird, als tauchte eine Flosse aus der Wasserwüste von Schweigen auf; und dann sinkt die Flosse, der Gedanke, zurück in die Tiefe und verbreitet um sich herum kleine Wellenkreise von Befriedigung, von Zufriedenheit.

Ja, aber plötzlich hört man eine Uhr ticken. Wir, die wir in jene andre Welt eingetaucht gewesen waren, wurden uns dieser bewußt. So etwas ist schmerzlich. Es war Neville, der unsre Zeit änderte. Er, der in der unbegrenzten Zeit des Geistes gedacht hatte, die sich blitzschnell von Shakespeare bis zu uns erstreckt, stocherte das Feuer auf und begann, nach dieser andern Uhr zu leben, die das baldige Erscheinen einer bestimmten Person anzeigt. Der weite, würdige Schwung seines Geistes schrumpfte. Er spitzte die Ohren. Ich gewahrte, wie er ein Kissen rückte. Aus den Myriaden der Menschheit und aus allen vergangenen Zeiten hatte er eine bestimmte Person, einen bestimmten Augenblick gewählt. Ein Geräusch wurde im Hausflur hörbar. Was er grade sagte, flackerte in der Luft wie eine unruhige Flamme. Ich beobachtete, wie er einen Schritt aus andern Schritten herauszuhören suchte; auf ein bestimmtes Erkennungszeichen wartete und mit der Schnelligkeit einer Schlange einen Blick auf die Türklinke warf. (Daher die erstaunliche Schärfe seiner Wahrnehmungen; er ist jeweils durch einen einzigen Menschen geschult worden.) Eine so konzentrierte Leidenschaft stieß andre aus wie Fremdkörper aus einer ausgegorenen, klar funkelnden Flüssigkeit. Ich wurde mir meines unentschiedenen, wolkigen Wesens voller Bodensatz, voller Zweifel, voller Phrasen und Aufzeichnungen in Merkbüchern bewußt. Die Falten des Vorhangs hingen nun bildsäulenhaft still; der Briefbeschwerer auf dem Tisch wurde hart; die Fäden im Vorhang glitzerten; alles nahm Bestimmtheit an, wurde äußerlich, eine Szene, an der ich nicht teilhatte. Darum stand ich auf; ich verließ ihn.

Himmel! wie sie mich packten, als ich das Zimmer verließ, die Fänge jenes alten Schmerzes! Die Sehnsucht nach jemand, der nicht da war. Nach wem? Anfangs wußte ich es nicht; erinnerte mich dann Percivals. Ich hatte monatelang nicht mehr an ihn gedacht. Nun mit ihm zu lachen, mit ihm Neville auszulachen — das war's, was ich wollte; Arm in Arm mit ihm lachend wegzugehn. Aber er war nicht da. Die Stelle war leer.

Es ist seltsam, wie die Toten auf uns losspringen an Straßenecken oder in Träumen.

Dieser jähe, mich so scharf und kalt anwehende Windstoß sandte mich an jenem Abend quer durch London zu andern Freunden, Rhoda und Louis, weil mich nach Gesellschaft, Gewißheit, Fühlung verlangte. Ich fragte mich, als ich die Treppe hinaufging, wie sie zueinander standen. Was redeten sie miteinander, wenn sie allein waren? Ich stellte mir vor, daß Rhoda ungeschickt mit dem Teekessel umgehe.

Sie blickt über die Schieferdächer — sie, die Brunnennymphe, die immer feuchte, von Visionen besessene, träumende. Sie schiebt die Vorhänge auseinander, um in die Nacht hinauszusehen. »Hinweg!« sagt sie. »Das Moor liegt dunkel unter dem Mond.« Ich klingelte; ich wartete. Louis goß vielleicht Milch für die Katze in eine Untertasse; Louis, dessen knochige Hände sich wie die Seitenwände eines Docks mit einer langsamen, ängstlichen Anstrengung hinter einem riesigen Gewoge von Wasser schlossen; Louis, der wußte, was Ägypter, was Inder, was Männer mit hohen Backenknochen und Einsiedler in härenen Hemden gesagt haben. Ich klopfte; ich wartete; niemand kam. Ich stapfte die Steintreppe wieder hinab. Unsre Freunde — wie fern, wie stumm, wie selten aufgesucht und wie wenig gekannt! Und auch ich bin für meine Freunde undeutlich und ungekannt; ein Phantom, ein manchmal erblicktes, öfter nicht erblicktes. Das Leben ist gewiß ein Traum. Unsre Flamme, das Irrlicht, das in einigen wenigen Augen tanzt, wird bald ausgeblasen werden, und alles wird verblassen. Ich rief mir meine Freunde ins Gedächtnis. Ich dachte an Susan. Sie hatte Felder gekauft. Gurken und Tomaten reiften in ihren Glashäusern. Die Weinrebe, die vergangenes Jahr vom Frost scheinbar getötet worden war, streckte ein paar Blättchen hervor. Susan schritt schwerfällig mit ihren Söhnen über ihre Felder. Sie ging, von Männern in Ledergamaschen begleitet, auf ihrem Grund umher und wies mit der Stockspitze auf ein Dach, auf Hecken, auf schadhaft gewordene Mauern. Die Tauben watschelten hinter ihr her, der Körner wegen, die sie aus ihren tüchtigen, erdigen Fingern fallen ließ. »Aber ich stehe nicht mehr bei Tagesanbruch auf«, sagte sie. Dann Jinny — die zweifellos einen neuen jungen Mann zu Gast hatte. Die beiden erreichten die Krise des üblichen Gesprächs. Das Zimmer würde verdunkelt, Stühle anders gerückt werden.

Denn sie trachtete noch immer nach dem Augenblick. Ohne Illusionen, hart und klar wie Kristall, ritt sie mit entblößter Brust auf den Tag los. Sie ließ sich von seinen Stacheln durchbohren. Als die Locke auf ihrer Stirn anfing weiß zu werden, drehte sie sie furchtlos zusammen mit den andern ein. So wird, wenn sie kommen werden, um sie zu begraben, nichts in Unordnung sein. Endchen von Bändern werden zusammengerollt gefunden werden. Aber noch immer öffnet sich die Tür. »Wer kommt herein?« fragt sie und steht auf, um ihm entgegenzugehn, bereit wie in jenen ersten Frühlingsnächten, als der Baum vor den großen Londoner Wohnhäusern, in denen achtbare Bürger nüchtern zu Bett gingen, ihr Lieben kaum vor Blicken barg; und das Kreischen der Trambahn sich mit dem Schrei ihrer Lust mengte und das Gekräusel der Blätter ihre Erschlaffung beschatten mußte, ihre köstliche Mattigkeit, wenn sie gekühlt von all der Süße befriedigter Natur hinsank. Unsre Freunde, wie selten aufgesucht, wie wenig gekannt — es ist wahr; und doch, wenn ich einen Unbekannten treffe und hier, an diesem Tisch, das, was ich »mein Leben« nenne, loszubrechen versuche, ist es nicht ein einziges Leben, auf das ich zurückblicke; ich bin nicht ein einziger; ich bin viele; ich weiß nicht ganz genau, wer ich bin — ob Jinny, Susan, Neville, Rhoda oder Louis; oder wie mein Leben von dem ihren unterscheiden.

So dachte ich auch an jenem Abend im Frühherbst, als wir wieder einmal in Hampton Court zu Abend aßen. Unser Unbehagen war zuerst beträchtlich, denn damals war jedes schon auf eine Aussage festgelegt, und die andern, die so oder so gekleidet, mit oder ohne Stock, die Straße zu unserm Treffpunkt herankamen, schienen dieser Aussage zu widersprechen. Ich sah Jinny Susans erdige Finger ansehen und dann die ihren verstecken; ich selbst empfand beim Betrachten Nevilles, des adretten, exakten, das Nebelhafte meines Lebens, des durch alle diese Phrasen undeutlich gewordenen. Er prahlte dann, denn er schämte sich des einen Zimmers und des einen Menschen und seines Erfolgs. Louis und Rhoda, die Verschworenen, die Spione am Tisch, die alles gewahrten, dachten: »Schließlich kann Bernard uns vom Kellner Brötchen bringen lassen — ein Fühlungnehmen, das uns versagt ist.« Wir sahen einen Augenblick den Körper des vollständigen Menschen zwischen uns ausgelegt, der zu werden uns nicht gelungen war, den wir dabei aber nicht vergessen konnten. Alles, was wir hätten sein können, alles, was wir versäumt hatten, sahen wir; und wir neideten für einen Augenblick dem andern seinen Anspruch, wie Kinder, die, wenn der Kuchen, der eine, einzige Kuchen zerschnitten wird, ihr Stück immer kleiner werden sehen.

Immerhin tranken wir unsre Flasche Wein und verloren unter ihrem verführerischen Einfluß unsre Feindseligkeit und hörten auf zu vergleichen. Und halben Wegs durch das Abendessen fühlten wir die ungeheure Finsternis alles dessen, was außerhalb unser ist, dessen, was wir nicht sind, sich rings um uns weiter ausbreiten. Der Wind, das Räderrollen wurden zum Sausen der Zeit, und wir rasten — wohin? Und wer waren wir? Wir waren für einen Augenblick ausgelöscht, erloschen wie Funken in verbranntem Papier, und die Finsternis dröhnte. Über alle Zeit, alle Geschichte hinaus sausten wir. Für mich dauert das immer bloß eine Sekunde. Es endet durch meine Streitsucht. Ich schlage mit meinem Löffel auf den Tisch. Wenn ich Dinge mit dem Zirkel messen könnte, würde ich es tun, aber da mein einziges Meßgerät eine Phrase ist, mache ich Phrasen — ich habe vergessen, welche bei dieser Gelegenheit. Es wurden sechs Menschen aus uns an einem Tisch in Hampton Court. Wir standen auf und gingen miteinander durch die Allee. In dem dünnen, dem unwirklichen Zwielicht kehrten stoßweise, wie das Echo lachender Stimmen durch ein Hintergäßchen tönt, Fröhlichkeit und Fleischlichkeit zurück. Gegen den Torbau des Schlosses, gegen eine Zeder sah ich Neville, Jinny, Rhoda, Louis, Susan und mich, unsre Leben, unsre Persönlichkeiten hell auflodern. Noch immer schien König Wilhelm III. ein unwirklicher Monarch zu sein und seine Krone bloßes Flitterwerk. Wir aber, da vor der Ziegelmauer, da vor den Zweigen — wir sechs von wer weiß wie vielen Milliarden — für einen Augenblick aus einer wer weiß wie unermeßlichen Fülle vergangener und künftiger Zeit loderten wir da triumphierend. Der Augenblick war alles; der Augenblick war genug. Und dann brachen wir, wie eine Welle sich bricht, auseinander, Neville, Jinny, Susan und ich, und ergaben uns — dem nächsten Laubblatt, dem einen, bestimmten Vogel, einem Kind mit einem Reifen, einem umhertollenden Hund, der Wärme, die nach einem heißen Tag in Wäldern gespeichert ist, den sich wie weiße Bänder auf gekräuseltem Wasser schlängelnden Lichtern. Wir entfernten uns; wir wurden von der Dunkelheit der Bäume verschluckt und ließen Rhoda und Louis auf der Terrasse bei der Urne zurück.

Als wir von diesem Untertauchen — diesem so süßen, so tiefen! — an die Oberfläche zurückkamen und die beiden Verschworenen noch immer dort stehn sahen, empfanden wir einige Zerknirschung. Wir hatten verloren, was sie sich bewahrt hatten. Wir unterbrachen sie. Aber wir waren müde, und ob es gut oder schlecht gewesen, vollendet oder unvollendet gelassen war — es senkte sich der dämmerige Schleier über unsre Bemühungen; die Lichter brannten schwächer, als wir einen Augenblick auf der Terrasse mit der Aussicht auf den Fluß stehnblieben. Die Dampfer ließen ihre Ausflügler am Ufer landen; man hörte fernes Jauchzen und Singen, als schwenkten Leute ihre Hüte und stimmten in ein letztes Lied ein. Die Klänge des Chorgesangs kamen über das Wasser, und ich fühlte jenen alten Antrieb in mir aufspringen, der mich mein Leben lang bewegt hat: auf und nieder geworfen zu werden auf dem Stimmenschwall andrer Leute, die alle dasselbe Lied singen; hinauf- und hinabgeschleudert zu werden auf dem Gebrüll fast sinnlosen Lustigseins, Empfindens, Triumphierens, Begehrens. Aber nicht jetzt. Nein! Ich konnte mich nicht sammeln; ich konnte mich nicht von andern unterscheiden; ich konnte nicht anders, als alles, was noch vor einer Minute mich begierig, lustig, eifersüchtig, wachsam und eine Unmenge andres gemacht hatte, ins Wasser fallen zu lassen. Ich konnte mich nicht wiedererlangen aus diesem endlosen Sichwegwerfen, Sichvergeuden, ungewollten Hervorquellen und lautlosen Enteilen, dort unter den Brückenbogen hervor, um eine Baumgruppe oder eine Insel herum, hinaus, wo Möwen auf Pfählen sitzen, und über das aufgerauhte Wasser, um Wellen im Meer zu werden, — ich konnte mich nicht wiedererlangen aus dieser Vergeudung. So gingen wir auseinander.

War dies also, dieses Hinwegströmen, vermischt mit Susan, Jinny, Neville, Rhoda, Louis, eine Art von Tod? Eine neue Zusammensetzung von Elementen? Eine Andeutung des Kommenden? Die Notiz war hingekritzelt, das Merkbuch zugeklappt, denn ich bin unregelmäßig in meinen Studien. Ich sage meine Lektionen keineswegs zur festgesetzten Stunde her. Später, als ich zur Stoßzeit durch die Fleet Street ging, erinnerte ich mich jenes Augenblicks; ich setzte ihn fort. »Muß ich für immer«, fragte ich mich, »mit meinem Löffel auf das Tischtuch schlagen? Soll nicht auch ich zustimmen?« Die Autobusse stauten sich; einer nach dem andern kam heran und hielt mit einem Klicken, als würde ein Glied an eine Halskette von Steinen gefügt. Leute kamen und gingen vorbei.

Zahlreich, Aktenköfferchen in der Hand, einander mit unglaublicher Behendigkeit ausweichend, strömten sie vorbei wie ein Fluß bei Hochwasser. Sie kamen dröhnend vorbei wie ein Eisenbahnzug in einem Tunnel. Eine Gelegenheit nutzend, querte ich die Straße, tauchte in einen dunkeln Durchgang und betrat den Laden, wo man mir die Haare schneidet. Ich lehnte den Kopf zurück und wurde in ein weißes Tuch gewickelt. Spiegel waren mir gegenüber, in denen ich meinen gefesselten Körper und die Vorübergehenden sehen konnte; wie sie stehnblieben, schauten und gleichgültig weitergingen. Der Friseur begann seine Schere auf- und zuzuklappen. Ich fühlte mich machtlos, das Hinundher des kalten Stahls aufzuhalten. So werden wir also in Schwaden hingemäht, sagte ich mir; so liegen wir nebeneinander auf den feuchten Wiesen, welke Zweige und blühende Zweige. Wir brauchen uns nicht mehr an den kahlen Hecken dem Wind und dem Schnee auszusetzen; wir müssen uns nicht mehr aufrecht halten, wenn der Sturmwind einherfegt, und unsre Last hocherhoben tragen; oder uns ohne zu murren an solchen blassen Mittagen verweilen, wenn der Vogel dicht am Zweig hinschlüpft und Feuchtigkeit die Blätter weißlich färbt. Wir sind hingemäht, wir sind hingefallen. Wir sind ein Teil dieses fühllosen Weltalls geworden, das schläft, wenn wir am lebendigsten sind, und lichterloh brennt, wenn wir im Schlaf liegen. Wir haben unsrer Stellung entsagt und liegen nun flach und verwelkt da, und wie bald vergessen! Worauf ich im Augenwinkel des Friseurs einen Ausdruck sah, als interessierte ihn etwas auf der Straße.

Was interessierte den Friseur? Was erblickte der Friseur auf der Straße? Auf solche Weise werde ich zurückgerufen. (Denn ich bin kein Mystiker; irgend etwas zupft immerzu an mir — Neugier, Neid, Bewunderung, Interesse für Friseure und dergleichen bringen mich an die Oberfläche.) Während er Haare von meinem Rock bürstete, nahm ich mir die Mühe, mich seiner Identität zu vergewissern, und ging dann, meinen Stock schwingend, in den »Strand« und beschwor, damit sie mir als mein Gegenstück diene, die Gestalt Rhodas, der immer so verstohlenen, die, immer Angst in den Augen, immer auf der Suche nach einer Säule in der Wüste, hingegangen war, sie zu finden; sie hatte sich umgebracht. »Warte!« sagte ich, meinen Arm in der Einbildung (so gesellen wir uns unsern Freunden) durch den ihren schiebend. »Warte, bis diese Autobusse vorbei sind! Geh nicht so unvorsichtig über die Straße! Diese Menschen sind deine Brüder.« Indem ich sie überredete, überredete ich zugleich meine eigene Seele. Denn meines ist nicht ein einziges Leben; und ich weiß auch nicht immer, ob ich ein Mann oder eine Frau bin, ob Bernard oder Neville, Louis, Susan, Jinny oder Rhoda — so seltsam ist die Fühlung zwischen einem Menschen und dem andern.

Meinen Stock schwingend, die Haare frisch geschnitten und ein Prickeln im Nacken, ging ich an all diesen Umhängebrettern voll billigstem Spielzeug, aus Deutschland importiertem, vorbei, das einem von Männern auf den Straßen um die Paulskathedrale hingehalten wird, — die Paulskathedrale, die brütende Henne mit ausgebreiteten Flügeln, aus deren Schutz zur Stoßzeit Autobusse und Ströme von Menschen hervoreilen. Ich dachte daran, wie Louis diese Stufen in seinem adretten Anzug, den Spazierstock in der Hand, mit seinem eckigen, ziemlich unbeteiligten Gang hinaufstiege. Mit seinem australischen Akzent (»Mein Vater, ein Bankier in Brisbane«) käme er, dachte ich, mit größerer Ehrfurcht zu diesen alten Zeremonien als ich, der ich dieselben Wiegenlieder seit tausend Jahren höre. Ich bin beim Eintreten immer beeindruckt von den blankgeriebenen Nasen, den polierten messingnen Gedächtnistafeln, dem Armeschwenken und Psalmodieren, während eine Knabenstimme rings um die Kuppel klagt wie eine verflogene, umherirrende Taube. Wie sie hier so friedlich auf dem Rücken liegen, diese unter ihren alten Fahnen ruhenden Krieger, das macht Eindruck auf mich. Dann wieder spotte ich über die Überladenheit und Lächerlichkeit eines beschnörkelten Grabmals; und über die Trompeten und die Siegesgöttinnen und die Wappenschilder und die Gewißheit, die so volltönend immer wieder verkündete, der Auferstehung, des Ewigen Lebens. Mein schweifendes und forschendes Auge zeigt mir ein in frommer Scheu erstarrtes Kind; einen vorbeischlurrenden Pensionisten; oder die Kniefälle müder Ladenmädchen, die, belastet von der Himmel weiß welchem Zwiespalt in ihrer armen schmalen Brust, hergekommen sind, um sich in der Mittagspause Trost zu holen. Ich wandere umher und schaue und staune und versuche manchmal, ganz verstohlen, auf dem Pfeil von jemands anders Gebet in die Kuppel aufzusteigen und hinaus, hinweg, wohin immer er fliegt. Aber dann entdecke ich, gleich der verirrten, klagenden Taube, daß es mir nicht gelingen will; daß ich abwärts flattere und auf einen kuriosen Wasserspeier, eine zerschlagene Nase oder einen absurden Grabstein zu sitzen komme und da humorvoll, verwundert wiederum die Touristen beobachte, wie sie mit ihren Baedekern vorbeischlurren, während die Knabenstimme zur Kuppel aufschwebt und die Orgel sich dann und wann einen Augenblick elefantischen Triumphs leistet. Wie denn, fragte ich mich, würde Louis uns alle unter ein Dach bringen? Wie würde er mit seiner roten Tinte, seiner sehr spitzen Feder uns eingrenzen, uns einsmachen? Die Stimme verlor sich klagend in der Kuppel.

Also wieder auf die Straße hinaus, und meinen Stock schwingend, besehe ich mir Drahtkörbe in den Schaufenstern von Papierhandlungen, Körbe mit in den Kolonien gezogenen Früchten und murmle vor mich hin: »Pillicock saß auf dem Pillicockberg« oder »Horch in die Runde — es bellen die Hunde« oder »Die goldne Zeit beginnt aufs neu« oder »Komm hinweg, komm hinweg, Tod«, und so, Unsinn und Poesie vermengend, treibe ich mit der Strömung. Irgend etwas muß immer als nächstes getan werden. Der Dienstag folgt auf den Montag; der Mittwoch auf den Dienstag. Jeder verbreitet dasselbe Wellengekräusel. Das Wesen setzt Ringe an wie ein Baum. Wie von einem Baum fallen Blätter ab.

Für einen Tag, als ich über ein Gatter lehnte, das auf ein Feld führte, hörte der Rhythmus auf: die Reime und das Gemurmel, der Unsinn und die Poesie. Ein Platz in meinem Geist war freigemacht. Ich sah durch das dichte Laub der Gewohnheit hindurch. Über das Gatter gelehnt, bedauerte ich so viel umherliegenden Abfall, so viel Unvollendetes und so viel Trennendes, denn man kann doch nicht ganz London durchqueren, um einen Freund aufzusuchen, weil das Leben so voll von Verabredungen und Verpflichtungen ist; und man kann sich auch nicht nach Indien einschiffen und einen nackten Mann in klarblauem Wasser Fische speeren sehen. Ich sagte mir, mein Leben sei unvollkommen gewesen, eine unvollendete Phrase. Es war mir, der ich in einem Eisenbahnabteil von jedem Musterkofferjohnny Schnupftabak annehme, unmöglich gewesen, den Zusammenhang zu bewahren, jenes Bewußtsein von den Generationen, von Frauen, die rote Krüge zum Nil tragen, von der Nachtigall, die inmitten von Eroberungszügen und Völkerwanderungen singt. Es war ein zu gewaltiges Unterfangen gewesen, sagte ich mir; und wie kann ich immer wieder den Fuß heben, um an dem Apfelbaum vorbei die Treppe hinaufzusteigen? Ich redete mein Selbst an, wie man zu einem Gefährten spräche, mit dem man zum Nordpol reist.

Ich sprach mit diesem Selbst, das mich bei vielen ungeheuern Abenteuern begleitet hat; mit dem Getreuen, der, wenn alle zu Bett gegangen sind, am Kaminfeuer sitzen bleibt und mit einem Schüreisen die Asche aufstochert; mit ihm, der so geheimnisvoll und mit plötzlichen Zusätzen aufgebaut worden war, in einem Buchenwald, neben einer Weide auf einer Uferböschung sitzend, über eine Brüstung in Hampton Court gelehnt; mit ihm, der sich in Notfällen zusammenraffte und mit seinem Löffel auf den Tisch schlug und sagte: »Ich will nicht zustimmen.«

Dieses Selbst nun gab keine Antwort, als ich an dem Gatter lehnte und über Felder blickte, die sich zu meinen Füßen in Wellen von Farbe erstreckten. Es erhob keinen Widerspruch. Es versuchte keine Phrase zu finden. Seine Hand ballte sich nicht zur Faust. Ich wartete. Ich lauschte. Keine Antwort kam, keine. Da rief ich mit einer plötzlichen Überzeugung, völlig verlassen zu sein: »Also ist nichts da. Keine Flosse unterbricht die Wüstenei dieses unermeßlichen Meers. Das Leben hat mich vernichtet. Kein Widerhall ertönt, keine veränderten Wörter, wenn ich spreche. Dies ist wahrlicher der Tod als der Tod von Freunden, als der Tod der Jugend. Ich bin die umwickelte Gestalt im Friseurladen, die nur so und so viel Platz einnimmt.

Die Landschaft vor mir welkte. Es war wie bei einer Sonnenfinsternis, wenn die Sonne verschwindet und die Erde, die in vollem Sommerlaub prangende, welk, brüchig, verfälscht zurückläßt. Ich sah auch auf einer gewundenen Straße in einem Stäubchentanz die Gruppen, die wir gebildet hatten, wie sie zusammenkamen, wie sie miteinander aßen, wie sie einander in diesem oder jenem Zimmer trafen. Ich sah meine unermüdliche Geschäftigkeit — wie ich von einer zur andern Gruppe gerannt war, sie bedient, für sie geschuftet hatte, abreiste und heimkehrte, mich dieser und jener anschloß, dort einen Kuß gab, hier mich abseits hielt; stets angetrieben von einem außerordentlichen Vorhaben, die Nase am Boden wie ein Hund auf der Fährte; mit einem gelegentlichen Hochwerfen des Kopfs, einem gelegentlichen Aufschrei der Verblüffung, der Verzweiflung, und dann wieder mit der Nase auf der Fährte. Was für eine Unordnung — was für ein Durcheinander! Hier Geburt, hier Tod; Saftigkeit und Süße; Mühe und Not; und ich selbst, wie ich immerzu hin und her renne! Nun war es damit zu Ende. Ich hatte keine Gelüste mehr zu sättigen; keine Stachel mehr, um Leute mit ihnen zu vergiften; keine scharfen Zähne und zupackenden Hände mehr oder den Wunsch, die Birne und die Weintraube zu befühlen und die Obstgartenmauer, die die Sonnenwärme zurückstrahlt.

Die Wälder waren verschwunden; die Erde war eine Einöde von Schatten. Kein Laut unterbrach das Schweigen der winterlichen Landschaft. Kein Hahn krähte; kein Rauch stieg auf; kein Eisenbahnzug rollte. Kein Mensch ohne ein Selbst, sagte ich. Ein schwerfälliger, über ein Gatter lehnender Körper. Ein Toter. Mit leidenschaftsloser Verzweiflung, ohne jede Illusion, überblickte ich den Stäubchentanz: mein Leben, das Leben meiner Freunde und jene Fabelwesen, — Männer mit Besen, Damen, die schrieben, die Weide am Ufer — Wolken und Phantome, auch sie aus Staub, aus Staub, der sich veränderte, so wie Wolken kleiner und größer werden und sich golden oder rot färben und ihre Kuppen verlieren und sich hierhin und dorthin bauschen, unbeständig, eitel. Ich, der ich stets ein Merkbuch bei mir trug und Phrasen machte, hatte bloß Veränderungen verzeichnet; selber ein Schatten, war ich emsig bestrebt gewesen, Schatten zu vermerken. Wie kann ich nun weiter, sagte ich, ohne ein Selbst, gewichtlos und sichtlos, durch eine gewichtlose, illusionslose Welt?

Die Wucht meiner Niedergeschlagenheit drückte das Gatter, an dem ich lehnte, auf und schob mich, einen ältlichen, einen schwerfälligen Mann mit grauem Haar über das farblose, das kahle Feld. Nie mehr einen Widerhall zu hören, nie mehr Phantome zu sehen, keine Gegnerschaft heraufzubeschwören, sondern stets ohne einen Schatten zu gehn, keine Eindrücke auf der toten Erde zu hinterlassen! Wenn wenigstens Schafe dagewesen wären, geräuschvoll fressende, einen Fuß vor den andern setzende, oder ein Vogel oder ein seinen Spaten in die Erde stoßender Mann! Wenn eine Dornenranke dagewesen wäre, um mich zu Fall zu bringen, oder ein Graben, feucht von durchnäßten Blättern, in den ich hätte stürzen können, — aber nein, der melancholische Pfad führte eben weiter, in noch mehr Winterlichkeit und Farblosigkeit, und mit der gleichen uninteressanten Aussicht auf dieselbe Landschaft.

Wie kehrt dann nach der Sonnenfinsternis das Licht in die Welt zurück? Auf wunderbare Weise. Und ganz schwach. In dünnen Streifen. Es hängt wie ein gläserner Käfig, wie ein Reifen, den eine winzige Erschütterung zerbrechen kann. Dann ein Funke. Im nächsten Augenblick ein bräunliches Erglühen. Dann ein Dunst, als atmete die Erde ein und aus, einmal, zweimal, zum erstenmal. Dann geht jemand mit einem grünen Licht unter der Glanzlosigkeit hin. Dann kräuselt sich ein weißes Geisterwölkchen los. Die Wälder pulsieren blau und grün, und allmählich trinken sich die Felder mit Rot, Gold und Braun voll. Plötzlich erhascht ein Fluß ein blaues Leuchten. Die Erde saugt Farbe ein, wie ein Schwamm Wasser. Sie wird schwerer; rundet sich; hängt in der Schwebe; hört auf zu pendeln und dreht sich unter unsern Füßen.

So kehrte mir die Landschaft zurück; so sah ich Felder in Wellen von Farbe sich zu meinen Füßen erstrecken, nun jedoch mit diesem Unterschied: ich sah, wurde aber nicht gesehen. Ich ging von keinem Schatten begleitet; ich kam unangekündigt. Der alte Mantel, das alte Ansprechen auf Dinge war von mir abgefallen; herabgesunken die hohle Hand, die Laute auffängt. Hauchdünn wie ein Geist, ohne eine Spur zu hinterlassen, wo ich ging, und lediglich wahrnehmend, schritt ich allein durch eine neue, eine nie zuvor betretene Welt, an neue Blumen anstreifend, unfähig zu sprechen außer in kindisch kurzen Wörtern; unbeschützt von Phrasen — ich, der ich so viele gemacht hatte; unbegleitet — ich, der ich immer mit meinesgleichen gegangen war; einsam — ich, der ich immer jemand gehabt hatte, mit dem ich mich in den leeren Kaminrost teilen konnte oder in den Schrank mit seinem hängenden Ring von Gold.

Doch wie die ohne ein Selbst erblickte Welt beschreiben? Da gibt es keine Worte. Blau, rot — sogar sie lenken ab, sogar sie verhüllen dicht, statt das Licht durchzulassen. Wie je wieder etwas beschreiben oder etwas in ausgesprochenen Worten sagen? — es sei denn, daß es verblasse, daß es eine allmähliche Verwandlung erleide, sogar im Lauf eines kurzen Spaziergangs, etwas Gewohntes werde — auch diese Landschaft. Blindheit kehrt zurück, sobald man sich bewegt und ein Blatt das andre wiederholt. Lieblichkeit kehrt zurück, während man schaut, mit ihrem ganzen Gefolge von Phantome erweckenden Phrasen. Man atmet spürbaren Atem ein und aus; unten im Tal fährt der Zug mit einem Hängeohr von Rauch durch die Wiesen und Felder.

Aber einen Augenblick lang hatte ich auf dem kurzen Gras gesessen, hoch über dem Fluten des Meers und dem Murmeln der Wälder, hatte das Haus gesehen, den Garten und die sich brechenden Wellen. Die alte Kinderfrau, die die Seiten des Bilderbuchs umwendete, hatte innegehalten und gesagt: »Schau! Dies ist die Wahrheit.«

Das waren meine Gedanken, als ich heute abend durch die Shaftesbury Avenue ging. Ich dachte an jene Seite in dem Bilderbuch. Und als ich Sie, mein Herr, dort traf, wohin man seinen Mantel aufhängen geht, sagte ich mir: »Es kommt nicht darauf an, wen ich treffe. Diese ganze geringfügige Angelegenheit des ›Seins‹ ist vorbei. Wer dies ist, weiß ich nicht; noch kümmert es mich; wir wollen miteinander zu Abend essen.« So hängte ich also meinen Mantel auf, klopfte Ihnen leicht auf die Schulter und sagte: »Setzen Sie sich zu mir!«

Nun ist die Mahlzeit beendet; wir sind von Obstschalenkringeln und Brotkrümeln umgeben. Ich habe versucht, diese Traube abzupflücken und sie Ihnen zu überreichen; aber ob Substanz oder Wahrheit darin ist, weiß ich nicht. Und ich weiß auch nicht genau, wo wir uns befinden. Auf welche Stadt blickt dieses Stück Himmel herab? Ist es Paris, ist es London, wo wir sitzen, oder eine südliche Stadt mit rosagetünchten, von Zypressen überragten Häusern am Fuß hoher Berge, über denen Adler kreisen? Ich weiß es in diesem Augenblick nicht gewiß.

Ich beginne nun zu vergessen; ich beginne, die Festigkeit von Tischen zu bezweifeln, die Wirklichkeit des Hier und Heute; ich beginne, mit den Knöcheln kräftig auf die Kanten anscheinend fester Gegenstände zu klopfen, und sage: »Seid ihr hart?« Ich habe so viele verschiedene Dinge gesehen, habe so viele verschiedene Sätze gebildet. Ich habe beim Essen und Trinken und, während ich die Augen über Oberflächen gleiten ließ, jene dünne, harte Schale eingebüßt, die die Seele umgibt; die einen, solange man jung ist, einschließt — daher die Heftigkeit und das Hämmern der unbarmherzigen Schnäbel der Jungen. Und nun frage ich: »Wer bin ich?« Ich habe von Bernard, Neville, Jinny, Susan, Rhoda und Louis gesprochen. Bin ich sie alle? Bin ich ein einziger und gesondert? Ich weiß es nicht. Wir saßen hier beisammen. Nun aber ist Percival tot und Rhoda ist tot; wir sind geschieden; wir sind nicht hier. Doch ich kann kein Hindernis finden, das uns trennt. Es gibt keine Scheidewand zwischen mir und ihnen. Während ich sprach, fühlte ich: »Ich bin ihr.« Dieser Unterschied, von dem wir so viel hermachen, diese Individualität, die wir so fieberhaft hätscheln, ist überwunden. Ja, schon immer, seit die alte Mrs. Constable den Schwamm hob und mich, indem sie mich mit warmem Wasser übergoß, mit Fleisch bedeckte, bin ich empfindungsfähig, wahrnehmungsfähig. Hier auf meiner Stirn ist der Schlag, den ich erhielt, als Percival stürzte. Hier auf meinem Nacken ist der Kuß, den Louis von Jinny empfing. Meine Augen füllen sich mit Susans Tränen. Ich sehe in der Ferne, flimmernd wie einen Goldfaden, die Säule, die Rhoda sah, und fühle das Sausen des Gegenwinds ihres Flugs, als sie hinabsprang.

Wenn ich also daran gehe, hier an diesem Tisch zwischen meinen Händen die Geschichte meines Lebens zu gestalten und sie als etwas Vollständiges vor Sie hinzusetzen, muß ich mir Dinge, die weit, die tief in dieses oder jenes Leben eingesunken und ein Teil davon geworden sind, in Erinnerung rufen; auch Träume, Dinge, die mich umgaben, und jene Mitbewohner, jene alten, sich nur halb vernehmbar machenden Geister, die Tag und Nacht umherspuken; die sich im Schlaf umwenden, wirre Schreie ausstoßen, ihre Phantomfinger ausstrecken und nach mir greifen, während ich zu entfliehen suche, — diese Schatten von Leuten, die man hätte sein können; ungeborene Selbstheiten. Da ist auch der alte Rohling, der wilde, behaarte Mann, der mit den Fingern in Stricken von Eingeweiden wühlt; sie in sich hineinschlingt und rülpst; dessen Sprache kehlig, eingeweidig klingt — hier ist er nun. Er hockt in mir. Heute abend ist er mit Wachteln, Salat und Kalbsbries regaliert worden. Nun hält er ein Glas feinen alten Kognaks in der Pratze. Er richtet sich auf, schnurrt und sendet warme Schauer mein Rückgrat entlang, wenn ich schlürfe. Es ist wahr, er wäscht sich die Hände vor dem Essen, aber sie sind dennoch behaart. Er knöpft sich in Hose und Weste ein, aber sie enthalten dieselben Organe. Er muckt auf, wenn ich ihn auf eine Mahlzeit warten lasse. Er mault und jault immerzu, weist mit halb idiotischen Gebärden der Gier und Lüsternheit auf was er begehrt. Ich versichere Sie dessen, ich habe oft die größten Schwierigkeiten, ihn im Zaum zu halten. Dieser Mann, dieser behaarte, affenähnliche, hat das Seine zu meinem Leben beigetragen. Er hat grünen Dingen ein grüneres Glühen verliehen, hat seine Fackel mit ihren roten Flammen, ihrem dichten, beizenden Rauch hinter jedes Baumblatt gehalten. Er hat sogar den kühlen Garten erleuchtet. Er hat seine Fackel in düsteren Hintergäßchen geschwenkt, wo Mädchen plötzlich rötlich und berauschend durchscheinend zu leuchten schienen. Oh, er hat seine Fackel hoch emporgeschwungen! Er hat wilde Tänze mit mir aufgeführt!

Jetzt aber nicht mehr. Heute abend ragt mein Körper, Reihe über Reihe von Quadern, auf wie ein kühler Tempel, darin der Boden mit Teppichen belegt ist und Gemurmel ertönt und die Altäre rauchen; hier herauf aber, in meinen heiter abgeklärten Kopf, dringen bloß zarte Hauche von Melodien, Wellen von Weihrauch, während die verirrte Taube klagt und die Banner leise über Grabmälern schwanken und die dunkeln Lüfte der Mitternacht draußen vor den offenen Fenstern Bäume schütteln. Wenn ich aus dieser Transzendenz hinabblicke, wie schön sind da sogar die zerkrümelten Brotreste! Was für wohlgeformte Spiralen die Birnenschalen bilden — wie dünn sie sind und gesprenkelt wie das Ei eines Seevogels! Sogar die schön gerade nebeneinander hingelegten Bestecke sehen klar, logisch, exakt aus;

und die Brötchenhälften, die wir übriggelassen haben, sind gelb glasiert und hart. Ich könnte sogar meine Hand anbeten, meine Hand mit ihrem von blauen, geheimnisvollen Adern durchflochtenen Fächer von Knochen und ihrem erstaunlichen Aussehen nach Zweckdienlichkeit, Geschmeidigkeit und der Fähigkeit, sich sanft zu krümmen oder jäh zu zermalmen, — und mit ihrem unendlichen Empfindungsvermögen.

Als unermeßlich aufnahmsfähig, alles enthaltend, von Fülle erbebend, doch klar, gefaßt — so erscheint mir mein Wesen, nun Begehren es nicht mehr hinaus- und hinwegtreibt; nun Neugier es nicht mehr mit tausend Farben färbt. Es liegt tief, gezeitenlos, gefeit, nun er tot ist, der Mann, den ich »Bernard« nannte, der Mann, der immer ein Büchlein in der Tasche hatte, in das er Eintragungen machte — Phrasen für den Mond, Vermerke über Gesichtszüge; wie Leute aussahen, sich umwandten, ihre Zigarettenenden fallen ließen; unter »S« Schmetterlingsstaub; unter »T« Arten, den Tod zu benennen. Doch lassen wir nun die Tür sich öffnen, die Glastür, die sich immerzu in den Angeln dreht. Lassen wir eine Frau hereinkommen, einen jungen Mann im Abendanzug mit einem Schnurrbart, die sich hinsetzen; gibt es irgend etwas, das sie mir sagen könnten? Nein! Ich weiß auch das alles. Und wenn sie plötzlich aufsteht und weggeht, sage ich: »Meine Liebe, du kannst nicht mehr bewirken, daß ich dir nachblicke.« Der Anprall der sich überstürzenden Welle, der mein Leben lang erklungen ist, der mich geweckt hat, so daß ich den goldenen Ring an dem Schrank sah, bringt, was ich enthalte, nicht mehr zum Erbeben.

Also könnte ich nun, das Geheimnis der Dinge auf mich nehmend, weggehn wie ein Späher, ohne diesen Ort zu verlassen, ohne mich von meinem Sessel zu rühren. Ich könnte die fernen Säume der Wüstenländer aufsuchen, wo der Wilde am Lagerfeuer sitzt. Der Tag bricht an; das Mädchen hebt die wässerigen, feuerkernigen Juwelen an die Stirn; die Sonne richtet ihre Strahlen geradenwegs auf das schlafende Haus; die Wellen ziehen ihre Striche dunkler; sie werfen sich ans Ufer; der Gischt weht zurück; ihre Wasser hinfegend umzingeln sie das Boot und die Stranddistel. Die Vögel singen im Chor; tiefe Stollen ziehen sich zwischen den Blumenstengeln hin; das Haus wird weißer; der Schläfer streckt sich; allmählich regt sich alles. Licht durchflutet das Zimmer und treibt Schatten über Schatten dorthin, wo sie in unergründlichen Falten hängen. Was enthält der mittlere Schatten? Etwas? Nichts? Ich weiß es nicht.

Oh, aber hier ist Ihr Gesicht, mein Herr. Ich fange Ihren Blick auf. Ich, der ich mich für so riesengroß hielt, für einen Tempel, eine Kirche, ein ganzes Weltall, unbegrenzt und fähig, überall auf der Schwelle von allem zu stehn und dabei auch hier, bin nun nichts, als was Sie vor sich sehen — ein ältlicher Mann, ziemlich schwerfällig, schon grau an den Schläfen, der (ich sehe mich im Spiegel) den einen Ellbogen auf den Tisch stützt und in der linken Hand ein Glas alten Kognaks hält. Das ist der Schlag, den Sie mir versetzt haben. Ich bin, bums! in die Briefkastensäule hineingerannt. Ich taumle hin und her; greife mir mit den Händen an den Kopf. Der Hut ist mir heruntergerutscht — ich habe meinen Stock fallen lassen. Ich habe mich wie ein schrecklicher Esel benommen und werde mit Recht von jedem Vorübergehenden ausgelacht.

Herrgott, wie unsagbar abscheulich das Leben ist! Was für gemeine Streiche es uns spielt! Frei den einen Augenblick; den nächsten dies: wieder inmitten der Brotkrümel und der fleckigen Servietten. Auf diesem Messer da stockt schon das Fett. Unordnung, Unsauberkeit und Verderbtheit umgeben uns. Wir haben die Leiber toter Vögel in den

Mund gesteckt. Und mit solchen fettigen Krumen, überschlabberten Servietten und kleinen Leichen müssen wir aufbauen. Immer wieder beginnt es von neuem; immer ist da der Feind: Augen, die den unsern begegnen, Finger, die an den unsern reißen; immer wartet eine Anstrengung auf uns: den Kellner zu rufen; die Rechnung zu zahlen. Wir müssen uns von unsern Sesseln aufraffen. Wir müssen unsre Mäntel holen. Wir müssen gehn. Müssen, müssen, müssen — verhaßtes Wort! Abermals entdecke ich, der sich für gefeit hielt, der gesagt hatte: »Nun bin ich alles das los!«, daß mich die Welle kopfüber umgeworfen, meine Besitztümer verstreut und es mir überlassen hat, sie wiederzufinden, zu sammeln, anzuhäufen, meine Kräfte zusammenzurufen, mich zu erheben und dem Feind gegenüberzutreten.

Es ist seltsam, daß wir, die wir so viel Leid auszuhalten vermögen, so viel Leid zufügen. Seltsam, daß das Gesicht eines Menschen, den ich kaum kenne, nur daß ich glaube, wir trafen einander einmal auf dem Laufsteg eines nach Afrika fahrenden Schiffs, — daß eine bloß schattenhafte Andeutung von Augen, Wangen, Nasenlöchern die Macht haben sollte, eine solche Beleidigung zuzufügen. Da sitzen Sie und tun, soviel ich weiß, weiter nichts als umherblicken, essen, lächeln, gelangweilt, belustigt, verärgert sein. Und doch hat dieser Schatten, der eine oder zwei Stunden mit mir bei Tisch saß, hat diese Maske, aus der zwei Augen gucken, die Macht, mich unter alle die andern Gesichter zurückzutreiben, mich da festzubinden, mich in ein stickiges Zimmer einzuschließen; mich wie eine Motte eilends von einer Kerze zur andern zu senden.

Aber warten Sie! Während dort hinter dem Wandschirm die Rechnung addiert wird, bleiben Sie noch einen Augenblick! Nun, da ich Sie beschimpft habe wegen des Schlags, der mich zwischen die Obstschalen und Brotkrumen und

Fleischreste taumeln ließ, will ich in möglichst einfachen Wörtern festhalten, wie ich auch unter Ihrem Blick, unter solchem Zwang dies, das und jenes wahrzunehmen beginne. Die Uhr tickt; die Frau niest; der Kellner nähert sich; es ist ein allmähliches Zusammenkommen, Ineinanderlaufen, eine Beschleunigung und Vereinigung. Horchen Sie! Eine Pfeife ertönt, Räder sausen, die Tür kreischt in den Angeln. Ich erlange wieder das Gefühl der Vielfalt und der Wirklichkeit und des Kampfs, und dafür bin ich Ihnen dankbar. Und mit einigem Mitleid, einigem Neid und viel gutem Willen ergreife ich Ihre Hand und wünsche Ihnen eine gute Nacht.

Der Himmel sei gepriesen für Einsamkeit! Ich bin nun allein. Dieser mir fast unbekannte Mensch ist weggegangen, um einen Zug zu erreichen, um ein Taxi zu nehmen, um irgendwohin oder zu irgend jemand zu fahren, den ich nicht kenne. Das Gesicht, das mich ansah, ist weg. Der Druck ist von mir genommen. Hier stehn leere Kaffeetassen. Hier stehn einander zugewendete Sessel, aber niemand sitzt auf ihnen. Hier stehn leere Tische, aber niemand wird mehr kommen, um heute abend an ihnen zu essen.

Ich will nun meinen Lobgesang erheben. Der Himmel sei gepriesen für Einsamkeit! Laßt mich allein sein! Laßt mich ausholen und diesen Schleier des Seins, diese Wolke, die sich beim geringsten Hauch, bei Nacht und bei Tag und die ganze Nacht und den ganzen Tag verändert, von mir werfen! Während ich hier saß, habe ich mich verändert. Ich habe den Himmel sich verändern gesehen. Ich habe Wolken die Sterne bedecken, dann die Sterne freigeben, dann sie wieder bedecken gesehen. Nun blicke ich nicht mehr hin, wie sie sich verändern. Nun sieht mich niemand mehr, und ich verändere mich nicht mehr. Der Himmel sei gepriesen für Einsamkeit, die den Druck auf das Auge, die Reizung des Leibes und alle Notwendigkeit der Lügen und Phrasen von mir genommen hat.

Mein mit Phrasen vollgestopftes Merkbuch ist zu Boden gefallen. Es liegt unter dem Tisch und wird von der Aufräumefrau weggefegt werden, wenn sie beim Morgengrauen müde herkommt und Papierschnitzel, alte Tramfahrscheine und hier und da ein zu einem Ball geknülltes Zettelchen mit ein paar Worten darauf zusammenklaubt, das samt all dem Kehricht zurückgelassen wurde, um weggefegt zu werden. Welches ist die Phrase für den Mond? Und die Phrase für die Liebe? Mit welchem Namen sollen wir den Tod nennen? Ich weiß es nicht. Ich benötige eine Tändelsprache, wie Liebesleute sie gebrauchen, ganz einfache Wörter, wie Kinder sie sprechen, wenn sie ins Zimmer kommen und ihre Mutter beim Nähen antreffen und nach einem Endchen bunter Wolle greifen, nach einer Flaumfeder oder einem Stückchen Chintz. Ich benötige ein Aufheulen, einen Aufschrei. Wenn der Sturm über das Marschland fährt und über mich hinwegbraust, wo ich unbeachtet im Graben liege, benötige ich keine Wörter. Nichts Schmukkes. Nichts, was mit allen seinen Füßen auf dem Boden landet. Keine dieser Resonanzen und lieblichen Echos, die, von einem oder dem andern Nerv kommend, sich in unsrer Brust brechen und klingen; wild drauflos musizieren, falsche Phrasen machen. Ich bin fertig mit Phrasen.

Um wie viel besser ist Stillschweigen; die Kaffeetasse, der Tisch. Um wie viel besser, allein dazusitzen wie auf dem Pfahl der einsame Seevogel, der seine Schwingen entfaltet. Laßt mich auf ewig so dasitzen, mit schieren Dingen, dieser Kaffeetasse, diesem Messer, dieser Gabel, mit Dingen an sich, mit mir selbst als mir selbst. Kommt nicht und belästigt mich nicht mit euern Andeutungen, es sei Zeit, den Laden zu schließen und heimzugehn! Ich würde bereitwillig mein ganzes Geld dafür hingeben, daß ihr mich nicht stört, sondern mich weiter hier so sitzen laßt, schweigend, allein.

Doch jetzt erscheint der Oberkellner, der seine eigene Mahlzeit beendet hat, und zieht die Stirn kraus; er holt seinen Schal aus der Tasche und macht sich auffällig zum Heimgehn bereit. Alle müssen sie gehn; müssen die Fensterläden schließen, müssen die Tischtücher zusammenfalten und mit einem feuchten Lappen einen Wischer unter den Tischen tun.

Zum Teufel mit euch also! Wie sehr ich auch mit alledem fertig und zu Ende sein mag, ich muß mich nun doch aufhieven und den bestimmten Mantel finden, der mir gehört; muß die Arme in die Ärmel schieben; muß mich gegen die Nachtluft vermummen und weggehn. Ich, ich, ich, müde, wie ich bin, erschöpft, wie ich bin, und fast verbraucht davon, meine Nase an der Oberfläche der Dinge zu reiben; sogar ich, ein ältlicher Mann, der schon einigermaßen Gewicht ansetzt und sich ungern anstrengt, muß mich hinweg begeben und einen letzten Zug erreichen.

Wieder sehe ich die gewohnte Straße vor mir. Der Baldachin der Zivilisation ist ausgebrannt. Der Himmel ist dunkel wie poliertes Fischbein. Am Horizont aber ist ein Züngeln, entweder von Lampenlicht oder von Morgenröte. Irgend etwas regt sich — Sperlinge, die irgendwo auf Platanen tschilpen. Eine Ahnung von Tagesanbruch. Ich will sie nicht Morgendämmerung nennen. Was bedeutet Morgendämmerung in der Großstadt einem ältlichen Mann, der auf der Straße steht und ziemlich benommen zum Himmel aufblickt? Morgendämmerung ist ein Hellerwerden des Himmels, eine Art von Sicherneuern. Wieder ein Tag; wieder ein Freitag; wieder ein zwanzigster März, Januar oder September. Wieder ein allgemeines Erwachen. Die Sterne ziehen sich zurück und erlöschen. Die Streifen zwischen den

Wellen werden dunkler. Der Nebelschleier auf den Wiesen verdichtet sich. Eine Röte sammelt sich auf den Rosen, sogar auf der blassen Rose, die neben dem Schlafzimmerfenster hängt. Ein Vogel zwitschert. Landarbeiter zünden ihre frühen Kerzen an. Ja, dies ist die ewige Erneuerung, das unaufhörliche Sichheben und Sichsenken, auf und ab und wieder auf.

Und auch in mir hebt sich die Welle. Sie schwillt, sie krümmt den Rücken. Ich bin mir abermals eines neuen Verlangens bewußt, eines Etwas, das sich unter mir hebt wie das stolze Roß, dessen Reiter es erst anspornt und dann zurückreißt. Welchen Feind sehen wir nun gegen uns herannahen, du, worauf ich nun reite, während wir ungeduldig mit dem Huf dieses Stück Pflaster scharren? Es ist der Tod. Der Tod ist der Feind. Der Tod ist es, wogegen ich anreite, mit eingelegtem Speer und zurückwehendem Haar wie das eines jungen Mannes, wie das Percivals, wenn er in Indien galoppierte. Ich gebe meinem Pferd die Sporen. Unbesiegt und unnachgiebig will ich mich dir entgegenwerfen, o Tod!

Die Wellen brachen sich am Ufer.

SF
V